チャイナウオッチ
矢吹晋著作選集

2

天安門事件

蒼蒼社
Publisher Michitani

チャイナウオッチ
矢吹晋著作選集　2　天安門事件　目次

チャイナウオッチ
矢吹晋著作選集

2

天安門事件

凡例

- 原載における誤植、誤字・脱字などは訂正した。
- 表記は基本的に原載どおりとしたが、一部の語句は漢字表記を仮名表記に、仮名表記を漢字表記に改めた。なお一部については記述を改めた箇所がある。
- 全巻の体裁を整えるため大小を問わず見出しは改めた箇所がある。
- 常用漢字以外の略字は、表外漢字字体表に基づいて改めた。
- 送り仮名は基本的に「送り仮名の付け方」（内閣告示、１９７３年）に基づいた。
- 引用文中の省略の示し方は〔中略〕に揃えた。
- 数字表記、また記号類については一部改めた箇所がある。
- 著作名・組織名・人名などの表記は基本的に全巻揃えるようにした。
- 中国・香港・台湾発行の書籍名および論文名は原書どおりとするよう揃えた（ただし簡体字・繁体字は表外漢字字体表に基づいて改めた）。なお初出時に邦訳名のみ記されているものは邦訳ままとしたものがある。
- 慣用されていない中国語句は基本的に日本語句に差し替えた。
- 原載の脚注以外に編者による注を付加した。なお編者による注は山括弧〈 〉を用いて示した。
- 各著作冒頭の前文は編者による。

皇帝鄧小平の老い

鄧小平の支持を得て、八二年九月の党大会以後は総書記に就任し、改革開放政策の陣頭指揮に当たったのは胡耀邦である。「四つの現代化」（工業、農業、国防、科学技術の分野における近代化）への歩みを速め、経済体制改革のみならず政治体制改革をも押し進めようとする改革派と、「四つの堅持」（社会主義の道、人民民主主義独裁、中国共産党の指導、マルクス・レーニン主義と毛沢東思想）によってブレーキをかけようとする保守派との熾烈な闘いが続く。結果は、「老」の壁はあつく、鄧の指導力、影響力が減退するなか、八七年一月、胡の総書記解任に至る。

プロローグ――三〇年前の鄧小平と胡耀邦

今回の胡耀邦総書記辞任劇のナゾを解くカギは、『中央公論』誌一九八六年七月号掲載の「胡耀邦中国への熱き眼差し」にある、と聞いたら読者はどんな感じを抱かれるであろうか。まず林希翎という今年五十二歳になる女性についてご説明しよう。「〔一九〕五七年、人民大学の卒業を前にして彼女は北京大学、人民大学で数回にわたって講演し、共産党の内外政策および社会主義制度の欠陥を批判した。彼女は率先して共産党の「百花斉放、百家争鳴」の呼びかけに応えたのである。〔中略〕解放後の北京大学の講演のなかで彼女の講演ほど圧倒的な共感を得たものはなかったと伝えられる」「しかし、民主主義を求め、官僚主義を批判する彼女の主張は「大毒草」とされ、〔中略〕懲役十五年の判決を受けた」「当時二十一歳の彼女は才色兼備の花の女子大生であり、胡耀邦の秘書・曹治雄の恋人でもあった」。以下、彼女の証言である。「この意見〔元中央弁公庁勤務の一三級幹部で、彼女を庇ったために「右派分子」とされた正義派・王文が自らの名誉回復後、彼女の名誉回復を求めた意見書を指す〕に対して胡耀邦同志は「改正有利」と批語〔コメント〕を書きました。ここで「改正」とは「右派分子」と認定した誤りを訂正するという意味です」「七九年三月、私が「上訪」して名誉回復を要求した際に、彼〔胡耀邦〕宛の短い手紙を書いたのですが、彼は〔中略〕「批語」を書いて、中央宣伝部の責任者が私を応援するよう指示したのです」「七九年八月〔中略〕胡耀邦は三たび「改正することが有利である、と考える」と批語を書きました」。〔胡耀邦が三度も名誉回復を指示しているにも関わらず、それが進まない理由を問うたのに対して〕「それに反対する者がいるからです」「鄧小平大人ですよ。鄧小平は反右派闘争で名を挙げたのです。〔中略〕現在、ほとんどすべての右派分子は名誉回復しています。残っているのはごく少数です。

しかし、反右派闘争は「基本的には正しかった」という最後の一線を守るために、私の名誉回復ができないのだと私は見ています」。

いまからちょうど三〇年前、反右派闘争において当時の鄧小平総書記は右派分子摘発の陣頭指揮をしていた。胡耀邦は共青団第一書記として、自らの秘書の恋人を初めとして北京大学、人民大学などの最も優秀な共青団仲間が摘発されていくのを無念の涙で見送っていた。三〇年前の二人の立場がそれぞれの「ブルジョア自由化」問題に対する「原体験」である。これこそ鄧小平の社会主義像の原点であり、同時にその限界を乗り越えようとする胡耀邦の社会主義像の原点でもあると仮定すれば今回の政治劇は心理葛藤劇の様相を呈してくる。

第一幕　政治改革構想——庚申改革プラン

八〇年八月十八日、鄧小平は「党と国家の指導制度の改革」について、政治局拡大会議で講話を行った（『鄧小平文選　1975～1982』北京・人民出版社、所収）。彼は、①権力の過度の集中を排して、社会主義的民主主義と民主集中制を実行しやすくすること。②兼職・副職を整理して、官僚主義と形式主義を克服し、効率化を図ること。③党と行政の分離を行い、一方では党が路線、方針、政策に集中でき、他方では各級政府の工作系統を強化し、その職権範囲内の工作をうまく管理できるようにすること。④長期的観点から後継問題を解決すること。老同志の第一の任務は「比較的若い同志に第一線を歩かせ、自らはその参謀となること」である、と述べている。イデオロギー問題については「資本主義、ブルジョア思想に対してはむろん科学的態度をとらなければならない。〔中略〕一部の同志は十分な調査分析を行わず、われわれがいま進めている、生産の発展、社会主義事業の発展に有利な改革を資本主義とみなして批判しているが、これは正しくない。ブルジョア思想のなかで断固として批判し、蔓延を防ぐ必要のあるのは何か、経済生活のなかで断固として克服し、抵抗する必要のあるのは何か、どのようにして正しく批判を行うのかについては、引き続き研究し、妥当な規定を行う必要があり、これによって過去の誤りを繰り返さないようにしなければならない」と指摘した（傍線は引用者）。

当時は華国鋒ら文革派との権力闘争にまだ決着がついておらず、鄧小平は「過去の誤り」すなわち左の誤りを批判することに重点を置いていた。ちなみに華国鋒の党主席辞任、胡耀邦の主席就任を政治局レベルで決定したのは、八〇年十一月十日〜十二月五日の政治局における九回にわたる会議を通じてであり（前掲『鄧小平文選』二七三頁）、それは半年後の一一期六中全会で正式決定された。ただし華国鋒の中央軍事委員会主席ポストは胡耀邦ではなく、鄧小平が引き継いだのであった。

この鄧小平講話の精神を具体化するために、中央書記処政策研究室研究員廖蓋隆が八〇年十月二十五日、「全国党校系統中共党史学術討論会」で「内部報告」を行った。「歴史の経験とわれわれの発展の道」（未公表。台北『中共研究』一九八一年第九期）がそれである。八〇年は旧暦の庚申であるため「庚申の改革」案とも呼ばれている。これにはつぎのような内容が含まれている。

①人民代表大会の代表数を現行の三〇〇〇名余から一〇〇〇名に減らし、代表が実質的な討議を行えるように改革する。現在はただ挙手するだけであり、人民代表の役割はゴム印みたいなものだ。②人民代表大会は各地域を代表する「区域院」あるいは「第一院」（代表数は三〇〇名とする）、および各階層と各企業の利益を代表する「社会院」すなわち「第二院」（代表数は七〇〇名）の二院制とし、これに

よってチェック・アンド・バランスを図る。③法律の前で人々は平等であり、司法の独立が保証されなければならない。党委員会は司法の独立に干渉してはならない。④党と行政を分離する。行政問題に対して中央や地方の党委員会から指示を出してはならない。⑤労働組合の指導者は党が派遣するのではなく、労働者のなかから選ぶべきである。労働組合は党から独立して労働者の利益を代表して活動すべきであり、党は大衆団体に干渉してはならない〔ポーランド「連帯の教訓」を汲み取ろうとしている〕。⑥広範な「新聞の自由」（報道の自由）を確立すべきであり、国防・外交の機密を除いてすべてを人民に知らせなければならない〔「知情権」の確立〕。⑦現行の「党委員会の指導下の工場長責任制」を改め、「工場管理委員会の指導下の工場長責任制」を確立する。⑧企業、事業、基層政権において直接選挙を実行する。⑨党中央には三つの委員会、すなわち中央執行委員会、中央紀律委員会、中央顧問委員会を設け、チェック・アンド・バランスを図る。これら三委員会にそれぞれ常務委員会を設けることにし、現在の政治局は廃止する。⑩各級党委員会では一人一票の表決制とし、少数は多数に従う制度を確立する。

この一〇ヵ条を読み直せば中国の政治改革がいかにもたついているかを理解できよう。この廖蓋隆報告こそ政治改革の初心なのであり、文化大革命の悲劇を総括するなかから、党中央の改革派が探りだした中国社会主義の起死回生策なのである。胡耀邦はこれらの課題を実現すべく、まず中共中央主席として、ついで八二年九月の第一二回党大会以後は「総書記」として、陣頭指揮に立った。胡耀邦はいま「急ぎすぎの改革」を非難されているが、これは「老」側から見た感想であり、「若」側から見れば立遅れこそが問題のはずである。

第二幕　経済改革から政治改革へ

改革はまず経済改革として出発した。農村では人民公社を解体し、生産責任制が導入された。都市では企業の自主権拡大の模索が開始された。こうした経緯を経て、八六年春から「経済改革から政治改革へ」という潮流が生まれてきた。

鄧小平曰く。「党と政の分離は、一一期三中全会〔七八年十二月〕で初めて提起された。党は指導に巧みでなければならない。党の過度の干渉をやめるお手本は、党中央から開始すべきである。これは党の指導を弱めることにはならない。というのはわれわれは党の指導を堅持するのであり、問題は党の指導に巧みであるかどうかである。干渉が多すぎてうまくできないと却って党の指導を弱めるという問題であろう。この前趙紫陽同志らと経済工作を話したとき、私はちょっと意見を出し、政治体制改革に注意するよう述べたのには、この問題も含まれている。むろんこの問題だけでなく、機構の煩雑なこと、人員が仕事よりも多いこと、仕事の引延ばし、などもある。人員が増えると仕事を作るので、いくつもの単位で公司〔会社〕の形で下部の権限を吸い上げている。われわれは権限の下放を提唱しているのに、彼らは権限を回収している。彭真同志〔全国人民代表大会常務委員会委員長〕も下りていってこの問題を感じた。われわれの方針は下放することなのに、彼らは逆に大量に回収しているのだ。下部の単位に権限がなくなる原因の一つはここにある。あらゆる同志、とりわけ中央書記処の同志は政治体制の改革問題を考慮してほしいと私は思う。われわれの改革のすべてが最終的に成功するか否かは、やはり政治体制改革によって決定される。というのは必要上、権限の下放を提唱しているのに、向こうでは回収しているのだから、どう対応したらよいのか。政治体制改革は経済体制改革と依存しあい、呼応しあうべきであり、経済体制改革だけをやり、政治体制改革をやらないならば、経済体制改革もうまくいかない。なぜなら、まず人という障害にぶつかるからだ」（香港『大公報』八六年八月八日）（なおこの講話は六月のものと伝えられる。ここで趙紫陽と彭真の名前が出てきて胡耀邦の名が出ていないのは、鄧小平の深層心理ですでに胡耀邦が忌避されていたのかもしれない）。

経済改革を進める過程において、政治の壁、より具体的には既得利益にしがみつく「人の壁」にぶつかったので、それを改革しよう、と鄧小平が呼びかけたわけである。鄧小平のいう「人の壁」は胡耀邦にとって「老の壁」にほかならなかった。中国社会科学院の雑誌『中国社会科学』は、八六年四月二十八、二十九の両日、「社会主義国家の政治体制改革」についての学術座談会を開いている（八六年四期にその概要が紹介されている）。六月十六〜二十日、中国政治学会、中国行政管理学会籌備組、中国社会科学院政治学研究所は山西省太原市で「政府職能についての理論討論会」を開いている。七月十〜十二日、中央党校は鄧小平の指示に基づいて「政治体制理論研討会」を開催している。七月十四日、北朝鮮の副主席李鍾玉を接見した鄧小平は、今後五年内に「一部の政治体制改革を含めて、経済体制を全面的に改革する」と言明している（いずれも香港『大公報』八六年七月十六日）。

中央書記処書記王兆国は、七月十六日中央党校で政治体制改革を五つの面から論じ、中央宣伝部長朱厚沢は政治体制改革を積極的かつ慎重に「一歩深める」と語った。

党中央の指導者たちの発言を受けて、政治学者たちも政治体制改革を論じ始めた。とりわけ注目すべき論客は厳家其（中国社会科学院政治学研究所所長）であり、その主張についてはすでに紹介したことがある（八七年二月刊の拙著『中国開放のブレーン・トラスト』蒼蒼社、参照）。

この新潮流のなかで知識人に大きな影響を与えたのは、元中央宣伝部長陸定一の病床からの証言であったと思われる。「〝百花斉放・百家争鳴〟の歴史の回顧――〝双百〟方針三〇周年を記念する」と題した回顧文が『光明日報』八六年五月七日付に掲載された。五六年当時、ソ連のミチューリン遺伝学は社会主義的・唯物論的であり、アメリカのモルガン学派はブルジョア的・観念論的である。ソ連のパブロフ学説は社会主義的、ドイツのルドルフ・ヒルチョーの細胞病理学はブルジョア的、といった二分法が行われていた。学術は政治と区別すべきである。いたずらに政治的レッテルや哲学的レッテルを貼るのは、秦の始皇帝の「焚書坑儒」、漢の武帝の「百家を免職し、儒術のみを独尊する」に類した愚挙であるとする認識に基づいて、毛沢東は五七年二月の最高国務会議で「百花斉放・百家争鳴」(以下「双百」と略する)を提起したのであった。陸定一自身は宣伝部長として五七年三月の中共全国宣伝工作会議でこの方針が長期的なものだと説明している。

ところが五七年四月、「ごく少数の右派分子」がこの「双百」を「大鳴大放」にすり替えて共産党と新生の社会主義制度を攻撃し、共産党の指導にとって代わろうとした。このため、共産党は反右派闘争を余儀なくされたのだというのが、陸定一の証言である。つまり、「大鳴大放」はもともと共産党の方針ではなかったのだが、その後毛沢東がこのスローガンを換骨奪胎し「大字報、大弁論」と並べて「四大」とし、反右派闘争のスローガンとしたのだと陸定一は説明している。党史専門家の龔育之もその後、陸定一の証言を資料によって裏付けている(龔育之、劉武生「〝百花斉放・百家争鳴〟の提出」『光明日報』八六年五月二十一日)。五月二十九日には首都理論界の俊英を集めて、「双百」三〇周年を記念する座談会も開かれ、『人民日報』には改革派の論客于浩成が「双百方針と法制による保障」を書いた(八六年五月三十日)。こうして、三〇年振りに中国理論界には清新の気風が漲ってきた。

第三幕　玉虫色の「精神文明」決議

八六年夏、鄧小平ら中国首脳は北戴河という避暑地で秋の六中全会の構想を練った。この会議を終えて北京に帰る途中の八月二十一日、鄧小平は李瑞環市長・副書記の案内で天津を視察し、対外開放について、「放」しなければ「活」できない。「収」の問題は存在しない」と言い切って改革派を元気づけた(『人民日報』八六年八月二十二日)。ここで鄧小平は対外政策についての「放」を語っているのだが、「放」とは一般には自由化のこと、「収」とは引締めである。中国ではこれまで政治、とりわけイデオロギーの面で「放」と「収」が繰り返されてきた。そして中国共産党は弁証法の名においてこれを正当化してきたために、民衆は開放のかけ声の裏に引締めの声を聞く、すなわち権力者の発言の裏を読むことに精を出してきたのであった。

この状況に対して、対外開放において「引締めの問題は存在しない」と言い切った『人民日報』一面トップ掲載の発言を改革派、とりわけ知識人や学生たちは「双百」と重ねてイデオロギーや政治改革の文脈で受け止めたに違いない。

九月の六中全会は玉虫色の「精神文明決議」を採択した。若返り構想に対する長老たちの反発、改革に伴う矛盾の噴出を背景として保守派が巻き返した。この結果、一年後に第一三回党大会を開くことを決定しただけで、人事若返りは阻まれた。人員整理が反発を買うのはいずこも同じである。保守派は鄧小平留任を主張することによって自らの地位を保持しようとし、改革派が逆に鄧小平を含めた若返りを主張するという構図であったごとくである。香港の雑誌は「改革派が鄧小平の退位を求め、保守派が留任を望んでいる」と皮肉った（たとえば「党内留鄧派与放鄧派之争」『争鳴』八六年第十二期）。この会議の背後で進行していた問題としてとりわけ重要なのは、鄧小平・胡耀邦の「隙間風」が相当に大きくなったことである。経済改革に伴う混乱（とりわけインフレと社会紀律の弛緩）への苦情は鄧小平のもとに殺到した。これは主として「老」側からであろう。

それと対照的に胡耀邦へは「若」側からの熱い期待が集中したはずである。問題は改革の結果生じたのではなく、まさに改革が不徹底なために生じているのだ。解決策はさらなる改革以外にはない。こうして胡耀邦側には改革の功の側面が報告され、鄧小平側には改革の罪への非難が集中する。両者の認識ギャップは拡大し、前者はますます楽観的に、後者はますます悲観的になる。かくて前者は「四つの現代化」への歩みを速めようとし、後者は「四つの堅持」でブレーキをかけようとする。「動」と「反」への分裂を辛うじて取り繕ったのが「玉虫色」決議ではなかったか。鄧小平は胡耀邦の指導力への疑いを深め、胡耀邦は鄧小平の若返りへの決断の躊躇に不満を覚えたであろう。

第四幕　学生デモ

六中全会の結果は、政治改革の呼びかけがなんら具体化されなかった点で学生たちを失望させた。しかし基層レベルでは動きも見られた。たとえば十一月三十日付『中国青年報』は、武漢大学で民主的建設に活力を入れようとする「現代の武大人」（武漢大学人）活動が行われていると伝えた。武漢大学学生の民主主義意識の薄弱さに触れて、「学校当局の与えるいくばくかの民主主義」に満足するなかれ、と書き、学長劉道玉は「真の学府は垣根なき思想の園地」でなければならない、と語っていた。

十二月四日付『中国青年報』は国務院副総理万里が十一月三十日安徽省合肥で一二大学の責任者と教師代表を招いて「民主弁学」討論会を開いたことを報じている。万里はこの席上、「教育改革は必ず行わなければならない。教育体制改革においては民主弁学を堅持しなければならない」と述べた。万里はまた一部の大学で「学長責任制」を行い、「校務会議と各種委員会制」により運営している実験を賞賛した。

十二月五日、合肥の中国科学技術大学で、五〇〇〇人の学生が校内集会を開き、安徽省人民代表の選挙に対する共産党の介入に抗議したのは、こうした動きと無関係ではあるまい。その四日後の十二月九日、合肥の数千の大学生たちが約一キロの街頭デモを行った。同じ日に湖北省武漢市で、数千名の大学生が「民主主義を勝ち取ろう」であった。スローガンは「キャンパスを出て社会に入り、民主主義を勝ち取る」ためにデモ行進している（香港『九十年代』八七年第一期、『百姓』半月刊八七年一月一日号）。合肥および武漢の学生デモのニュースは、まもなく全国に伝わり、北京大学校内に大字報が現れ、ついで深圳大学、広州市の中山大学、昆明市、南京市、天津市と学生デモが波及した。とりわけ上海では十二月十九日以来の大規模な街頭デモが数日続き、ピーク時には傍観者も含めて約七万人に達した。六日付共同通信電によれば、学生運動は壁新聞や学内集会を加えると全国一五〇大学に波及した。

合肥における万里の役割が学生の煽動にあったのか、それとも血気にはやる若者たちに自重を促すことにあったのか、また武漢大学学長の役割も前者か後者か、真相は不明だが、十二月九日にデモが発生したのは、偶然ではない。一九三五年の一二・九運動、そして近くは前年すなわち八五年の不発デモを学生が強く意識していたことは疑いない。

デモに対する当局の対応はどうか。十二月二十三日付『人民日報』社説は「過激な行動をとれば、社会主義建設、対外開放、改革政策に支障が出る」と警告。十二月二十五日付『人民日報』は「党の指導から離れた民主化運動は許されない」。十二月二十九日付『人民日報』は「反体制的言動は違憲」であるとし、「社会主義体制内での民主化」を強調。八七年一月一日付『人民日報』社説が「ブルジョア自由化」を批判、と続いていく。

第五幕　中共中央軍事委員会拡大会議

中共中央軍事委員会拡大会議が学生デモの最中、すなわち八六年十二月十一日から二十五日にかけて開かれたのは胡耀邦にとってたいへん不運であった。

十二月二十五日午前、この会議に出席した高級幹部は人民大会堂で次のような指導者たちの接見を受けた。中共中央軍事委員会主席鄧小平および胡耀邦、趙紫陽、彭真、聶栄臻、ウランフ、そして万里、習仲勲、喬石、李鵬、胡喬木、胡啓立、姚依林、陳慕華、鄧力群、郝建秀、王兆国、王震、薄一波、宋仁窮、中共中央軍事委員会の指導者としては、楊尚昆、余秋里、楊得志、張愛萍、洪学智、秦基偉、李徳生、李聚奎などである。この会議は「一一期三中全会以来軍事委員会の開いた最大規模の会議であり、新情勢下における軍隊建設の強化を討論する歴史的意義をもつ」と報道された（『人民日報』十二月二十六日）。

解放軍では四〇〇万の陣容から三〇〇万に削減する計画が進行し、過去一年に第一線部隊の司令官に若手幹部が大量に登用された。軍官学校卒の彼らはゲリラ出身の老幹部と異なり、科学技術に依拠した軍の近代化を指向している。軍の若返り人事によって老幹部と若手幹部の意識ギャップが生まれ、若手の胡耀邦に対する期待が大きくなるにつれて、老幹部の胡耀邦批判が拡大したはずである。このとき鄧小平は軍再編制への不満を胡耀邦に転嫁した。かくて胡耀邦の軍委主席構想が破産した。

第六幕　一月十六日――胡耀邦の辞任決定

まずこの会議の性格について。政治局の正式メンバーの他に「顧問委員会責任者一七名、中央紀律検査委員会責任者二名およびその他の関係者」が出席したと公表されている。政治局メンバーのうち欠席した二人は誰であろうか。胡耀邦と近い総参謀長楊得志は外国訪問中であり、出席できなかったはずである。もう一人の欠席者はこの会議の前後上海に滞在していたことが判明している李先念か、あるいは老齢と病弱のため黄克誠（元総参謀長、五九年の廬山会議で彭徳懐とともに失脚し、文革後名誉回復した）の葬儀を欠席した陳雲か、後者の可能性が強い。この二人の政治局常務委員は保守派の代表格だが、今回の政変でどのような役割を果たしたのか、奇妙にも印象が薄い。

さて顧問委員会は党歴四〇年以上の長老たちによって構成されているいわば「養老院」（主任鄧小平、副主任は王震、薄一波、宋仁窮の三名）であり、紀律検査委員会（第一書記は陳雲）は「お目付け役」である。この両委員会が胡耀邦辞任への圧力となったことは確かであろう。問題は巷間伝えられる胡耀邦が鄧小平に権力闘争を挑んだという解釈であるが、鄧小平との人間関係からしてありえないと考えられる。やはり老いた鄧小平が保守派の圧力に抗しかねて、あるいはそれを強く意識して、「泣いて馬謖を斬り」

胡耀邦をスケープゴートとすることによって事態を収拾しようとしたと見てよさそうである。

胡耀邦の罪状として公報は、「集団指導原則」に対する違反、「政治原則問題」での誤り、の二ヵ条をあげている。前者は胡耀邦が他の政治局メンバーの意見に耳を傾けず、独走したというほどの意味であろう。

胡耀邦と趙紫陽の対立説は疑問である。経済改革・政治改革の推進において両者は「車の両輪」〔党務は胡耀邦、政務は趙紫陽の分担〕であったから、もし改革の功罪を問われるとすれば、火の粉は趙紫陽にも及ぶはずである。八二年の党大会以降の中国の最高意志決定グループについて胡耀邦は八四年十二月五日にこう語っている。「政治局常務委員のうち、私と趙紫陽同志が共同で主持しており、重大問題は鄧小平、陳雲、李先念同志の指示を仰ぐが、その他は〔胡耀邦、趙紫陽が〕決定している」「私は一九一五年生まれ〔中略〕趙紫陽同志は一九一九年生まれ〔中略〕われわれとて幾年もやれない。個人的感想だが、八七年の一三回大会までには身を引きたい」。ここで胡啓立が口を挟む。「一三回大会ではまだ身を引けませんよ。鄧小平同志もお元気ですし」〔香港『明報』八四年十二月六日、査良鏞によるインタビュー〕。

半年後の八五年五月十日、胡耀邦はまたこう語っている。「軍内では由来資格年功を重んずる習慣があり、鄧小平同志がやれば、彼の一言で済むが、われわれなら五言いわなければならない。〔中略〕いま国内政局の具体的な事柄は、お年寄りたち〔鄧小平、陳雲、李先念を指す〕はやらなくなっており、〔胡耀邦の〕中央書記処と〔趙紫陽の〕国務院がやっている」〔香港『百姓』半月刊八五年六月一日号、陸鏗によるインタビュー〕。

政治局常務委員会はもとより政治局会議も定期的には開かれない体制になっていたのであり、第一線と第二線との間にギャップが生まれたとしても不思議ではない。「政治原則問題」とは「ブルジョア自由化」問題を指す。元旦の『人民日報』社説は、昨年九月の六中全会決議を引用して「ブルジョア自由化をやるとは、すなわち社会主義制度を否定し、資本主義制度を主張することである」「この立場を繰り返し強調することは今日とりわけ重要な意義をもっている」と説明した。胡耀邦は「資本主義制度を主張する」「ブルジョア自由化」を容認した責任をとらされた、というのが公報の説明である。

公報の説明不足を補うのが、例によって「中共中央文件」である。「中共中央三号文件」によると、薄一波（顧問委員会常務副主任）が胡耀邦の罪状を六ヵ条列挙している。①八三年秋の反「精神汚染」キャンペーンの歪曲、②「高消費」による経済刺激論の鼓吹、③「整党」の方向の歪曲、④全人代（議会）の無視、⑤外交活動における紀律違反、⑥党中央の許可なく対外的発言を行ったこと、である（北京、一月二十五日辺見庸共同通信特派員電）。これらの胡耀邦批判は、胡耀邦路線の全面否定であり、鄧小平の近代化構想を根本から揺るがすものである。長老たちは「引退問題」を「ブルジョア自由化」反対という「政治原則」によって粉飾したが、その内実は過去へのノスタルジア以上のものではあるまい。

第七幕　皇帝の逆鱗

「民主化・自由化」を求める学生デモの燃え上がるなかで、鄧小平は十二月三十日、胡耀邦、趙紫陽、胡啓立らに対して、方励之（五六年北京大学物理系卒、中国科学技術大学副学長、宇宙物理学者）、劉賓雁（五七年右派分子とされ、以後七九年までほされていたルポ作家。『人妖の間』『第二種の忠誠』などで著名）、王若望（作家、一九一八年生まれ、本名王寿華。五七年に右派分子、文革期に反革命分子とされた。最近は『文化大革命辞典』の編集を意図していた）の除名方針を指示し、あわせて胡耀邦を批判した。さらに鄧小平は一月初め、胡耀邦と「数時間にわたって個人的に会談」、その際も激しく胡耀邦を批判したといわれる（『読売新聞』一月十六日）。

学生デモのシュプレヒコールが「耳の遠い」（毛沢東の言葉）鄧小平にまで届き、その逆鱗に触れたとき、鄧小平の癇癪はまずデモを煽る人々に向けられ、ついでデモを弾圧しない胡耀邦に向けられていったようである。一月一五日付『人民日報』評論員論文は、こう指摘した。「一部の者は青年学生が街頭に出て騒ぎを起こすよう公然と煽動し、党に圧力をかけ、「党の顔色を変えようとした」〔改変党的顔色〕、中国の社会主義の方向を変えようとした」。

鄧小平の「逆鱗」とは、まさに「ブルジョア自由化」であり、換言すれば、「党の顔色を変えること」「中国社会主義の方向を変えること」である。

ここで問題は鄧小平（あるいは保守派）の理想とする「党の顔色」「中国社会主義の方向」とはなにか、である。それは七九年三月三〇日、党の理論工作務虚会〔務虚とは務実すなわち実務に対する観念であり、理論的あるいは抽象的問題を研究すること〕で提起された「四つの基本原則」だという。ここで彼は、①社会主義の道、②プロレタリア独裁、③共産党の指導、④マルクス・レーニン主義＝毛沢東思想、の四つを堅持することを主張し、四つの核心は「党の指導」だとしている。鄧小平の党観念は三〇年前の反右派闘争の際の「原体験」に刻印されているが、当時と現在では中国内外の情勢は大きく変化している。

胡耀邦はこの変化を読み取り、客観的情勢に適合すべく「党の顔色」を変えようとしたが故に、鄧小平の「逆鱗」に触れた。鄧小平はいまや「皇帝」として党に君臨するに至っており、これは晩年の毛沢東がそうであった姿と酷似している。

方励之、劉賓雁、王若望、その他批判の矢面に立たされていると伝えられる于光遠（経済学者、前中国社会科学院副院長）、厳家其（政治学者、中国社会科学院政治学研究所所長、『文革十年史』の著者）、蘇紹智（哲学者、中国社会科学院マルクス・レーニン主義＝毛沢東思想研究所所長）、厲以寧（近代経済学に通じている北京大学経済系教授。右派分子とされ、二〇年余り図書係をさせられていた）、王若水（社会主義的疎外論を主張して『人民日報』副編集長を解任された）、温元凱（中国科学技術大学教授、化学者で『中国的大趨勢』の著者）などは、いずれも中国共産党の最良の部分に属していると私は判断している。胡耀邦が彼らの頭脳に依拠して、「党の顔色」を変えようとしたのは、未来を担う後継者として当然の選択であった。

エピローグ――老いた皇帝の孤独

一月初めの「数時間の」鄧小平・胡耀邦会談で何が話し合われたのかたいへん興味深い。その後鄧小平は「今後少なくとも二〇年間はブルジョア自由化に反対しなくてはならない」「民主主義は少しずつ解き放つべきであり、一度に放っては混乱を生ずる」と述べた（北京、一二日共同通信電）。

八〇歳を越えた老人が今後二〇年先を論ずるのはどういうことか。しかもその視野は三〇年前のそれに限界づけられている。

これに対して胡耀邦のほうもすでに七〇歳を越えているが、彼は後継者としての地位からして、また青年工作のベテランとして、二〇年先を読むよう迫られている。その脳裏には三〇年前の苦い記憶があるだけでなく、当時の盟友たちが現に彼の周辺で「これからの社会主義」を論じている。中国社会主義の活路・希望はまさにここに存在している、学生デモを弾圧すべきでない、と胡耀邦が主張したとしても当然なのである。

八三年秋から八四年春にかけての反「精神汚染」キャンペーンは改革派の反撃で腰砕けに終わったが、今回のそれはその「二番煎じ」にしてはあまりにも重大である。反「精神汚染」キャンペーンの失敗で中央宣伝部長を退いた鄧力群がカムバックし、老皇帝が皇太子を追放する……。悲劇よりは喜劇的ですらある。鄧小平の課題は、後継・胡耀邦体制に権威をつけ、揺るぎないものとすることにあったはずだが、数年来の努力はここで「九仞の功」を一簣に欠いた。今回の政変というよりは老若「心理葛藤劇」から透けて見えるのは、鄧小平をはじめとする革命第一世代の「老い」の一語ではないだろうか。

（初出：『中央公論』一九八七年三月号）

綱引き状態にあった趙紫陽ら改革派と李鵬・姚依林ら改革慎重派（保守派）、両者の膠着状態を破り、政局の流動化を招いたのは八九年四月の胡耀邦の急死だった。胡追悼＝名誉回復と民主化を求める学生デモは広範な市民の支持を得るばかりか、党中央機関や国務院各部の一部、果ては解放軍首脳までが趙支持に立ち上がるに及ぶ。この状況を国家解体の危機とみた鄧は五月二〇日に戒厳令を布告する。第二部では「事件」に至る軍事的プロセスを解読する。その手法は、情報支配によって権力を維持する社会主義国家の「秘匿された真実を周辺の情報から解読する」という著者の真骨頂を発揮するものである。

天安門事件の真相

典拠資料および本文中の略称を294頁以下に示す

北京市中央部地図
★印は重点
警衛目標区
至沙河飛行場
首都機場路
京包鉄路
環中路
安貞橋
馬甸橋
↑首都飛行場
安定門外大街
青年湖公園
三元立体橋
徳勝門
徳勝門東大街
二環路
安定門東大街
東直門大街
東三環北路
鼓楼西大街
安定門
二環路
安定門外大街
長城飯店
東直門
地安門西大街
霞光街
工人体育場
北海公園
景山公園
亮果廠
朝陽門
人民日報社★
朝陽公園
故宮博物院
王府井大街
東大橋
呼家楼
日壇公園
電報大楼★
中南海
六部口
北京飯店
南池子
朝陽門大街
東三環中路
紅廟
朝陽路
十里堡
天安門
東単
大北窑
八王墳
至通県
西長安街
人民大会堂
広場
東長安街
内大街
北京駅★
建国門
建国門外大街
郎家園
建国路
京承鉄路
門
前門西大街
前門
前門東大街
崇文門
東郊駅
珠市口
珠市口東大街
広渠門内大街
広渠門外大街
珠市口西大街
広渠門
双井
虎坊橋
天橋
天壇公園
東三環南路
陶然亭公園
永定門
天壇南門
★永定門駅
木樨園
南三環中路
北三環東路
↓南苑飛行場

清華大学
頤和園
昆明湖
北京大学
清華園駅
海淀路
昆明湖路
中国人民大学
北三環西路
昆明湖南路
西三環北路
明光村
シャングリラ飯店
紫竹院公園
西直門駅
北京動物園
紫竹院
五路駅
展覧館
阜成門北大街
二環路
阜成
釣魚台国賓館
玉淵潭公園
西三環中路
玉淵潭
月壇公園
復興門北大街
玉泉路
万寿路
翠微路
彩電中心
軍事博物館
木樨地
燕京飯店
復興
石景山路
五棵松
復興路
公主墳
復興門外大街
中央電視台
呉家廠
西便門駅
西便門
広安門外大街
広安門内大
蓮華池
広安門
小屯路
豊台路
六里橋
広安門駅
廣安門南濱河路
豊沙鉄路
西三環南路
右安
京廣鉄路
盧溝橋
豊台駅
南三環西路
京滬鉄路

第一部　天安門事件の政治的プロセス

一　中共中央の抗争と民主化運動

1　趙紫陽下ろしと趙紫陽の反撃

一九八八年秋の中共中央工作会議（九月一五日〜二一日）と、これに続いた中国共産党第一三期第三回中央委員会全体会議（以下、一三期三中全会という具合に略称、九月二六日〜三〇日）は、経済改革から経済調整への転換を決定したが、この前後に中国の改革派と保守派（改革慎重派）は採るべき政策の方向をめぐって激突した。

保守派は経済改革によってもたらされたインフレ（八八年は全国小売物価総指数が前年比一八・五％上昇）、所得格差の拡大が中国社会主義の成果を食いつぶすと危機感を強めた。特に八八年秋に売り惜しみ、買い溜めがついに一部銀行でのとりつけ騒ぎに発展するに至って、保守派の危機感は頂点に達した。

他方、改革派の危機感も小さなものではなかった。一例をあげれば、厳家其（中国社会科学院政治学研究所研究員、前所長）は温元凱（中国科学技術大学教授）との対談において、実に率直にそれを表明している。彼らは毛沢東時代をソ連のスターリン時代に、鄧小平改革をフルシチョフ改革になぞらえ、ソ連ではフルシチョフ以後にブレジネフの長期停滞が二〇年続いた例を引いて、「〔もし中国で〕ブレジネフ流の二〇年の停滞が現れるならば、中国の現代化は五〇年、あるいはもっと後れてしまうだろう」と語り合った。彼らによれば「停滞は失敗よりも深刻」なのであった（『チャイナ・クライシス重要文献』第1巻、六七頁。以下『重要文献』と略称）。

保守派によるインフレの責任追及によって総書記趙紫陽の地位が危うくなった。たとえば中央工作会議に先だって、保守派の長老薄一波（中共中央顧問委員会副主任）は趙紫陽に対して三カ条の「意見」を提起したと香港『鏡報』が伝えている。

①薄一波は「趙紫陽は他人の意見を聞かない」と批判したが、これは主として「老同志」たちの意見を趙紫陽が採り入れないと不満を述べたものである。

②幹部の子女が官僚ブローカー〔原文＝官倒。職権や地位を利用した横流し〕をやっていて、社会の評判がたいへん悪い、趙紫陽の息子〔趙大軍＝海南省華海公司総経理を指す〕も良い役割を果たしているとはいえない、と薄一波は子供に矛先を向けた〔八九年四月の学生運動のビラにおいても、当初は官僚ブローカーの代表例として「趙紫陽の息子」が挙げられていた。しかし、五月になって趙紫陽の変身が明らかになるにつれて、学生たちは攻撃対象から趙紫陽を外した〕。

③薄一渡曰く、「趙紫陽は経済を破壊したことに対して責任を負うべきである」。

これに対して、趙紫陽は次のように反論した、と同誌は伝える。

①大部分の幹部子女には問題はない。

②幹部子女の問題は、〔趙紫陽自身を含む〕老同志たちと無関係であり、子女が自ら責任を負うべきものである。

③幹部子女のいわゆる「官僚ブローカー問題」についていえば、金銭を支払う限り問題にならない。市場の法則とはそういうものではないか（香港『鏡報』八九年第一期）。

短い内幕暴露なので、両者の真意がいま一つはっきりしないが、胡耀邦の総書記引き下ろしに活躍した保守派長老・薄一波がインフレにことよせて趙紫陽の責任を追及したことは容易に察せられる。趙紫陽はその後、子息の官倒問題に触れて、子息が官倒になるのを避けるために、経済界で働くよう仕向けたのだと弁解したと伝えられる。

さて、成り行きを案じた鄧小平（中共中央軍事委員会主席）は、中央工作会議で「改革の一時棚上げ、インフレ対策優先、経済調整への移行」を決める前に、中共中央政治局常務委員会委員（趙紫陽、李鵬、喬石、胡啓立、姚依林の五名）と腹心万里（全人代常務委員会委員長）、薄一波を呼び寄せて懇談した。このとき薄一波が狂乱物価や治安の乱れの責任を追及したため、趙紫陽＝スケープ・ゴート論が急浮上した。鄧小平はあわてて手を打った。まず、薄一波に忠告して閑居を命じ、「政治老人」たちの趙紫陽下ろしの寝業を禁じてしまった（香港『鏡報』八八年第一二期）。

趙紫陽は、鄧小平の支持をとりつけたうえで巻き返しに転じた。中央宣伝工作五人小組（組長―胡啓立）に対して、「改革一〇年、改革の世論がいまだ主流となっていない。〝四人組〟時代の遺風が残っているのは、宣伝工作の弱点だ」と指示し、改革の成果宣伝に取り組ませた。

むろん趙紫陽は一方では低姿勢のポーズもとる。「政治局生活会」での自己批判がそれである。そして、海千山千の河南省人・趙紫陽はここで、逆に「商品経済の新秩序構想」「沿海地区発展戦略」を再び掲げて反撃に転じたのであった。

当時「三中全会以後、趙紫陽は経済政策に対する発言権、指導権を失った」とする観測が行われたことと関係すると見られるが、鄧小平は八八年一〇月五日にケニア大統領に対して「趙紫陽同志は一貫してわが国の経済工作の総責任者である」と言っている。敢えてこうした言明を行う必要があったことは、中南海の底流の一端を示していよう。

ところで、一一月中旬あるいは下旬には、陳雲（中央顧問委員会主任）が趙紫陽を呼びつけて「八カ条の意見」を語ったと伝えられる。その内容は公表されていないが、第一は農業問題であり、特に食糧問題をしっかりつかむことを求めた。第二には、陳雲が中共中央党校で調査させたところ「社会主義経済とは何か」の問に誰も答えられなかったことにかかわる。陳雲の想定した回答は「計画をもった釣合いのとれた発展」というスターリンの定義なのだが、こんな定義はとうの昔に忘れられていた。これに驚いた陳雲は「わが国でいま社会主義の要素（計画経済の部分を指す）はどれだけ残っているか」と問い、その部分の堅持を訴えた。イデオロギー問題に及ぶと、陳雲の危機意識はもっと高まる。「いまやプロレタリア階級の思想的陣地はほとんどすべて喪失してしまい、あれやこれやのブルジョア流派が占領している。いまや反撃せざるを得ないときである」（香港『鏡報』八九年第一期）。

陳雲の説教を趙紫陽がどう受け止めたかは不明だが、陳雲が趙紫陽に経済問題を語っている事実は、李鵬（総理）・姚依林（国家計画委員会主任）ラインと分担しつつ、趙紫陽が依然経済問題に対しても責任を負う立場にあったことを示している。

趙紫陽の「沿海地区経済発展戦略」は一時はインフレ対策の陰に隠れて行方不明になった感があったが、八八年一一月二日（外国企業家に対して）、一一月四日（『日本経済新聞』シンポジウム参加者に対して）、一二月二日（全国計画工作会議、政治体制改革工作会議で）、一二月三日（沿海地区対外開放工作座談会で）などで、趙紫賜はこの戦略を繰り返し、引締めへの逆流に抵抗する姿勢を示した。

さらに八八年年末から八九年年初にかけての趙紫陽の行動を見ておけば、次のごとくであり、一連の活動を通じて「政革と開放」を強調し、「沿海地区経済発展」を主張している。

一二月二九日——党員教育工作会議座談会
一二月三〇日——中共中央書記処会議
八九年元旦——全国政治協商会議茶話会
一月七日～一六日——河北省、河南省、湖北省の三省視察
一月一八日——全国政法工作座談会

このように見てくると、趙紫陽の必死の努力の跡がうかがわれる。

では、李鵬、姚依林らはどのように攻勢をかけていたのであろうか。八九年三月に行われた七期全国人民代表大会（「全人代」と略称）第二回会議における李鵬の「政府工作報告」にその一端が見えている。報告はまずインフレや経済過熱などが、趙紫陽時代の失政によってもたらされたとする認識に基づいて「経済環境の整備と経済秩序の整頓」を強調した。これには一両年（八九、九〇年）が必要だと李鵬は述べ、姚依林に至っては「三年あるいは五年が必要だ」として、その後になってようやく「改革の深化」が行えるとした。李鵬にせよ、姚依林にせよ、「経済秩序の整頓」の名において、経済改革の深

化にストップをかけたことは明らかであろう。保守派からみれば、改革に伴う経済の混乱こそが克服すべき課題であり、彼らは経済引締めを口実として、経済改革の停止を意図したごとくであった。

問題は経済改革だけではない。趙紫陽は四月二日「経済体制改革は政治体制改革と結合して進める必要がある」との認識を示していたが、李鵬報告においては政治体制改革は安定団結と対比され、むしろ安定団結を妨げる要素であるかのごとくとらえられた。つまり、経済改革の一時停止、攻治改革の無期限棚上げ、これが李鵬、姚依林ら保守派の戦略であり、インフレ問題や官倒の横行にみられる腐敗問題は保守派の問題提起に妥当性があるかのごとき印象を与えていた。こうして改革派は経済改革の壁を政治改革によって突破する作戦、あるいは経済改革と政治改革の同時並行作戦を構想し、他方保守派はまず経済改革にブレーキをかけて政治改革を先送りしようとしていた。

趙紫陽は全人代の開会中は発言を控えていたが、四月一一日には「改革は阻むことのできない潮流である」と語って、保守派を暗に批判している。

このように見てくると、趙紫陽ら改革派と李鵬・姚依林ら改革慎重派あるいは保守派との対立は、八九年春の時点で一種の「綱引き状態」にあったことが理解できるであろう。両派の膠着状態を破り、政局を流動化させる引金になったのは、胡耀邦の急死（一九八九年四月一五日）であった。

2　知識人の政治犯釈放署名運動

胡耀邦の急死を契機として、知識人や学生の運動が盛り上がったのは、むろんかねて中核が存在したからである。

一つは一九八六年一二月の民主化運動を抑えこんだ胡耀邦の総書記辞任政変（一月一六日）以来、民主化運動の火種が消えることがなかったことである。その例として、学生レベルでは北京大学の芝生サロン（方励之夫人の北京大学助教授李淑娴が「軍師」、歴史系学生王丹が主宰）、知識人レベルでは陳軍（在来の民主化運動組織＝中国民聯のメンバー）のJJ芸術バー、都楽書屋の新啓蒙サロン（蘇紹智、方励之、王若望ら）などを挙げることができる。

八八年末、八九年年初段階でのトピックがいくつかあるが、方励之（八八年学生運動で中国科学技術大学第一副学長を解任、党除名、中国科学院北京天文台研究員・四級教授）が魏京生（一九七九年の「中国の春」に際して、『探索』を発行した中心人物。中越戦争の司令員の名を外国記者に語ったことが「国家機密漏洩罪」に問われ、七九年秋に懲役一五年の判決を受けた）の釈放を要求した一月六日付鄧小平宛て公開書簡は、知識人の間で予想外の大きな反響を呼んだ。

これは北京文化界三三人の公開状（二月一三日）に発展し、ついで北京科学界四二人の公開状（二月二六日）に、そして文化界四三人の公開状（三月一四日）に発展した（『重要文献』第1巻、II・7〜10）。

これらの署名者のなかには、次のような名を見出すことができる。

呉祖光（劇作家）、蘇暁康（北京師範大学講師、『河殤』『ユートピア祭』の作者の一人）、金観濤（『未来叢書』編集者）・劉青峯夫妻、包遵信（中国社会科学院歴史研究所研究員）、厳家其（中国社会科学院政治学研究所研究員）・高皋夫妻、蘇紹智（中国社会科学院マルクス・レーニン主義＝毛沢東思想研究所前所長）、王若水（『人民日報』元副編集長）〔以上、二月一三日付〕

許良英（中国科学院自然科学史研究所研究員）、于浩成（前群衆出版社社長）、張顕揚（中国社会科学院マ

ルクス・レーニン主義＝毛沢東思想研究所研究員）、李洪林（福建省社会科学院前院長）〔以上　二月二六日付〕。

戴晴（『光明日報』記者）、蘇煒（文学研究所副研究員）〔以上、三月一四日付〕。

訪中したブッシュ米大統領夫妻が二月二六日夜、長城飯店で答礼パーティを開き、これに方励之・李淑嫻夫妻を招いたことも大きな話題となった。彼らのパーティ参加は中国当局によって拒まれ、方夫婦はペリー・リンク（米中学術交流委員会）らに付き添われて、シャングリラ飯店で即席の記者会見を行った。このニュースは全世界に流れ、中国の改革派知識人、あるいは非体制知識人の存在をテレビ画面に浮かび上がらせた。

ここでの彼らの要求は魏京生の「大赦」を求めるものにすぎず、穏やかな請願に止まっていた。ところが、これに対する鄧小平の態度は厳しいものがあった。

「魏京生らに対して大赦を行ってはならない。ただし〔服役〕態度の好い者は寛大に扱ってよろしい」「勝手にデモ行進をやらせてはならない」「要するに、コントロールを強化しなければならない」「人権問題は長期の闘争である。一九七九年に私がアメリカを訪問したとき、カーター大統領は人権問題を語ろうとしたが、私は拒否した。君たちはこの問題で多くの時間を割いてはならない」。

三月初旬の鄧小平の趙紫陽に対する指示であるが、ここで鄧小平は次のような認識も示していた。「一〇年間（一九七九～一九八九年）の誤りとは、中青年にたいする〔イデオロギー〕教育が不足したことである。この問題を解決しなければならないことを彼ら〔中青年〕に知らせよ」（「重要文献」第1巻、Ⅱ・11）。

二　胡耀邦追悼騒動

1　胡耀邦の急死と追悼行動

一九八七年一月に鄧小平、党長老たちによって総書記を事実上解任された胡耀邦は、一敗地にまみれたとはいえ、その実力のゆえに中共中央政治局委員の地位は保持していた。彼は一九八九年四月八日の政治局会議に出席したが、席上で心臓発作を起こして倒れた。胡耀邦の身辺で長らく働いた旁旁（筆名）によると、この日、彼は「発言はせず、発言の準備もしていなかった」。

旁旁はさらに失脚以後二年間の胡耀邦についてこう記している。

「胡耀邦は職務なき政治局委員になって以後、いかなる会議であれ、一言も発しなかった。彼の現在の立場からすれば、国家のためにできる最大の貢献が沈黙なのであった。これまで演説好き、思想明敏で知られてきた胡耀邦は一夜にしてオシとなり、いや半ばオシとなったのであった」（旁旁『胡耀邦的死』香港・大地出版社、八九年七月）。

公的発言を自粛してきた胡耀邦が最後に家族に残した遺言は、「中央がやったことに対して結論を出して欲しい」というものであった。

一五日朝七時五八分永眠。享年七三歳五カ月。

学生たちの反応は素速かった。早くも同日の午後、北京大学、中国人民大学などに胡耀邦追悼のスローガン、対聯、挽聯〔死者を悼む対聯〕、大字報などが現れ、夜七時四〇分には人民英雄記念碑に胡耀邦追悼の最初の小さな花環が出現した。学生たちは一九七六年の周恩来追悼〔第一次天安門事件、「四人組」に弾圧されたが、二年たらずで名誉回復〕のイメージを想起しながら、胡耀邦追悼活動を開始したのである。北京市当局の反応も学生たちの行動を見越したかのごとく機敏であった。花環出現に少し先立つ一五日夜七時、中共北京市党委員会は一部大学と北京近郊区党委員会書記緊急会議を招集し、①学生の追悼工作に対する善導工作、②治安管理の強化などを指示している。保守派の牛耳る北京市当局は重大な関心をもって、学生たちの追悼行動の成り行きを監視し続けた。

こうして、胡耀邦の急死をめぐる学生と当局の対応は、にわかにあわただしさを加えた。

一五日夜九時に北京大学に出現した対聯に曰く。

「鄧小平は八四歳で健在、胡耀邦は七三歳で先に死ぬ。政界の浮沈を問うも、なんぞ命を保つことなきや。民主は七〇にして未だ完全ならず〔一九一九年の五四運動以来七〇年〕、中華は四〇にして興らず〔一九四九年の建国以来四〇年〕。天下の盛衰を見るに、北京大また哀し」〔軒彦編『京都血火――学潮・動乱・暴乱・平暴全過程紀実』北京・農村読物出版社、一九八九年九月〕。

この対聯は、胡耀邦追悼がそのまま、胡耀邦の総書記解任を断行した鄧小平批判に連なるという政治力学を端的に示していた。

翌四月一六日は日曜日であったが、この日、北京大学、人民大学、中央民族学院、清華大学、北京師範大学など二〇大学にスローガン、挽聯、大字報などが三〇〇余現れ、なかには中央指導者を「世を欺き名を盗む窃国〈国を盗み取る〉の奸雄」とあてこするものさえあった（『京都血火』）。

一七日午後、中国政法大学の数百名の学生がデモをしながら天安門広場まで花環を掲げて行進した。これが広場デモ第一号であった。その日の夜には北京大学、人民大学の学生数千が天安門広場までデモ行進し、座り込み請願を行った。

一八日未明には、北京市党委員会の首脳、国家教育委員会副主任何東昌、国務院副秘書長劉忠徳は市党委員会で緊急会議を開き、北京大学の動きが「全国に悪影響をもたらす」との見解をまとめている。

一八日午後四時三〇分ごろ、数千人の学生が天安門広場に入った。彼らは「独裁打倒、官僚主義反対」などのスローガンを叫び、北京大学歴史系学生王丹らが人民英雄記念碑前で演説した。その内容は政府に対する七カ条要求からなっていた。

①胡耀邦の政治的業績を公正に評価せよ。民主化、自由化に寛大な観点を肯定せよ。

②「精神汚染」除去と「ブルジョア自由化」反対を徹底的に否定せよ。これらの運動のなかで無実の処分を受けた人々を名誉回復せよ。

③党と国家の指導者およびその子弟が全国人民にその財産状況を公表することを要求する。

④民間新聞を許可し、報道禁止を解禁せよ。

⑤教育経費を増やし、知識人の待遇を向上させよ。

⑥北京市人民代表大会常務委員会は憲法違反の、デモを規制した「一〇カ条」を取消せ。

⑦今回の追悼活動を明確に報道し、党政機関紙に掲載せよ（「重要文献」第1巻、Ⅲ・2）。

学生たちはこれを請願書にして人民大会堂の全人代常務委信訪局を訪れ、対話を求め、さらに深夜に至って中南海の正門である新華門前に座り込んで「対話」を迫り、「李鵬出てこい！」などと叫んで気勢をあげ、新華門への突入を図った。

これに対して北京市政府は一九日、通告を出して「少数の下心をもつ者が追悼の機会を借りて、追悼とはかかわりのない要求を提起している」ときめつけ、各単位に対して単位外での追悼活動を禁止した。

2　四・二〇新華門事件から無期限授業ボイコットへ

四月二〇日払暁、党中央への請願、対話要求のために一八日の夜以来新華門に座り込んでいた学生を武装警察が強制的に排除に出て、いわゆる「新華門四・二〇事件」が発生した。学生に負傷者が出て、学生側はこれを「血の弾圧」として宣伝したが、実際には学生の過剰宣伝の色彩が強い（『天安門事件の真相（下）』の白石和良稿を参照）。

四月二二日午前一〇時、人民大会堂で胡耀邦追悼会が開かれたが、これは軍と警察によって守られるという異常な追悼会となった。国家主席楊尚昆が司会し、追悼の辞は総書記趙紫陽が読んだ。一一時半、葬儀列席の指導者たちが人民大会堂を出始めると、規制を乗り越えて天安門広場に集まった四〇大学二万余の学生の隊列のなかから「対話せよ」「李鵬出てこい」のシュプレヒコールが起こった。午後一時三〇分、三名の学生代表（北京大学学生郭海峰、政法大学学生周勇軍、北京大学大学院生張智勇）は請願書を捧げて、人民大会堂の国徽の下に跪いて請願した。

請願書を李鵬に手渡したいとする学生の要求は拒否され、学生たちは授業ボイコットなどを叫びながら、広場を撤退し、午後六時には大学に戻った。キャンパスに帰った学生たちは胡耀邦は政治の腐敗、権力の腐敗を憤り、「憤死」したのだと宣伝した。学生側の宣伝は多分に誇張であったが、少なくとも胡耀邦が敢えて政治局会議に出席し、その場で倒れたのであるから、やはり「政治的な死」であったことは疑いない。

自主的な広場集会で気勢を上げた学生側は、追悼大会の翌日すなわち四月二三日に二九大学の学生代表四十数名が円明園で開いた会議で「北京高校〔＝大学。中国の高校は日本の大学に相当〕臨時学生聯合会」〔主席―周勇軍、略称＝臨時学聯〕を成立させることを決定した（これ以前に四月一九日、北京大団結学生会籌備委員会が成立、二〇日に北京高校〔大学〕学生聯合会が成立していた。表一・1、2参照）。

臨時学聯は二、三〇〇のオルグ学生を上海、南京、広州、蘭州、長沙、太原、済南などに派遣し、五月四日までの授業ボイコットを呼びかける方針を決めるとともに、北京市内各大学でも授業ボイコットを精力的に組織した。その結果、四月二四日には全市で四〇大学六万人が授業ボイコットを行った。主な大学は、北京大学、清華大学、人民大学、師範大学、科学技術大学、北京師範学院、北京商学院、体育師範学院、北京経済学院、政法大学などであった。

この「六万人授業ボイコット」は当局に大きな衝撃を与えた。たとえば鄧小平は（三で詳論するが）翌二四日午前に、「授業ボイコットをやっているのは六万人である。授業ボイコットをやらない一〇万人を保護しなければならない。六万人のうち少なからぬ者は迫られて参加したのだ」と語っている（『重要文献』第1巻、IV・1）。

こうした経緯から分かるように、当局側が学生運動を「動乱」と認識した直接的契機は、四月二二日の広場における非合法集会、そして二四日から開始された授業ボイコットなのであった。

授業ボイコットの成功で気勢の上がる学生たちは、四月二六日朝、政法大学主楼前で内外記者会見を行って、「北京高校〔大学〕臨時学生聯合会」の成立を公然と宣言した。その宗旨は「民主、科学、自由、法制、人権」。主席と常務委員を設け、主席には周勇軍、常務委員には王丹（北京大学）、ウルケシ（北京師範大学）、張啓才（民族学院経済系）、馬少方（電影学院夜大劇作班）、胡春林（人民大学法律系）、張銘（清華大学自動車工程系）が就任した（『一九八九北京制止動乱平息反革命暴乱記事』中共北京市党委弁公庁編、北京・北京日報出版社、一九八九年七月、四七頁）。「臨時学聯」もそれを構成している各大学の学生自治会準備会も、官制の組織である既存の「学生会」「院生会」の存在をゆるがす「非合法」の組織であったことは言うまでもない。

3　『世界経済導報』事件

四月一九日上海の週刊紙『世界経済導報』（編集長＝欽本立）と北京の月刊誌『新観察』（編集長＝戈楊）は胡耀邦追悼の座談会を共催した。席上、胡耀邦の長男胡徳平が家族を代表して挨拶した。座談会にはかつて胡耀邦と親交のあった改革派知識人たちが結集して、胡耀邦に対する「公正な評価」を求めた。出席者は――

于浩成（群衆出版社前社長）、秦川（『人民日報』元編集長）、蘇紹智（中国社会科学院ＭＬ研究所前所長）、戴晴（『光明日報』記者）、于光遠（中国社会科学院顧問）、呉明瑜（国務院経済技術社会発展研究中心）、厳家其（中国社会科学院政治学研究所前所長）、李鋭（中共中央顧問委員会委員、元胡耀邦秘書）、馮蘭瑞（経済団体聯合会秘書長、李昌夫人）、孫長江（『科技日報』副編集長）、張顕揚（中国社会科学院ＭＬ研究所研究員）、

表一・1　学生運動の目標とそれを担った組織（戒厳令布告以前）

1988年5月4日に北京大学で初めて「民主サロン」が開かれて以後、戒厳令布告までの学生運動の主な出来事をまとめたのが、本表である。ここで特に注目しておきたいのは、運動の発展段階に応じて、その運動を担う組織が次々と変化していった事実である。運動のなかである組織が生まれ、またたく間にその組織が乗り越えられていく過程が興味深い。この過程では当然、学生指導者も次々に交替している。ここには「予め計画された陰謀」というよりも、大衆運動のなかで、運動の盛り上がりにつれて、行動や要求内容がエスカレートしていくダイナミズムがよく現れている。

月　日	学生運動の主な動き、下線部分は権力の対応	主導組織
1988年	【民主サロン】	
5. 4	北京大学創立90周年記念日の午後、方励之・李淑嫻夫妻を招き、劉剛らが「民主サロン」を開く。以後、王丹が中心となり、89年5月12日までに17次の「民主サロン」を開いた	民主サロン
1989年	【胡耀邦追悼と反腐敗・インフレ】	
4. 15	胡耀邦死去	
4. 19	王丹主宰の北京大学「民主サロン」第16次会議で北京大団結学生会籌備委員会が成立	北京大団結学生会
4. 20	18日夜以来「対話」を求めて新華門前に座り込み強制排除される	
4. 22	官製の胡耀邦追悼式にぶつけて、規制を乗り越え、40余大学2万余の学生が天安門広場で請願活動	
4. 23	21大学代表が円明園で会議を開き「北京高校〔大学〕臨時学生聯合会」を設立、政法大学周勇軍を初代主席に選出。他のメンバーは王丹、ウルケシ、馬少芳、蔵凱	臨時学聯
4. 24	北京市40大学、6万人の学生が授業ボイコットに突入	
	【動乱社説抗議と対話要求】	
4. 26	『人民日報』動乱社説が学生たちを強く刺激 「北京高校〔大学〕臨時学生聯合会」が成立宣言。	
4. 27	『人民日報』4月26日動乱社説に抗議して、38大学3万人がデモ	
4. 28	北京高校〔大学〕臨時学生聯合会が政法大学で会議を開き、周勇軍主席を解任し、ウルケシが主席となる。同時に「北京高校〔大学〕自治聯合会」（略称、北京高自聯）と改称	北京高自聯
5. 2	北京高自聯が「対話代表団」（代表＝項小吉）を成立させる	対話代表団
5. 4	五四記念デモ。趙紫陽講話	
5. 8	北京高自聯が授業再開に同意	
	【ハンスト対話要求】	
5. 13	「ハンスト請願団」（総指揮＝柴玲）が成立。「対話」を求めてハンスト開始 趙紫陽が首都労働者代表と対話	ハンスト請願団
5. 14	李鉄映、陳希同、李錫銘がハンスト中止を説得 閻明復が学生と対話	
5. 15	閻明復が学生と対話	
5. 16	閻明復がハンスト中止を訴える	
5. 17〜18	ハンスト学生支援の百万デモ	
5. 18	趙紫陽、李鵬、喬石、胡啓立がハンスト学生を病院に見舞う	
5. 19	趙紫陽が涙の訴え 首都党政軍幹部大会で戒厳令を決定、20日実施	

（資料）村田忠禧編『チャイナ・クライシス「動乱」日誌』（蒼蒼社、1990年）、香港記者団『人民不会忘記』。

表一・2　中共中央の動き（戒厳令布告以前）

月　日	中共中央の動き、下線部分は学生・知識人の動き	主導路線
4.22	人民大会堂で胡耀邦追悼大会、学生は広場で「不法」集会	強硬派による「動乱」規定の形成
4.23	趙紫陽（総書記）が北朝鮮を訪問	
4.24	午後、北京市党委員会、人民政府が全人代万里委員長に学生運動の状況を報告。「万里の建議のもとに」24日夜、李鵬が主宰して政治局常務委員会を開き、学生運動対策を決定	
4.25	午前、李鵬、楊尚昆が鄧小平宅を訪問し、学生運動についての常務委員会決定を報告したのに対して、鄧小平はこれを支持して「重要講話」を語る。政治局常務委員会の決定および鄧小平講話は北朝鮮訪問中の趙紫陽に電報で報告、趙紫陽は「完全に同意」と返電	
	夜、中央人民放送、中央電視台は26日付『人民日報』社説「旗幟鮮明に動乱に反対せよ」を放送	
4.27	動乱社説反対の学生デモ	穏健派による対話路線の展開
5.3	趙紫陽「建設と改革の新時代に五四精神をいっそう発揚させよう」	
5.4	午後3時、趙紫陽がアジア開発銀行年次総会代表と会見し、「**冷静、理知、抑制、秩序」を呼びかけ、「中国には大きな動乱が出現するはずがない」と語る**	
5.5	香港『明報』が中共中央の学生運動対策は李鵬・胡啓立・喬石ラインから趙紫陽の主宰に転換と報道	
5.8	午前、北京市党委員会、市政府の強い要求により、趙紫陽は政治局常務委員会を開く。趙紫陽の5月4日講話が4月26日動乱社説と矛盾するとの批判に対して、趙紫陽が反論	
5.9	胡啓立が学生および報道関係者の対話要求に対して、5月4日の趙紫陽講話の精神に基づいて対話を行うよう指示	
5.10	午後、6月20日前後に全人代常務委員会を開くことを決定	
5.11	午後、胡啓立が中国青年報社を訪れ、対話についての具体的要求を聴取。芮杏文は新華社を訪れ、対話についての意見交換	
5.13	広場でのハンスト始まる	中ソ会談第一、ハンスト対策第二
	午後、趙紫陽は人民大会堂で首都労働者代表と座談を行い、中ソ首脳会談を妨害しないで欲しいと要求	
5.14	16時、李鉄映、閻明復、尉健行らが首都30数大学の対話代表（代表・項小吉）と統一戦線部機関礼堂で対話を行う	
5.15	12時、ゴルバチョフが北京に到着。歓迎式典は天安門広場でなく、首都空港に変更を余儀なくされる	
5.16	**午前、鄧小平・ゴルバチョフ会談**（人民大会堂東大庁）	
	17時40分趙紫陽、ゴルバチョフとの会談で「機密　暴露」	
	夜、政治局常務委員会緊急会議、趙紫陽が4・26『人民日報』動乱社説の取消しなど5項目を提起して孤立	
5.17	2時、趙紫陽書面談話「学生の愛国的熱情を肯定」	
5.17	**夜、鄧小平宅で政治局常務委員会議を開く。趙紫陽は譲歩案を主張、多数派はこれに反対。鄧小平は多数派を支持。会議は戒厳令布告を決定。趙紫陽は辞職を申し出たが、慰留される**	戒厳令決定と趙紫陽の抵抗
	百万デモ。翌18日も百万デモ	
5.18	5時頃、趙紫陽、李鵬、胡啓立、喬石、芮杏文、羅幹らが北京協和医院、同仁医院にハンスト学生を見舞う。11時～12時、李鵬、李鉄映、李錫銘が人民大会堂でハンスト学生代表と会見。鄧小平、楊尚昆、陳雲、李先念、鄧穎超、王震、彭真らが長老会議を開き、戒厳令強行を支持	
5.19	4時45分、趙紫陽、李鵬、温家宝、羅幹らが天安門広場でハンスト学生を見舞う。ここで趙紫陽が涙の訴えを行う。以後失脚	

（資料）村田忠禧編『チャイナ・クライシス「動乱」日誌』ほか。

陳子明（民間のシンクタンク・北京社会経済科学研究所所長、七六年天安門事件の「談判小組」メンバー）、劉鋭紹（香港『文匯報』北京事務所長）、胡績偉（『人民日報』元社長）など錚々たるメンバーであった。

学生たちが「胡耀邦の名誉回復」をストレートに要求したのに対して、知識人たちはこれを一歩退いたところで、「公正な評価」と誰にも文句のつけられないような形で要求することによって支持者を獲得しやすくした。しかし、そこには胡耀邦処分の当事者たる鄧小平の責任追求に波及し得る伏線がはられていたことも見逃せない。

この兆候を敏感につかんだのが江沢民（上海市党委員会書記、中央政治局委員）である。上海市党委は座談会を掲載予定の『世界経済導報』四三九号（四月二四日号）の記事内容の修正を求めた。しかし欽本立編集長の拒否・抵抗にあい、同誌三〇万部は発行されないまま二七日、上海市党委は欽本立の編集長、党組メンバーの職務停止の処置を下したのである。

折から「新聞法」（中国で「新聞」はニュース、報道の意）の全人代上呈とあいまって報道の自由が話題になっていて、たとえば三月末に開かれた全人代二回大会で胡績偉（『人民日報』元社長）は「報道の自由なくして、社会の安定なし」と論じたばかりであった。胡耀邦に対する「公正な評価」を求めたにすぎない報道への弾圧は、知識人やジャーナリストたちに強い衝撃を与えずにはおかなかった。彼らは「報道の自由を守れ」の叫びをあげた（『重要文献』第1巻、III・18）。

こうして胡耀邦追悼問題は、一挙に報道の自由の問題に拡大した。『世界経済導報』発禁事件を契機として、知識人とジャーナリストが報道の自由を求めて行動を開始したことによって、民主化運動にはいわば「もう一つの渦」が生まれた。これ以後、民主化運動の潮流には、①学生運動の渦と②知識人、ジャーナリストの渦という二つの中心が形成され、両者はいわば楕円形の二つの中心であるかのごとく、相互に影響を拡大しつつ、運動全体を牽引していくことになる。八六年一二月の学生たちの民主化運動では学生が動いただけで、他の社会各層がまだ動きださないうちに、電撃的な胡耀邦総書記解任で、またたく間に封じ込められてしまったのに対して、八九年の民主化運動が大きな幅と厚みをもったものに拡大していった理由の一つは、ここにあると見てよい。

三 「動乱」と「対話」

1 『人民日報』動乱社説の形成

胡耀邦追悼大会で弔辞を読んだ趙紫陽は、予定通り翌四月二三日に北朝鮮訪問に旅立ち、三〇日に帰国した。胡耀邦の急死を契機とする学生運動の盛り上がりに対して、趙紫陽の側近たちは四月一五〜二二日段階ではあまり気にとめていなかった──趙紫陽のブレーンや支持者たちと三回昼食の機会をもった印象からすると、彼らはインフレや官倒問題に頭を悩まされており学生デモは頭痛のタネが一つ増えた程度の受け止め方であった──とクリストフは書いている（『ニューヨーク・タイムズ・マガジン』八九年一一月一二日号）。

この期間に趙紫陽が不在であったことは、文革初期（一九六六年）に劉少奇が東南アジア訪問に旅立ち、不在の間に政治局会議が開かれた経緯を想起させる。趙紫陽の留守中に、学生運動に対して、決定的な判断が下されたのである。

李錫銘（北京市党委書記、中央政治局委員）、陳希同（北京市長）など保守派で固める北京市当局の対応が迅速、機敏であったことは、政治局へ提起した李錫銘報告からその一端をうかがうことができる。保守派にとっては改革と開放の政策が開始して以後のいわゆる「ブルジョア自由化」傾向は常時監視すべき対象となっていた。保守派の一部には改革と開放の政策自体の転換を求める声さえ存在したのである。

北京の学生たちが授業ボイコットに突入した四月二四日の四時、中共北京市党委員会は常務委員会議を開いて、情勢を分析し、「今回の学生運動の矛先は直接的に党中央に向けられたものであり、共産党の指導を転覆させようと企図したもの」と即断するとともに、北京市党委員会と人民政府の名において次の四カ条を党中央、国務院に要求した。

①中央が旗幟鮮明に態度を明らかにすること。
②中央のマスコミは中央の統一指揮に断固として服従すべきこと。
③北京市党委員会と市政府に反撃のための権限を与えること。
④党中央と国務院が強硬措置を打ち出すこと（『紀事』四一～四二頁）。

この建議を携えて、李錫銘と陳希同は、直ちに万里（全人代常務委委員長）を訪れ、状況報告と要請とを行った。同じ日の夜に、趙紫陽の留守を預かる李鵬（総理、政治局常務委員）の主宰のもとに、政治局碰頭会（ポントウ）（非公式の会議）が開かれる。この会議には趙紫陽を除く政治局常務委員全員、すなわち李鵬、喬石、胡啓立、姚依林が出席して「動乱制止小組」の設立が検討された。

翌四月二五日午前、李鵬、楊尚昆は、李錫銘報告を携えて、地安門の鄧小平宅を訪れ、状況を報告した。保守強硬派の姚依林はともかく、改革派の胡啓立、中間派の喬石が同席しなかった背景は不明であるが、ここで李錫銘、陳希同（北京市レベル）――李鵬、楊尚昆（政治局レベル）――鄧小平（最高レベル）という保守強硬派の「動乱阻止ライン」が成立したことになる。

李鵬、楊尚昆の報告を受けて、鄧小平は「重要講話」を行った。

「これは通常の学生運動ではなく動乱である。断固として制止し、彼らに目的を達成させてはならない」「これらの者たちはポーランド、ユーゴスラビア、ハンガリーやソ連の自由化政治思想の影響を受けて、動乱を起こした。その目的は共産党の指導を転覆し、国家、民族の前途を喪失させることである」「〔弾圧して〕ひとさまが罵倒することを恐れてはならない。評判が悪くなるのを恐れてはならない。国際的反応が悪くなるのを恐れてはならない」「ブルジョア自由化反対において、胡耀邦は軟弱であった。精神汚染除去を二〇日だけでやめてしまった。もし当時〔思想工作に〕力を入れていたならば、思想領域において、今日のようなありさまに発展するはずはなく、このような動乱が起こるはずはなかった」「対話はしてもよいが、誤った行動に寛容であってはならない」「できるかぎり流血事件を避けるべきだが、完全に避けることは不可能である」「授業ボイコットをやってはならない」「われわれには数百万の軍隊があるではないか。何を恐れることがあろう！」（『重要文献』第1巻、Ⅳ・1）。

鄧小平講話はまもなく党内文件として配付されたが、その際に胡啓立は次のコメントを付している「通常、鄧小平同志は文書にする前に彼の言葉に筆を入れるが、時間がないため、われわれは鄧小平同志の講話の精神をまず回覧する」と。その要旨は早速四月二六日付『人民日報』社説「旗幟鮮明に動乱に反対せよ」に盛り込まれ二五日夜にテレビ放映された。社説はこう断定した。

「彼らは民主化の旗を掲げて民主と法制を破壊したのであり、その狙いは人心をバラバラにし、全国を混乱させ、安定・団結の政治的局面を破壊することにある。これは計画的な陰謀であり、動乱である。その実質は、中国共産党の指導と社会主義制度を根本から否定することにある」「全党と全国人民は〔中略〕団結して旗幟鮮明に動乱に反対し、ようやく苦労してかちとった安定団結の政治的局面を断固と守り、憲法を擁護し、社会主義民主と法制を維持しなければならない」（『重要文献』第1巻、IV・2）。

この社説の起草責任者は政治局レベルではイデオロギー担当の常務委員胡啓立であり、実際に執筆したのは、『人民日報』の范栄康（副総編輯）と伝えられる（斉辛論文『九十年代』九〇年第五期）。社説は「鄧小平同志の講話の精神を体現し、動乱の性質を明らかにしたもの」（陳希同報告）とされている。確かに「動乱」という事実認定においては一致しているが、社説にいう「計画的陰謀」の表現は鄧小平講話にはない。また鄧小平講話では「対話はしてもよいが、誤った行動に寛容であってはならない」と「対話」の可能性を示唆している。しかし社説では「誤った行動に寛容であってはならない」とする強硬姿勢が前面に出ている。これらの点から鄧小平講話と社説の間には微妙なニュアンスの差が感じられる。

2　四・二七デモ

四・二六『人民日報』社説は学生の民主化運動を「動乱」と断定することによって、学生運動を却って刺激し、火に油を注ぐような結果となった。前述のように四月二六日朝、学生たちは政法大学で北京大学、北京師範大学、政法大学、人民大学などを中心とした北京市大学の学生聯合組織たる臨時学聯の成立を宣言したが、これは二五日夜に発表された動乱社説に強く反発したものであった（主席＝周勇軍［人民大学］、常務委員＝王丹［北京大学］、ウルケシ［北京師範大学］、張啓才［民族学院］、馬少方［電影学院］、胡春林［人民大学］、張銘［清華大学］）。

学生運動が組織化され始めたこと、そして当局側の強硬姿勢が明らかになったこと、この二つの条件によって運動は戦術転換が図られ、より巧妙なものに発展した。学生たちは、共産党や鄧小平を批判する過激なスローガンは取下げ、共産党と社会主義の擁護を第一に掲げ、学生運動は愛国民主の運動であると強調した。このため、臨時学聯を母体とする四月二七日のデモは大成功をおさめた。

「四月二七日午前八時、北京大学、人民大学、師範大学、政法大学、清華大学など四十数校の大学生およそ十数万人は大きな旗や横断幕を掲げ、憲法擁護、腐敗反対のスローガンを高々と叫び、キャンパスを出、一六時間の長きにわたる平和的な請願と抗議のデモ行進を始めた。沿道で見守る群衆は一〇〇万の多きに達し」「今回のデモ行進の全行程は五〇キロ以上あり、あわせて警察が作った七つの阻止線、三〇余りの人垣を通過した。その気勢の大きさたるや、建国四〇年来、なかったものである」（『重要文献』第1巻、IV・3）。

四・二七デモを総括して、北京大学学生自治会籌備委員会機関紙『新聞導報』第一期はこう書いた。「周知のとおり、「文化大革命」は党内のある種の利益の争いに利用されたものであり、上から下への動乱であり、その基盤は愚昧と迷信であった。今回の下から上への民主請願活動が一体どうして同一に論じられようか」「われわれの目標は報道の自由、官僚ブローカーの除去、腐敗反対、民主の進展の推進である。われわれが政府との対話を求めるのは、実質的問題の解決をしたいと思うからであって、われわれは人民が政府を監督する権力を行使することを求めているのであり、政府が真心から問題を解決することを求めているのである」（『重要文献』第1巻、Ⅳ・4）。

北京大学法律系の学生は『人民日報』社説が「憲法を擁護し、社会主義的民主主義と法制を堅持せよ」と論じたことに対して、『人民日報』には学生運動が違憲かどうかを決定する権限はない。憲法六七条によれば、全国人民代表大会常務委員会および人民法院が法で定められた手続きを踏まえて出す決定あるいは判決のみが法律的根拠をもつのであり、『人民日報』社説は〈学生運動に対する〉誹謗のきらいがある」と反論した（『重要文献』第1巻、Ⅳ・5）。

これらの引用から分かるように、学生側が反発したのは「動乱」という用語、そして「違憲」という断定などに対してであった。つまり、政府は学生の要求が腐敗反対、民主化推進である事実を認めないばかりか、〝文化大革命〟の動乱と同一視し、君たちは〝文化大革命〟を再演しようとしていると頭ごなしに非難したことに対して猛反発したわけである。その後、学生側は政府との対話を求め続けるが、その際の要求はなによりもまずこの動乱社説の撤回に向けられた。

3　「対話」の開始

四・二七デモの成功を踏まえて、臨時学聯は授業ボイコットを継続するとともに、政府との対話に備えて北京高校〈大学〉自治聯合会〈原文＝北京高校自治聯合会、略称＝北京高自聯あるいは高自聯〉と改称し、組織の合法化をかちとるために登記申請する方針を決めた。また北京大学代表王丹は対話への学生の誠意を示すために、カンパ活動の停止を表明した。そして臨時学聯主席周勇軍は二六日夜に「二七日デモの取消し通知」を発した責任を問われて解任された。このとき周勇軍に代わって主席となったのが北京師範大学教育系学生ウルケシであった。彼は四月一九日夜、新華門事件の現場で「李鵬出て来い」のアジ演説をして注目を浴び、二二日の追悼大会では一〇名の学生代表の一員となった。さらに二四日ウルケシは北京師範大学で「投票によって」学生自治会を成立させることに成功し、この北京における唯一の実績を踏まえて、臨時学聯主席に選ばれたのである（「重要文献」第3巻、Ⅻ・7ほか）。彼はウイグル族であり、彼を先頭に立ててデモをやれば、当局側は少数民族のゆえに弾圧をしにくいとする打算があったことも疑いない。

北京高自聯の七名の常務委員は、北京大学、清華大学、人民大学、政法大学、師範大学、民族学院、芸術関係、の七学院から選出された各一名から構成するものとし、主席は常務委員の多数決で毎週改選することとした（『動乱日誌』九六頁）。

政府との対話について北京高自聯主席ウルケシは、次の方針を明らかにした。

まず対話の形式についての三カ条要求——

①対話は政府報道機関を通して公開報道すること
②北京高自聯委員と各大学の指導者を保護すべきであり、事後報復はしないこと
③学生運動に対して公正な評価を行い、真実を報道すること

対話の内容としては、四月一八日以来の七カ条の各項目に「具体的条項」を付加したものを掲げた

①公正客観的に胡耀邦同志の是非功罪を評価せよ。
〔具体的条項〕胡耀邦同志に対する組織手続きを踏まない突然の解任について、公開の説明を行え。

②今回の学生運動を再度公正客観的に評価、報道せよ。
〔具体的条項〕法に基づいて専門調査小組を成立させ、今回の学生運動の始末を調査し、北京市党委員会が上部を欺いて「動乱」という口実を作った行為を審査処罰せよ。

③憲法を擁護し、人権侵害行為を責任追及せよ。
〔具体的条項〕四・二〇殴打事件の直接責任者を処罰せよ。

④汚職反対、腐敗反対、官僚ブローカーを処罰せよ。
〔具体的条項〕康華問題〔鄧小平の長男がかかわっている康華発展公司の経営問題。官僚ブローカーの典型と目された〕。

⑤速やかに「報道法」〔原文＝新聞法〕を制定し、民間の新聞発行を認めよ。
〔具体的条項〕全国政治協商会議委員徐四民先生〔香港『鏡報』社長〕に対し、大陸にもどって民間紙を発行するよう公開の招請を行うこと。

⑥一〇年来の重大な失策を改め、教育経費を増やし、教師の待遇を改善せよ。
〔具体的条項〕政治協商会議の三つの調査グループが北京市の一〇の大学に対して行った教育経費状況の調書報告を公表し、また高校〔大学〕、中学〔高校、中学〕、小学校にも状況調査グループを派遣し、調査結果を公表せよ。

⑦政府の重大な政策上の誤りを自己批判せよ。

［具体的条項］政治協商会議が中心になって専門家の論証グループを組織し、政府は必要とする一切の資料を提供し、昨年のインフレの原因を分析し、価格体系改革の実行性の論証を行い、段階的に各種の意見と結果を公表すること（『重要文献』第1巻、V・2の付録）。

学生の「対話」要求に応じる形で四月二九日、袁木（国務院スポークスマン）、何東昌（国家教育委員会副主任）らが一六大学四五名の学生代表と座談会を行った。この座談会は、官製組織たる全国学生聯合会と北京市学生聯合会とが招聘し、学生は個人の資格で参加したものである。政府側は学生が個人の身分で出席することを求め、非合法組織である北京高自聯代表を認めなかったので、ウルケシは北京高自聯の前掲七カ条声明を読み上げて、憤然と会議室を立ち去った（『重要文献』第1巻、V・1）。

これは学生側の態勢が整わない前に政府側が「対話攻勢」をしかけた色彩が濃厚である。つまり「対話協商」は第一三回党大会の路線であり、学生側には大義名分があったが、これに対して、当局は個人として学生を座議会にひきずり込んで対話を形式的に済まそうとした。この座談会の模様はテレビ放映され、翌三〇日にも官製組織が選んだ学生代表（一六大学二九名）と李錫銘（北京市党委員会書記）、陳希同（北京市長）の座談会が行われている。これらの座談会のなかで、当局側は「動乱社説はごく少数の不法行為を行う者を指したのであり、広範な学生大衆に対するものではない」などと釈明したが、実質的な回答とはいえず、当然ながら学生たちを納得させるには至らなかった。

この間、穏健派閻明復（党中央統一戦線部部長）と知識人との対話なども行われた。

五月二日、王丹（北京大学）ら数名が党中央、国務院、全人代常務委員会に請願書を提出し、二四時間内に回答がなければ、五四運動七〇周年記念日の四日に大型デモを行うと予告した。王丹らは前掲七カ条声明に加えて各大学から一〜三名の代表を選び、対話代表団を組織し、代表団の選んだ発言者と対話を行うこと、政府側代表は政治局常務委員、全人代副委員長、副総理レベルの者とすること、対話の過程全体に対して自由な取材とテレビ生中継を行うよう要求した（『重要文献』第1巻、V・6）。これに対して袁木は「政府と同格になろうとするもの、否政府を超えようとするものであり、不合理な、幼稚な衝動に基づくもの」と、対話代表団との対話を拒否する態度を示した。

4　趙紫陽の穏健対話路線の登場

中共中央の留守事務室は四・二六『人民日報』社説の公表に先立って、常務委員会決定と鄧小平講話を電報で北朝鮮訪問中の趙紫陽に伝えたが、趙紫陽は返電のなかで「常務委員会ならびに鄧小平同志へ、私は当面の動乱問題に対して行った鄧小平同志の意思決定に完全に同意する」と述べたという。しかし、その後、趙紫陽秘書の鮑彤から流された情報によると、社説において実際に用いられた文言、表現は趙紫陽の受け取ったものとは、著しくニュアンスを異にしていて、趙紫陽はそこを問題にしたのだという。

趙紫陽の帰国を待って、五月一日、政治局常務委員会が開かれた。趙紫陽は留守中の四月二四日に行われた常務委員会決定にひとまず同意すると表明した。しかし、ここで趙紫陽は燃え上がる学生運動が広範な市民の圧倒的な支持を得ている事実を感じとって、軌道修正を模索し始めた。民主化を要求する学生運動は、保守派にとっては体制を脅かす危険な存在であったが、改革派の趙紫陽からすれば、愛国運動として積極的に評価し、これを政治体制改革促進のテコにし得るはずであった。

こうして趙紫陽の変身が始まった。五月三日の政治局常務委員会で趙紫陽の提起した動乱社説見直し提案は支持されなかったものの、学生との緊張関係の緩和の点では政治局は意見が一致した。ただし、ここで北京高自聯などの「非合法組織」を対話の相手と承認してはならないと枷をはめられた。

政敵李鵬は事後に、次のように非難した。

第一に趙紫陽は「二日後（五月三日）に、彼は突然態度を変え」、『人民日報』社説には「性質認定上の誤りがある」と非難し、是正を提起した。

第二に趙紫陽は五四運動七〇周年記念講話（五月三日付、五月四日付『人民日報』発表）において「ブルジョア自由化反対」の一句を加えることを拒否した。李鵬、楊尚昆、姚依林、李錫銘らの再三にわたる提案を拒否した（ここで、喬石、胡啓立は保守派と一線を画して「ブルジョア自由化反対」の挿入を要求しなかった点が注目されよう）。

第三に趙紫陽は五月四日午後「事前に常務委員会の誰とも相談せずに」アジア開発銀行総会の各国代表と会見した際に「党中央の立場や方針と完全に異なる談話」を発表し「中央の内部分裂を公開し、世に暴露した」（以上三カ条の非難は、いずれも李鵬六月二三日報告。『重要文献』第3巻、XVI・3）。

趙紫陽のアジア開発銀行総会代表への講話は、秘書の鮑彤政治体制改革委主任が事前に起草したものだったという。曰く。

「現在、北京やその他の都市で一部の学生のデモが依然続いている。だが、私は事態は次第に収束し、中国に大きな動乱は起こるはずがないと確信している。私は、このことに十分自信をもっている」。

「現在最も必要なことは冷静、理性、自制、秩序であり、民主と法制というルールによって問題を解決することである」（「重要文献」第1巻、Ⅳ・14）。

趙紫陽のこの穏健・柔軟路線の提起によって北京市党委員会を中心とする当局側強硬派は足元をすくわれ「趙紫陽に裏切られた」と嘆いたことが陳希同報告に書かれている。これらの事実は四・二七デモの成功とこれに対する知識人グループの高い評価が中共党内の穏健派にも深く影響を及ぼし、党内で足並みが乱れ始めたことを物語っている。

5　学生運動の鎮静化

五月四日は、朝から学生は再び街頭デモに繰り出したが、三八大学三万人以上が参加した四・二七デモのような緊張感はなく、参加人数は二万人足らず（当局発表。『明報』五月五日付によれば七〜八万人）に止まった。四・二七デモのメイン・スローガンは「共産党擁護、社会主義擁護」であったが、五・四デモのそれは「報道（原文＝新聞）の開放」「欽本立を断固支持する」「対話が必要であり、訓話は不要だ」に変わっていた。

彼らが天安門広場に到着する前の三時に、アジア開発銀行の総会は閉会し、趙紫陽は総会代表に五四講話を発表して各国代表や中国指導者たちは人民大会堂を離れて混乱はなかった。三時すぎ、北京高自聯は天安門広場で集会を開き、常務理事の周勇軍（政法大学）が人民英雄記念碑の下で「新五四宣言」を読み上げ、学内民主化の実現を今後の課題として掲げ、ウルケシは全北京の大学が、五月五日より授業復帰することを宣言した。

翌五日以降、北京大学、北京師範大学を除く北京の大部分（八〇％）の大学生は授業に復帰した。趙紫陽の柔軟路線が学生たちの矛先をにぶらせ、運動が鎮静化し始めたのであった。この日、北京高自聯秘書長の王治新は香港『文匯報』記者に、こう述べている。

「学生が強硬行動に訴えないのは、4日の趙紫陽総書記の談話は『人民日報』4・26社説の学生運動動乱説をかなりの程度否定している、と見なしているからであり、高自聯も趙紫陽の冷静、理智、自制、秩序、民主と法制の軌道の上で問題を解決するとの呼び掛けに同意し、デモと授業ボイコットの手段を停止し、対話をかちとろうとするためである」（香港『文匯報』五月七日、『動乱日誌』一〇八頁）。

北京大学、北京師範大学の一部の強硬派学生は対話実現まで授業ボイコットを継続することを提起したが、彼らは少数派に止まった。この段階のキーワードは「対話」であり、授業に復帰して対話について工作すべきか、それとも政府が対話をするまで授業ボイコットを続けるべきかが戦術上の争点であった。いずれにしろ、学生たちは対話を目指して「対話代表団」を選出し始めた。六日には二四校、八日には二九校がこれに加わった。対話代表団の臨時団長になったのは項小吉（政法大学）であった。代表団は五月六日、それぞれ全人代常務委員会、国務院、中共中央に請願書を手渡して対話を呼びかけた（『重要文献』第1巻、V・9）。

学生の運動が鎮静化していく合間に、北京のジャーナリストの動きが活発化した。『世界経済導報』の発禁と編集長欽本立の解職事件は多くのジャーナリストに衝撃を与え、五月四日には学生の五四デモに合わせて、約三〇〇名のジャーナリストが独自の抗議行動を行うところまで盛り上がっていた。建国以来初めてのジャーナリストの抗議行動は多くの北京市民や学生から熱烈に歓迎された。こうしたジャーナリストの行動を通じて、マスコミの学生運動に対する報道にも大きな変化が見られるようになった。そして、今度はその報道が学生運動だけでなく、広く市民や知識人の運動を盛り上げる役割を果たした。

五月九日、北京の編集記者一〇〇〇人以上が署名した請願書が全国記者協会に届けられ、政府との対話を要求した。五月一〇日には自転車デモが行われた。北京大学、人民大学、郵電学院、師範大学、政法大学など三十数校の学生およそ一万人が中央放送局、新華社、光明日報社、北京日報社、人民日報社、中央カラーテレビ・センターなどを回って、「報道の自由」をシュプレヒコールし、ジャーナリストを声援した。このとき当局は慣例を破ってジャーナリストと対話を行った。五月一二日には新聞工作を主管する胡啓立が『中国青年報』関係者と対話し、新聞工作は改革しなければならない段階に来ていると「政策の柔軟性」を語り、対話実現への期待を抱かせた。

キャンパスに戻った学生たちは、政府との対話を期待し続けた。北京市大学学生対話代表団の五月六日の請願書に対して当局は、八日に学生のみならず、労働者、農民、知識分子、教師、党外人士らとも対話することを表明し、一一日にさらにつっこんだ回答をすることを約束した。しかし、一一日になると「今週中に正式に回答する」とひき延ばしを図った。各校代表はみな一四日以前に対話が行われることを待ちのぞんだ。

対話の実現が先に先にとくり延べになるなかで、授業ボイコットの継続によって対話をかちとることを主張した少数の強硬派学生は、授業ボイコットに代えてハンガー・ストライキに訴えることを提唱し始めた。

五月九日――北京師範大学生のハンスト計画が伝わった（『動乱日誌』一一三頁）。

一〇日――昼、柴玲（北京師範大心理系大学院生）らは、ハンスト準備を北京大学内で始めた。その夜までに集まったハンスト志願署名は四十数人にすぎなかった。

一一日――北京高自聯が主席責任制から常務委員責任制にきりかえてハンストを行うことを決定（同上、一一五頁）。その日、柴玲は形式的ハンストではなく、文字通り死をかけたハンストにしようと演説し、ある教員を感動させている（「柴玲自述」『明報』六月四日付）。

一二日――正午、北京大学に「北京大学、北京師範大学は明日正午一二時に天安門広場でハンストを行う」との通知が貼り出された。十数人の署名者のなかには王丹、熊焱（北京大学法律系学生）、柴玲らの名前があり、北京師範大の通知には、ウルケシらの署名があった（『動乱日誌』一一六頁）。

四　百万デモと戒厳令

1　ハンストとゴルバチョフ訪中

五月一三日正午、北京大学で学生の絶食宣誓式が行われた。宣誓署名したのは一六〇名、かれらは「最後の昼食」をとったあと、学生糾察隊〔ピケ隊〕に守られながら、北京師範大学へ行進し、合流して天安門広場へ向かった。ハンスト学生は白布に「絶食・大学名」を書いて鉢巻きし、糾察隊や支援学生は紅布で鉢巻きをした。一〇〇〇名余の学生は午後四時ごろ広場に到着し、「ハンスト宣言」（『重要文献』第1巻、VI・5～7）を読み上げ、ハンストの狙いを明らかにした。

「〔対話要求に対する〕再三にわたる引き延ばしのペテンにはわれわれはもはや我慢がならず、われわれの決意と強烈な抗議を示すため、われわれはハンスト請願という手段をとり、政府が直ちに北京市大学学生対話代表団と真の対話を行うよう督促する」。

彼らの具体的な要求は、一つには学生運動が愛国民主の運動であると認めること、二つには政府が平等の対話を行うことであった。

強硬派学生の孤立を救うことになったのは、皮肉なことにゴルバチョフ訪中であった。一五日からのゴルバチョフ訪中を控えて、世界中からマスコミが北京へ集まった。アメリカのCNNを始めとして世界各国のテレビ局が衛星通信ステーションを設けて報道しようとしていた三〇年ぶりの中ソ首脳会談の代わりに、ハンスト請願行動のナマ中継が世界に伝えられることとなったのである。

五月一四日午前二時三〇分、国家教育委主任李鉄映、北京市長陳希同、市党委員会書記李錫銘らが一〇〇名余の公安要員に守られて広場に現れ、ハンスト中止を説得したが、学生の要求に対してはゼロ回答であり、動乱社説の否定はもとより、いかなる譲歩も提示できず、学生の不満をかきたてただけに終わった。

同日午後四時四五分、党中央統一戦線部長閻明復が李鉄映（国家教育委員会主任）、尉健行（国務院監察部部長）らとともに首都の三十数大学から推薦された対話代表団（代表・項小吉）と中共中央統一戦線部機関礼堂で対話を行った。これには広場でハンストをしていた学生も加わり、主として学生運動の評価について双方の見解表明が行われ、一定の前進がみられたものの、対話のナマ中継の要求をめぐって意見がかみあわず、対話は中断した。学生はハンストの継続を宣言した。この間、厳家其、包遵信、蘇紹智、戴晴ら一二名の知識人は統一戦線部の幹部と対話して調停工作を模索するとともに、学生側に撤退を説得しようとしたが、実らなかった。夜一〇時、ハンスト中の十数人が昏倒し、病院に送られた。

一五日の歓迎式典を控えて、広場のハンスト学生の強制排除のうわさが流れ、学生側に動揺も見られた。一五日午前四時、広場での歓迎式のために、座り込み部隊を広場の東に移動することが討論されたが、各大学代表の投票の結果、「移動せず」が大勢を占めた。午前五時ごろ、ウルケシは今度は個人の資格で再度移動提案を行ったが、「声の大きさによる投票」の結果、再度提案は否定された。いまやウルケシら指導部にも事態を統制できない状況が生まれていた。

一五日午前には、李鉄映、閻明復らが再度学生との対話を試み、学生側に理性的行動を訴えた。学生側は趙紫陽、李鵬らとの対話と四・二六社説の撤回に条件をしぼり、さらに一六日には後者の条件を取り下げて趙紫陽、李鵬との対話のみを要求した。

一六日夜七時四〇分、閻明復が広場に出向いて真摯、懸命な説得を行った結果、王丹、ウルケシら学生側指導者たちが閻明復の説得を受け入れて広場を撤退するよう広場の学生たちに呼びかけた。しかし、ハンスト四日目で感情の極度に高ぶった広場の大衆を納得させるには、王丹、ウルケシらの説得はあまりにも非力であった。一六日までにハンスト座り込み者延べ一八〇〇人（人×回数）、紅十字会の救援隊による病院転送者四八五人。こうした異常な熱気に包まれて「ハンスト堅持」の方針に流されるほかなかった。翌一七日には二〇〇〇人が、ハンスト五日目に突入し、ハンスト学生声援デモは、百万の多きに達しようとしていた。

2　趙紫陽の決断

中ソの歴史的和解を象徴すべく設定されていた一五日のゴルバチョフ歓迎式は、人民中国の象徴たる天安門広場で行うことができず、空港での簡単なものに切り替えられた。翌一六日は無名戦士の墓、すなわち人民英雄記念碑へのゴルバチョフ献花が予定されていたが、これも取り止めとなった。ゴルバチョフ・鄧小平会談は人民大会堂で行われたものの、続くゴルバチョフ・李鵬会談、ゴルバチョフ・趙紫陽会談は学生たちのシュプレヒコールの聞こえる人民大会堂ではなく、釣魚台国賓館に切り替えられた。鄧小平は大いにメンツをつぶされた。

こうして中ソの和解劇は、大幅な計画変更を余儀なくされ、党中央は甚大な衝撃を受けた。彼らはともかく「世界中が注目している大きな出来事」である中ソ首脳会談を無事に終わらせ、そのうえで学生運動対策に移る方針を採った。趙紫陽は一三日、「中ソ首脳会談を妨害するな」という談話を発表し、「広範な学生諸君が理性を保ち、大局を考慮し、自覚をもって国の尊厳と利益を守ることを希望する」よう訴えた（『重要文献』第1巻、VI・4）。そして、鄧小平、李鵬、趙紫陽三首脳がゴルバチョフと会談し終わった五月一六日の夜、ようやく政治局常務委員会は緊急会議を開き、学生運動対策を協議したのである。

趙紫陽は席上、譲歩案を提起した。

「学生に対して、社説（四月二六日付『人民日報』動乱社説）が誤りであったと認めよう。社説は朝鮮で私が批准したものであるから、私が責任を負う」と。このときに彼は五項目を提案したと北京大学ビラは伝えている（『重要文献』第2巻、VII・34）。

①動乱社説の取消し
②社説発表の責任は趙紫陽自身が負う

③全人代に官倒〔官僚ブローカー〕問題を審査する機関を設ける
④全国の副部長級以上の幹部の所得など背景を公表する
⑤高級幹部の特権の取消し、など

常務委員会の他の四人はいずれも、この提案を斥けた（李鵬六月二三日報告。国家教委思想政治工作司編『驚心動魄的56天――1989年4月15日至6月9日毎日紀実』北京・大地出版社、一九八九年八月、一二四頁）。学生運動に敵意を抱く李鵬・姚依林、公安を担当する政法担当書記として秩序回復に責任をもつ喬石、趙紫陽の立場に理解を示しつつもそこまで踏み切れない宣伝・イデオロギー担当の胡啓立――こういった配置であったと考えられる。

李鵬、そして国務院における李鵬の後見役たる姚依林の強硬路線の立場は、最も明確であった。「もし『人民日報』社説に「誤り」があると認め、学生運動が愛国民主の運動であると認めるならば、彼らは必ずや党と政府に彼らの提起したすべての誤りあるいは反動的政治綱領を認めるよう迫り、すべての非合法な学生組織を認めよと迫り、さらにはその他の非合法組織を成立させ、中国で反対派、反対党を作り、複数政党制を実行し、最後には共産党に下野を迫り、社会主義の人民共和国を転覆させるであろう」（『重要文献』第3巻、XVI・3）

これが強硬路線堅持の論理である。要するに、一歩譲れば、すべてを失う。保守派にとっては、いわば背水の陣の心境であった。

趙紫陽はゴルバチョフとの会談の冒頭である秘密を暴露していた。

「最も重要な問題については、なお鄧小平同志の舵取りが必要である」「第一三回党大会以来、われわれは最も重大な問題を処理する場合は、必ず鄧小平同志に報告し、彼の教えを求めている」。
彼はさらに中国共産党のこの「決定」は今回初めて公開されたものだと指摘して、注意を促した（『重要文献』第1巻、VI・18）。

この趙紫陽発言はむろん鄧小平の指導的役割を説明し、中ソ首脳会談の核心が鄧小平―ゴルバチョフ会談なのであって、趙紫陽―ゴルバチョフ会談ではないことを説明したものというのが、表向きの解釈である。しかし、当時の政治的文脈のもとでは誰もがそれ以上の政治的含意を読み取った。おそらく趙紫陽は学生に対してというよりは、むしろ党・政・軍の幹部たちに対してメッセージを発したのであろう。すなわち、総書記趙紫陽は柔軟路線を採用して学生運動に対処したいが、鄧小平の許可が得られないのだという訴えである。ここで趙紫陽の心理は複雑に揺れたであろう。

そもそも第一三回党大会直後の一中全会でこの決議を提唱し、採択させたのは、趙紫陽その人であった可能性が高い。当時は胡耀邦の失敗を繰り返さないために、趙紫陽は極力鄧小平の傘に隠れて物事を処理するつもりだったろう。しかし、五月初めから学生運動にいかに対処すべきかをめぐって、趙紫陽は鄧小平の意向に忠実ではなくなっていた。学生運動を動乱と認定した鄧小平講話を棚上げしなければ、事態は一歩も進まない。趙紫陽は鄧小平に対して社説撤回を繰り返し進言してきたが、鄧小平の意思は固く、また李鵬以下の保守派が追随しているため、容易に翻意しない。そこで趙紫陽の採った最後の手段は、問題を世論に投げかけて、世論の圧力で鄧小平の翻意を促すというからめ手であった。それ以外の道はもはやなかった。趙紫陽のこの変身をとらえて、楊尚昆は「お前は口を開けば鄧小平擁護を繰り返しているはずなのに、結局鄧小平同志を支持するのか否か」と迫っている。

趙紫陽は、この事実上の鄧小平批判、「秘密暴露」に加えて、一七日早朝、政治局常務委員会を代表した「書面談話」を発表した。「学生たちが冷静、理知、克制、秩序を保つこと、ハンストを停止すること」を求めたものであった。

趙紫陽による鄧小平への「翻意」要請、形を変えた鄧小平批判のメッセージをとらえて、これを鄧小平に対する「退位」要求に拡大したのは、彼をとりまく秘書たち、体制内知識人たちであり、これを支えたのが改革派知識人グループや中央機関に働く改革派官僚たちであった。

たとえば厳家其らの「五・一七声明」は、鄧小平を「老いて愚昧な独裁者」と罵倒し、「老人政治を終わらせよ」「独裁者は辞職せよ」と要求した。これは明らかに虎の尾を踏むようなアピールであったが、ここで趙紫陽と厳家其とは同床異夢どころか、同床以前の関係にあるものと判断される。

趙紫陽のメッセージはこうして、さまざまな内容に再解釈されて、党政軍の機構、知識人、労働組合、婦人団体その他の諸団体を通じて、北京市民に伝わり、五月一七～一八日の連日の百万デモにつながった。

デモの隊列のなかには党の中枢機関や国務院からも大勢が参加した。たとえば党レベルでは中共中央組織部、統一戦線部、中央党校、『人民日報』など中枢機関から所属単位の旗を掲げたデモが登場している。また国務院レベルでは外交部、郵電部、航空宇宙部、国家檔案局、金融、交通、通信、報道出版などの職員労働者、ひいては人民解放軍の文官職員さえデモに出た。とりわけ注目すべきは『人民日報』から千余の職員労働者が参加した事実である（香港『文匯報』五月一八日付）。

一九八九年五月一七～一九日、戒厳令前夜の学生、民主化運動側の動きがピークに達した時点での学生との対話支持状況、運動の広がりを村田忠禧編『チャイナ・クライシス「動乱」日誌』から抽出すると、表一・3〜6、図一・1のごとくである。これらの動向から一七〜一九日の全国的な運動の広がりと深まりが察せられるであろう。

これは党中央および政府の中枢機関の一部が趙紫陽を支持して行動に立ち上がったことを意味している。しかし、趙紫陽の何を支持するかは曖昧であった。一般的には趙紫陽の対話路線、穏健路線を支持したものと解釈してよいと思われるが、これらの大衆運動が急速に厳家其ら急進派の鄧小平退位要求に収斂し始めたことは否定できない事実であろう。大衆運動にはいつも要求がエスカレートする慣性がある。

こうして、強硬路線か対話路線かという党中央の分裂は、いまや鄧小平の翻意があり得るかどうかという一点にしぼられ、ひいては鄧小平の退位問題にまでエスカレートしてきた。むろんこうした分裂は解放軍内部にも反映せざるをえない。趙紫陽はたとえ名目であれ中共中央軍事委員会第一副主席であり、また解放軍は党の指導を前提として動く建前になっているからである。

3　趙紫陽 vs 鄧小平

五月一七〜一八日の百万デモは八九年民主化運動の一つのピークであったが、このデモの衝撃のなかで、一七日夜、鄧小平宅で再度政治局常務委員会が開かれた。常務委員会を主宰すべき総書記趙紫陽提案が四対一の少数で否定されるという異常な状況のもとで、政治局常務委員五人と政治局委員楊尚昆は「鄧小平同志のところ」へ出向いて会議を開いたのであった。趙紫陽はここでも前日の主張を繰り返した。

「鄧小平同志は常務委員会の多数派の意見を断固として支持した。動乱を制止するために、一部の軍隊を北京に進駐させること、北京の一部地域に戒厳令を実行することを決定した」（李鵬六月二三日報告）。

鄧小平は趙紫陽の提起した妥協路線を拒否し、逆に戒厳令を提起したわけである。その会議の模様をのちの楊尚昆講話（五月二二日）は以下のように説明している。場所は鄧小平宅、日時は五月一七日である（『重要文献』第2巻、IX・2）。

趙紫陽――四月二六日付『人民日報』の動乱社説を取消してほしい。

鄧小平――趙紫陽同志、あなたの五月四日のアジア開発銀行総会代表への講話は転換点であった。あれ以後、学生たちの騒ぎはいっそうひどくなった〔趙紫陽は対話への許可を求めたのであるが、これに対して鄧小平は逆襲した〕。

鄧小平――退却というが、君たちはどこまで退却するのか？

楊尚昆――これはダムの最後の堤防であり、一度退却すれば、ダムが決壊する。

鄧小平――君たちの間に論争があることは承知しているが、いまは論争の是非を判断しているときではない。今日はこの問題は討論せず、結局退却するかどうかだけを討論しよう。退却してはならない。問題は党内から出ているから、戒厳令を布告する。

趙紫陽――この方針を私は執行できない。私には難しい。

鄧小平――少数派は多数派に服従すべきではないか。

表一・3　対話支持の呼びかけを行った人物と機関

組　織	人　物
全国人民代表大会常務委員	葉篤正、馮之浚、江平、許家屯、呉大琨、陳舜礼、林蘭英、楊紀珂、胡代光、陶大鏞、彭清源、楚荘
民主諸党派	中国民主同盟主席費孝通、中国民主建国会主席孫起孟、中国民主促進会主席雷潔瓊、九三学社主席周培源、国民党革命委員会中央主席朱学范、中国農工民主党主席盧嘉錫、中国致公党主席董寅初、台湾民主連盟中央
全国政治協商会議委員	資華筠、方掬芬、鄒徳華、陳荒煤、呉祖強、劉燕平、謝雨辰、李准、延沢民、陳愛蓮、呉雪、孫軼青、李谷一、馮牧、周巍峙、王昆、李可染、呉冠仲、張松鶴、胡潔青、丁聰、呉栄、畢克官、孫瑛、張権、管樺、黄苗子、徐四民、李子誦、黄夢花、蔡演雄、許東亮、王衡、李侠文ら
著名人士	丁偉志、胡縄、劉国光、張友漁、劉大年、陽翰笙、銭鐘書、任継癒、蘇紹智、兪平伯、李慎之、呂叔湘、李沢厚、董輔礽、厳中平、唐韜、蔡儀、劉再復、楊絳など社会科学界の著名人士 194 人
内外 19 報道機関	中国新聞社、華声報、北京周報社、人民画報社、中国建設雑誌社、人民中国雑誌社、中国報道雑誌社、中国文学出版社、外聞出版社、新世界出版社、香港文匯報、香港大公報、香港新晩報、澳門日報、ニューヨークアメリカ華僑日報、ニューヨークアップルテレビ、ワシントン華府新聞報、ワシントン美華論壇、ロサンゼルス論壇報
ジャーナリスト有志	人民日報、工人日報、新華社、中国青年報、農民日報、科技日報、経済日報、光明日報、中国婦女報、北京日報、中央放送局、中央テレビ局、国際放送局、チャイナ・デイリー、以上 14 報道機関
青年組織	共産主義青年団中央、全国青年学生聯合会、全国学生聯合会
作家	従維熙、鄧友梅、葉楠、劉心武、馮驥才、朱春雨、李準、李国文、何士光、張弦、張抗抗、張賢亮、汪曽祺、宗璞、陸文夫、林斤瀾、周克芹、梁暁声、諶容、魯彦周の 20 名
医科大学教授	北京医科大学校長曲綿域教授、中国協和医科大学校長顧方舟教授、北京中医学院院長高鶴亭助教授、首都医学院院長徐群淵教授
文芸界	巴金、謝冰心、夏衍、銭鐘書、張光年、艾青、陳荒煤、馮牧、呉雪、周巍峙、丁嶠、周海嬰、楊憲益、張僩、黄苗子、唐達成など 41 名
工場経営者	北京革製品廠、北京光華木材廠、北京製薬廠、北京テレビ廠、北京東風テレビ廠、北京同仁堂製薬廠、北京冷凍機廠、北京第三綿紡績廠、北京第二機械廠の 9 企業の工場長
北京大学教授	李羨林、鄧広銘、呉組湘、汪瑶、鄧其毅ら 76 名
法学者	中国法学会名誉会長張友漁、同会長王仲方など 9 名の著名法学者
その他団体	中国作家協会、全国婦女聯合会、中国文学芸術界聯合会、中華全国総工会副主席王厚徳、中華全国工商業聯合会主席栄毅仁、北京企業家聯誼会
その他	北京電子管廠の全労働者、中国人民解放軍の軍官有志、北京画院の画家

表一・4　デモ参加者あるいは所属機関

組　織	デモ参加者あるいは所属機関
中共中央機関	中央統一戦線部、中央対外連絡部、中央文献研究室、中央農業研究室、国務院農業研究センターなどの横断幕を掲げたデモ隊
国務院各機関	外交部、文化部、衛生部、ラジオ映画テレビ部なとの国家機関の工作員 中共中央統一戦線部、中央直属機関など党務工作者がおり、中央宣伝部の建物には「同心」という垂れ幕
北京市	北京市党委、市政府機関幹部有志およそ 60 ～ 70 人
ジャーナリスト	人民日報記者、北京日報、北京晩報、北京法制報、北京科技報、首都経済信息報、北京テレビ局、北京人民放送局などの報道単位の 100 名余の青年報道工作者
労働者	首都鋼鉄公司、北京重型電機廠、北京起重機廠、北京建設機械廠、北京核儀器廠、北京低圧電器廠、北京発電機総廠、北京内燃機総廠、東風電視機廠、北京電子管廠、北京計算機二廠、第三、第二、第五建築公司、首都鋼鉄公司、環境衛生労働者、郵便労働者、電力労働者、航空宇宙労働者などがおり、18 日の全市の 100 万人デモは産業労働者が主力軍となる
その他	中国人民公安大学、人民警察、中国科学院の老科学者、首都鋼鉄公司の労働者、公安大学の 400 余人の学生、公安大学の 1000 人の学生が自ら進んで広場のピケット隊に参加

（注）大口の組織カンパ：中華全国総工会は 10 万元、四通公司は 5 万元、中国農工民主党は 1 万元をカンパ。

図一・1　党中央機関のデモ参加状況

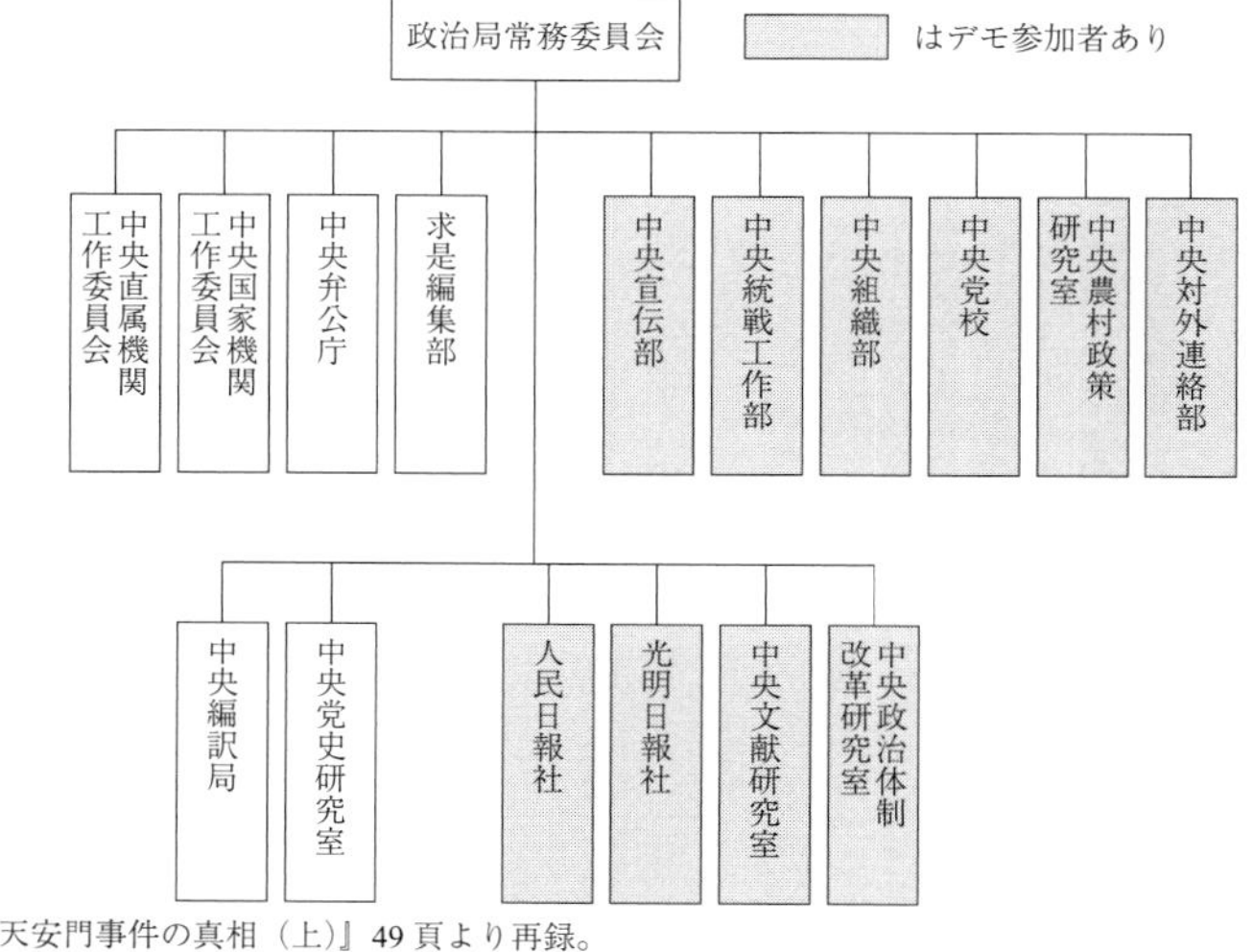

（注）『天安門事件の真相（上）』49 頁より再録。

表一・5　地方への運動の広がり

【5 月 17 日の場合】

都市	デモ参加者あるいは所属機関
上海	上海で 4 月中旬以来最大の 10 万人を越すデモが行われ、学生のほか上海の文匯報、青年報、世界経済導報、解放日報、新民晩報、文学報、文化芸術報、労働報など 10 余の報道、出版部門の記者、編集担当が街頭に出る
広州	午後、広州の大学生 2 万人余が広東省政府門前で請願を行い、北京の学生に声援を送る。深夜 11 時になっても 1 万人余が座り込みを続ける
天津	天津の学生 5000 人が列車、自動車で北京に声援に行き、その他に学生 700 名が自転車で北京に向かう
武漢	午前、武漢の学生が武昌と漢口から武漢長江大橋に向けてデモ行進をし、数百人の学生が橋の上で座り込みをしたため、武漢三鎮の交通がマヒする
福州	福州の学生は雨のなかをデモ行進し、北京の学生に声援を送る電文を省政府役人に手渡す。厦門大学の学生は李鵬総理宛て書簡を発する
重慶	重慶の学生 5 万人が市内をデモ行進したので、都市交通は半ばマヒ状態に陥る
成都	成都では社会各界で構成された 20 万の大デモが起こり、市民は爆竹を鳴らして歓迎する
西安	西安で 200 名の学生が大雁塔の下でハンストを行って、北京の学生に呼応する
ハルピン、瀋陽	東北のハルピン、瀋陽でも省政府の門前は人だかりとなるが、秩序は保たれ、衝突現象はまだ発生していない

【5 月 18 日の場合】

都市	デモ参加者あるいは所属機関
上海	上海各界のデモは 100 万に達したが、なかでも白樺、王若望、戴厚英、黄宗英、王安憶、程乃姍らの「上海作家声援団」の隊列が人々の注目を集めた。上海文連主席団の夏征農、張駿祥、杜宣、于玲、黄紹芬、胡蓉蓉、賀緑汀らは午後文連主席団会議で学生運動支援の決議を発表し、直ちにデモを行う
瀋陽	瀋陽では 100 万人のデモ隊が市内主要道路を行進し、市政府広場に集結する。20 時になっても市政府広場には数千人の学生が座り込みをしている
広東省各地	広州、深圳、珠海、汕頭、梅州、肇慶、中山の諸都市で街頭デモあるいはカンパ活動が行われる。広州では 1.5 万人以上がデモを行い、多くの報道機関の記者も参加した。学生たちはカンパで集めた金を「広州日報」社に渡して北京に転送してもらうよう委託する
天津	天津では 1 万名ほどの学生、教師、労働者が街頭デモを行い、数百名の学生が中共天津市党委の門前で座り込みを行い、その他に 1 万人近くが列車で北京に請願に向かう。南開大学では 55 名の教授、教師が 18 日より授業ボイコットを行う
成都	成都で数十万のデモが行われ、午前、22 の大学の学生代表が省政府指導者と対話を行うが、合意に達せず学生は退場を宣言する
浙江省	杭州では 130 名余の学生が北京のハンストとの連帯ハンストを行う。浙江省長沈祖儒、中共浙江省党委書記は個人の名義で学生とともに、中央宛てに中央指導者が天安門広場学生との対話を行うよう呼びかける電文を発することに応じる
海南省	海南省の 8 大学 1 万名余の学生、教職員と 6 報道機関がデモを行い、カンパ箱を設置して北京の学生への支援を呼びかける
福建、広西など	泉州の華僑大学では 2000 人の学生、教職員がデモを行う。広西省南寧市では 2 万人、桂林市では 1 万人のデモが行われる。このほかに河北省石家庄、貴州省六盤水、黒竜江省ハルピンでも学生支援のデモが行われる

表一・6　厳家其ら急進知識人たちの声明、組織など

月　日	厳家其ら急進知識人の動き	役割
1986年 9～11	**趙紫陽秘書鮑彤が厳家其を中央政治体制改革研討小組弁公室の要職を兼任させる。**中国社会科学院政治学研究所所長のポストはそのまま	趙紫陽のブレーン
1987年 3.20	ブルジョア自由化反対キャンペーンが始まると、厳家其は審査対象となるが、鮑彤が中央政治体制改革研討小組弁公室の名義で趙紫陽に報告を書いて「従来通り工作すること」を要望し、趙紫陽はこれに同意した	
1988年 11.16	**厳家其と温元凱「時局についての対話」**	
1989年 2	厳家其が東京で『読売新聞』に対して政治局廃止構想を語る	
4.19	**『世界経済導報』『新観察』が胡耀邦追悼座談会を開く。**改革派知識人が多数参加（于浩成、蘇紹智、戴晴、厳家其、張顕揚、胡績偉ら）	胡耀邦追悼の呼びかけ
4.21	（鮑彤の意を受けて）厳家其と包遵信「中共中央、全人代常務委員会、国務院への公開状」を発表し、学生を支持	
4.26	上海市党委員会が『世界経済導報』の整頓を決定したのに対して、趙紫陽が非難	学生支援 民主化運動
4.28	厳家其、許良英、包遵信、蘇紹智ら上海市党委員会宛てに公開状「報道の自由を守れ」	
5.13	**厳家其、蘇紹智ら大字報「われわれはもはや沈黙してはならない」でハンスト声援を呼びかけへ**	
5.14	12名の知識人（厳家其、李沢厚、温元凱、于浩成、李洪林、劉再復、包遵信、蘇煒、蘇暁康、麦天枢、戴晴、李陀）の「緊急呼びかけ」（大局を顧みて広場を撤退しよう）	
5.15	厳家其ら初の「中国知識界」デモ	
5.16	知識人「五・一六声明」	
5.17	**厳家其、包遵信、李南友、楊魯軍「五・一七宣言」で「独裁者は辞職せよ」と要求**	反鄧小平・李鵬 憲法擁護
5.19	**三研究所一学会の「時局に関する六カ条緊急声明」で全人代特別会議、中共特別大会の開催を呼びかけ**	
5.20	包遵信、厳家其ら「われわれ知識界の誓い」 包遵信、厳家其ら「全人代万里委員長への緊急電報」	
5.21	金観濤、劉青峯、厳家其ら「憲法擁護宣言」	
5.23	「北京知識界聯合界」正式に成立（責任者、包遵信）	
5.24	「天安門広場総指揮部」と「首都各界聯席会議」が成立（参加組織は知識界聯合界、北京高自聯、北京市自治聯合会、北京工人敢死隊、北京工人糾察員隊、北京市民敢死隊など）	
5.26	**厳家其、包遵信「李鵬に告げる書」で李鵬を断罪**	
5.27	「5000知識人エリート大ハンスト」会議を開く	
6.3	夜11時すぎ、厳家其は天安門広場の「民主大学開校式典」に出席し、名誉学長となる	
7.4	厳家其、ウルケシ「国殤周日宣言」を発表（パリ）	国外逃亡 民主化運動
7.20	**厳家其、ウルケシ、万潤南、蘇紹智、劉賓雁「民主中国陣線成立への提案書」発表（パリ）**	

（表一・3～6、資料）村田忠禧編『チャイナ・クライシス「動乱」日誌』（蒼蒼社、1990年）、『人民日報』89年8月3日「動乱のエリート厳家其」ほか。

趙紫陽——党内には少数派は多数派に服従する原則があるから、多数派に従う。

ここでは社説撤回を求める趙紫陽と社説を堅持し、多数決原理に従えとする鄧小平が真向からぶつかり合っている。柔軟路線へ翻意を求める趙紫陽に対して、逆に鄧小平は多数決を楯にとって、趙紫陽の翻意を求めているわけだ。

趙紫陽は学生運動を愛国的と判断するがゆえに対話を主張したのに対して、鄧小平は学生運動を動乱と判断するがゆえに、対話はありえず、むしろ軍隊の動員による秩序の回復を主張した。これがいわば建前上の両者の立場だが、より一歩進めてみると、そこには既成権力の解体、二重権力状況への萌芽さえ見えている。

鄧小平は「問題は党内から出ているから、戒厳令を布告する」と断言したが、これはいかなる意味か。党中央が政治局レベルで分裂し、党中央直属機関がそれに従い国務院各部が割れ、その分裂はいまや解放軍首脳にまで及んでいる。さらには党機構の中堅幹部、行政機構の幹部、末端兵士にまで分裂が及びかねない。これはまさに国家権力の解体の危機にほかならない。これに対して戒厳令により国家権力を再構築すること、これこそが鄧小平のプログラムであった。

問題は単に百万のデモにあるのではない。鄧小平を頂点とする権力が解体され、百万のデモを組織し得る総書記派に権力が移行する可能性が出てきたことが問題の核心である。保守派長老はこれを中国社会主義の危機と理解したが、趙紫陽ら改革派からすれば、基本的には保守派から党内改革派への権力移動にすぎず、むしろ党内の民主化という意味で歓迎すべきことであったはずである。

ただし、この時点で趙紫陽自身が問題を確固冷徹にとらえていたかどうかは必ずしも明確ではない。

趙紫陽はそれだけの政治プログラムをもって行動していたというよりも、ボス鄧小平と秘書グループとの板挟みになった可能性のほうが大である。鮑彤、陳一諮、厳家其ら趙紫陽のブレーンたちは初期の段階では趙紫陽の意を体して柔軟路線による収拾の線で動いていたと見られるが、厳家其らの五・一七宣言（『重要文献』第2巻、Ⅶ・2）、陳一諮らの六カ条緊急声明（『重要文献』第2巻、Ⅶ・33）あたりになると、もはや趙紫陽の意図を越えて、あるいは趙紫陽への説得を予想しつつ、独自の動きをしていたと見てよさそうである。彼らの役割は、文革期の林彪事件に至る葉群夫人と息子林立果グループの役割や中央文革小組に依拠する陳伯達や江青夫人の役割とたいへん似たところがあり、ここから中共権力最深部の権力構造の一端を析出し得るであろう（竹内実「秘書の役割」『MRI中国情報』九〇年五月号参照）。

4　総書記 vs 党長老

さて、鄧小平宅を辞した常務委員および楊尚昆は夜八時、おそらくは中南海に戻ったあと、再度政治局常務委員会を開き協議を続けた。この会議にヒラの政治局委員にすぎない楊尚昆も「列席」していた。これは党規約上は採決権をもたない、オブザーバー参加であるが、実際にはこの「列席」者・楊尚昆が会議の主役であったものと推察される。なぜか。楊尚昆は鄧小平の代理として、そして革命の長老である「八老」（鄧小平、楊尚昆、陳雲、王震、李先念、薄一波、宋仁窮、彭真）代表として、この会議に出席し、いわば現役の政治局常務委員会を叱責している形である。まさに長老支配の構図である。

戒厳令決定の政治局常務委員会、場所は中南海、日時は五月一七日夜八時、次のような会話が行われた。

趙紫陽——私の任務は今日限りで終わる。私はもはや、やっていけない。というのは私はあなた方の大多数と意見が異なるからだ。私はふっきれない。総書記としてどうして〔戒厳令を〕執行できようか。私が執行できないとあなた方〔政治局〕常務委員会に面倒をかけることになるから、私は辞職したい。

他の常務委員——それを言ってはならない。鄧小平同志のところでは少数は多数に従うことに同意したではなかったか。決断することは決断しないよりもよいと語ったではないか。

楊尚昆——趙紫陽同志、あなたの態度は正しくない。いまは団結を擁護しなければならないときなのに、あなたは〔責任を〕放り出そうとしている。

趙紫陽——私は体がよくない（『重要文献』第2巻、IX・2）。

五月一七日深夜から一八日早暁にかけての政治局常務委員会が終わったあと、一八日午前五時、趙紫陽、李鵬、喬石、胡啓立、芮杏文（中央書記処書記）、羅幹（国務院秘書長）が北京協和医院、同仁医院にハンスト学生を見舞っている。姚依林は姿を見せていない。趙紫陽は学生たちを見舞ったあと、政治局、政治局常務委員会、鄧小平同志に宛てて書簡を書いた。

「あなた方が決定した方針（戒厳令）は私には執行しようがない。私はやはり元の意見〔戒厳令反対、対話推進〕を保留したい」

「総書記、軍事委員会〔第一〕副主席を辞めたい」。

これに対して楊尚昆は早速、こう趙紫陽を批判しあるいは説得を続けた。

楊尚昆——あなたが総書記を辞任するならば、第一に全国人民にどう説明するのか。第二に全党にどう説明するのか。第三に政治局にどう説明するのか。第四に常務委員会にどう説明するのか。第五に最も重要なことだが、あなたはしばしば鄧小平同志の威望を擁護しなければならないと言っているではないか。あなたは結局のところ鄧小平同志を擁護するのか、それとも鄧小平同志に反対するのか。

楊尚昆の批判に対して趙紫陽は楊尚昆宛ての書簡を書いてこう述べた（一八日中かあるいはすでに一九日になっていたか）。

趙紫陽――楊尚昆同志、私はあなたの意見を尊重する。私のこの〔政治局、鄧小平宛て〕手紙を出さないことにする。しかし、私はやはり自分の意見を留保したい。したがって私には仕事がやりにくい。この方針〔戒厳令〕を貫徹できない。

趙紫陽と楊尚昆の間に幾度も押し問答が繰り返されたであろう。最後に趙紫陽はもう一度、楊尚昆に電話をかけてこう依頼した。

趙紫陽――鄧小平同志が四月二六日社説の誤りを認めることを希望する。

楊尚昆――その伝言は伝えられない（『重要文献』第2巻、IX・2）。

趙紫陽の変身あるいは「裏切り」が鄧小平、楊尚昆らに対して強い衝撃を与えたことはいうまでもない。政治局常務委員会会議を招集する権限をもつ趙紫陽に拒否権を発動されるならば、党規約上は戒厳令布告の会議を開くことさえ不可能になる。この異常事態に直面して、鄧小平、楊尚昆らの用いた方法は、長老会議の開催によって、強硬路線を確認することであった。

この間の事情を、楊尚昆はこう説明している。

「この情況に直面して、われわれはどうすべきか。李先念、陳雲同志が急いで北京に戻り〔何日か不明〕、ともかく会議を開くこと、一つの方針を確定することを求めたが、結局どうすべきか。むろんこのほか、彭真、王震、鄧穎超のような老同志、さらには二人の老元帥〔聶栄臻、徐向前〕もこの情勢にたいへん関心を抱いている」「数人の八〇歳以上の老人が一緒に座り、中央の事柄を討論するなんてことは長年来初めてのことだ。鄧小平、陳雲、鄧穎超、王震、皆が退路なしと感じている」「陳雲同志は非常に重要な一言を語ったが、それは数十年の戦争で得た人民共和国、千万の革命烈士の鮮血と交換に得られた成果をすべて一挙に失うこと、中国共産党を否定するに等しいというものであった」（楊尚昆五月二四日講話、『重要文献』第2巻、IX・18）。

陳雲のこうした考え方はのちに中央顧問委員会においても語られ、それが新聞に載るや、学生側は猛反発することになる。

楊尚昆はまたこう説明している。

「陳雲、李先念、彭真、王震同志らは、この問題は鄧小平同志の面前で解決しなければならないと語った」「その日〔一八日であろう〕、鄧小平同志は、陳雲、李先念、彭真、王震、私〔楊尚昆〕、さらに幾人かの常務委員〔李鵬、姚依林、喬石か〕、軍隊の幾人かと話をした」（楊尚昆五月二二日講話、『重要文献』第2巻、IX・2）。

八〇歳台の老人たちが鄧小平宅に駆けつけて鳩首協議する、まさに「八老治国」あるいは「八〇歳台老人治国」の構図である。

楊尚昆はさらに言う。

鄧小平宅の会議で、陳雲、李先念、彭真は〔学生たちの民主化騒動は〕「まるで話にならぬ」と言い、鄧小平同志の提起した戒厳令にみな賛成した。戒厳令を敷かなければ、北京は無政府状態に陥るだろう。

この会議に趙紫陽同志は出席せず、病欠した。その日鄧小平同志は陳雲、李先念、彭真らの同志と話をしてこう語った。

「問題は党内にある。もし党内に食い違いがなければ、団結一致しておれば、今日のように混乱した局面が起こるはずはなかった。北京はすでに維持できなくなったので、戒厳令を敷かなければならない。なによりもまず北京の安定問題を解決しなければならない。さもなければ全国のその他の省レベルの問題は解決できない。線路上で寝たり、破壊や殴打をやったり、これが動乱でなくて一体何か。われわれは監視されているのだ」（楊尚昆五月二二日講話、『重要文献』第2巻、IX・2）。

「監視」の一語から、保守派の危機意識を知ることができよう。人民による権力者の監視に対して、戒厳令発動によって権力の所在を再確認、再構築しようとしていることになる。

ここで意志決定の過程をもう一度整理しておこう。一七日の鄧小平宅で行われた政治局常務委員会で戒厳令が決定された。しかし、これは趙紫陽の「執行拒否」に遇って、宙に浮いた。そこで翌一八日あるいは一九日に長老会議が開かれ、総書記の反対を無視して戒厳令を強行すること、そして、このような時期に反対行動を採る趙紫陽の処分方針が討論されたものとみられる。

趙紫陽は一九日午前四時四五分に天安門広場に出むいて学生たちとの対話を試みた。そこで彼は、「来るのが遅すぎた。問題は複雑である。ハンストを中止してほしい」と涙の訴えをした。

趙紫陽の涙は何を物語っているのか。

戒厳令布告という強行手段に対して、総書記辞任という形での最後の抵抗が破れたこと、対話路線が破れて今後は武力鎮圧のみが残された唯一の路線となってしまったことについて、趙紫陽が非力を嘆き、自らの運命と学生の運命を嘆いたものと見ることができよう。しかも、現実の事態がこのように動いていることを、趙紫陽は明確な言語で語ることは許されない。確かに「問題は複雑」なのであった。

なお、ここで一つの証言を書き留めておく。それは厳家其がパリに亡命したあとの発言だが、楊尚昆は五月四日までの段階では基本的に趙紫陽を支持していたが、五月一九日以後、楊尚昆の態度が明らかに変わったというものである（香港『明報』八九年八月一日付）。趙紫陽は主席昇格含みの中央軍事委員会第一副主席であり、楊尚昆は鄧小平の意を受けて趙紫陽擁立の線で動いていたが、戒厳令以後同じく鄧小平の意を受けて、反趙紫陽に転じたということであろう（解放軍については第Ⅱ部で詳論する）。

五　趙紫陽のブレーン・トラスト

以下に一章を割いて、この段階での趙紫陽に対して決定的な影響を与えたと見られるパワーエリートたちのプロフィールを紹介しておきたい（なお、天安門事件関連の人物については、三菱総合研究所編『チャイナ・クライシス WHO'S WHO』蒼蒼社に詳しい）。

1　鮑彤（ほうとう）――趙紫陽の政治局常務委員会秘書

戒厳令発動の秘密を漏洩したと非難されている鮑彤とは、いかなる人物か。私はかつて「体制改革を方向づける鮑彤──ある改革論者の軌跡（二八）」を書いたことがある（『日中経済協会会報』八八年九月号）。そこからさわりを引用してみよう。

鮑彤は一九三二年上海市に生まれ、そこで幼年、少年時代を過ごした。一九四九年に高校を卒業したのち、中国共産党に入党し、上海などで地方工作に従事した。その後北京に配置転換となり、中共中央組織部で長年工作した。

趙紫陽は八〇年四月に四川省第一書記から国務院副総理に栄転し、ついで八〇年九月に国務院総理に昇格した。このとき趙紫陽は四川省から腹心田紀雲を北京に連れてきたが、秘書を物色して白羽の矢が立ったのが鮑彤である。八二年三月国務院に国家経済体制改革委員会が新設され、趙紫陽が主任を兼任した。八四年二月二〇日、鮑彤は同委員会第二副主任に昇格し、八七年には第一副主任に昇格している。この重用ぶりは趙紫陽が鮑彤をいかに信頼していたかを示している。要するに「党内組織工作のベテラン」である鮑彤は、趙紫陽を輔佐して、国家体制改革委員会を切り盛りしたわけである。

この間、鮑彤は八五年六月には国務院総理弁公室責任者となっている。八七年秋の第一三回党大会では中央委員に選ばれるとともに、中央政治局常務委員会「政治秘書」というポストについた。

鮑彤の活躍ぶりが対外的に知られるようになったのは、第一三回党大会政治報告の起草責任者となって以来である。このとき鮑彤が起草グループに加えた論客は厳家其、厲以寧（北京大学教授、株式制による所有制改革論者）、龔育之（中共中央宣伝部副部長）、鄭必堅（胡耀邦の右筆）などであったと伝えられる。とりわけ政治改革の核心部分である「社会主義初級段階論」、公務員制度の導入、社会協商対話制度などの新しい観点は、鮑彤とその周辺の理論家たちのアイディアといわれたものである。

一九八八年夏、左寄りの『紅旗』が停刊となり、『求是』が創刊されたが、創刊号の巻頭論文は鮑彤「当面の政治体制改革の若干の問題」であった。

このように見てくると鮑彤の重要な役割が明らかであろう。鮑彤について香港のある雑誌(『鏡報』八七年第一二期の方正論文)は「キッシンジャー型のブレーン」と形容したことがあるが、まことに目覚ましい活躍をして注目を浴びていた。彼は武力鎮圧の前夜すなわち五月二八日に北京で逮捕されたと伝えられる。

2　陳一諮(いし)——中国経済体制改革研究所所長

陳一諮は一九四〇年七月、陝西省生まれ、五九年九月から六九年九月まで北京大学物理系、中文系に在籍した。六九年一〇月から七九年二月まで河南省で勤務した。七九年三月から八四年一二月まで、中国社会科学院、国務院農村発展研究中心に勤務し、中央農村発展研究組組長、農村発展研究中心理事などを務めた。八五年一月以来、国家経済体制改革委員会委員、中国経済体制改革研究所所長、中国政治体制改革研究会副会長、北京大学経済管理学院教授などを務めていた。この間、八九年三月に来日している。

この経歴から分かるように、陳一諮は国務院のシンクタンクたる農村発展研究中心(主任・杜潤生)を経て、趙紫陽が率いる国家体制改革委員会委員となり、同時にこの委員会附属の体制改革研究所所長になったわけである。私は八九年三月の訪中の際に、この研究所を訪れたが、まことに梁山泊のごとき改革青年の溜まり場の趣を呈していた。

陳一諮は天安門事件後の六月六日に地下に潜行し、七月七日に大陸を離れた。パリで一〇月一日に陸鏗（こう）のインタビューに答えている（香港『百姓』八九年一一月一日号）。

陳一諮はここで特にハンガリー出身の在米金融家ジョージ・ソーロスから資金援助を受けて「中国改革開放基金会」を設けた経緯を説明している。保守派はこの事実をとりあげてソーロスは反共主義者であり、アメリカのCIAの代理人であり、そこから資金援助を受けたことは、外国に内通したことを意味すると陳一諮らを非難し、そのボスたる趙紫陽の罪状の一つに数えていた。

陳一諮によれば、ソーロスの改革開放基金会への資金援助は中国の改革と開放を促進するためのものであり、その活動はすべて公開されている、彼自身はCIAとはいかなる関係もないと抗議の書簡を鄧小平、江沢民、李鵬宛てに送った。幸いこの書簡が『内部参考』に掲載されて以後、趙紫陽に対して「外国に内通」と非難する罪状は消えたという。

3 厳家其――政治改革の旗手

厳家其についても、私はかつて『日中経済協会会報』八六年八月号で紹介したことがある（『中国開放のブレーントラスト』所収）。厳家其は一九四二年江蘇省武進県生まれ、一九六四年に中国科学技術大学を卒業した。大学で学んだのは物理数学だが、その後中国科学院哲学研究所（のちの中国社会科学院哲学研究所）に入った。そこで于光遠、龔育之の学生となった。

八五年二月、四四歳の若さで中国社会科学院に新設された政治学研究所所長に抜擢された。哲学研究所の助理研究員（助手級）から副研究員（助教授級）を飛び超えていきなり所長になったのは、むろん

「幹部終身制制止論」（『人民日報』八〇年六月一二日付）、「政体改革論」（『光明日報』八〇年一〇月一六日付）、「政府工作責任制論」（『人民日報』八二年四月二三日付）など、政治改革についての見識が評価されたものである。かれはこのほかに『首脳論』『中国文革十年史』『四五運動紀実』などを書いている。

厳家其が趙紫陽ブレーン集団に加わったのは八六年秋であり、中国政治体制改革弁公室の仕事を兼任してからである。そして第一三回党大会政治報告の起草に際して鮑彤を助けて貢献したことは、すでに触れた。

八九年民主化運動では知識人グループのまとめ役として重要な役割を果たした。まず八八年一一月に行われた温元凱との対話（『重要文献』第1巻、II・1）は経済改革の壁を政治改革によって突破する構想を提起したものとして重要である。全人代二次会議に宛てた文化界四三人の公開状に署名している（『重要文献』第1巻、II・10）。学生運動を支持した知識人の公開状の第一次署名に参加している（『重要文献』第1巻、III・11）。発禁処分を受けた『世界経済導報』座談会に出席して発言している（『重要文献』第1巻、III・16）。学生のハンスト問題に際しては緊急呼びかけを行った一二名の一人である（『重要文献』第1巻、VI・9）。知識人の五・一六声明に名を連ねている（『重要文献』第1巻、VI・17）。

そして八九年民主化運動に対して決定的な影響を与えた「五・一七声明」（『重要文献』第2巻、VII・2）を発表した。この声明は「中国にはまだ皇帝の称号なき皇帝がおり、年老いて愚昧な独裁者がいる」と鄧小平を直接的に批判し、「老人政治を終わらせよ！　独裁者は辞職せよ！」と呼びかけた。この声明が五月一七～一八日の連日の百万デモの起爆剤となったことは確かである。

戒厳令に際しては五月二〇日「われわれ知識界の誓い」を発表した一〇名の一人である（『重要文献』

第2巻、VIII・23）。同じ日に全人代緊急会議要請の緊急電報を万里に打っている（『重要文献』第2巻、VIII・24）。翌二一日には「憲法擁護宣言」に署名している（『重要文献』第2巻、VIII・25）。二四日には全人代常務委員会に宛てた公開状の筆頭に署名している（『重要文献』第2巻、IX・23）。二五日には李鵬に告げる書を包遵信とともに発表している（『重要文献』第2巻、IX・24）。

肝心の六月三日夜一一時には広場での「民主大学」開校式を主宰し、校長に就任している（『重要文献』第3巻、一二七頁）。その直後に彼は建国門交差点に駆けつけ戒厳部隊の入城を阻止する群衆の前でアジ演説を行っている。

武力鎮圧後の六月二四日香港に姿を現し、アジア・テレビに対して「未来の中国は、鄧小平、李鵬、楊尚昆を大衆裁判にかけたあと、長期的な安定した憲法を制定し、今日のような政治的受難を根本から一掃するであろう」と述べた（『重要文献』第3巻、XVI・5）。その後パリに亡命し、「民主中国陣線」を提唱し、九月の大会で主席に選ばれた（『重要文献』第3巻、XVI・6）。

このように厳家其の活動をあとづけただけでも、かれが運動の全期間を通じて終始知識人の先頭にいたことが分かるであろう。

4　**万潤南——民間企業＝四通公司の総経理**

万潤南は一九四六年一〇月生まれ、江蘇省宜興県の人である。六四年に清華大学に入学した。六六年に中国共産党に入党、文革期には造反派のリーダーとして活躍した。大学卒業後、河北省承徳で二年間労働者として働き、鉄道中学の教員を二年間勤めた。七一年に劉少奇の娘劉濤と結婚したが、これは劉少奇迫害の真相を世界に発表するためであったとも伝えられた。七六年に劉濤と離婚し、李玉（李昌・馮蘭瑞夫妻の娘）と再婚している。

七八年に中国科学院「計算中心（コンピューター・センター）」に配置転換となり、八四年にコンピューター関連の民間企業である四通公司を作り、総経理となった。八九年六月、パリに亡命し、「民主中国陣線」の結成に際しては秘書長に選ばれた。八九年六月、党から除名され、公職を追放され、四通公司の「法人代表資格」を失った（『動乱〝精英〟劣迹録』中共北京市党委研究室編、北京・北京出版社、八五頁）。

万潤南は厳家其や方励之、あるいはウルケシと違って事件当時マスコミに登場することは少なかった。しかしいかに重要な役割を果たしたかは『人民日報』の悪口を見るとよく分かる。八九年八月一七日付一面に葉光「万潤南は石を持ち上げて誰を打つのか」というこきおろしが掲載されている。方励之・李淑嫻（しゅくかん）夫妻が四面扱いなのに対して、厳家其、万潤南が一面で非難されている。これは実は彼らが七月二〇日にパリで「民主中国陣線」の結成を呼びかけた事実と関係があると見てよい（『重要文献』第3巻、XVI・6）。その後九月二二～二四日に陣線が正式に成立したとき、主席＝厳家其、副主席＝ウルケシ、秘書長＝万潤南が三役となった。陣線はいわば万潤南の組織能力に依拠して成立したようなものであった。

万潤南の民主化「動乱」に対するコミットの仕方を調べてみよう。

四通公司は広場でハンストを続ける学生たちに対して二〇万元をカンパしている。これらの資金は北京高自聯の食料や飲料、薬品、そして無線電話や、ラウドスピーカーなど宣伝手段の購入に当てられた。

また北京大学学生自治会籌備委員会や北京高自聯などに対して、謄写印刷機や、タイプライター、コピー機、小型ラジカセ、ファクシミリなども提供した。

戒厳令以後の五月二一〜二三日の三日間に、万潤南は四通公司幹部大会を二度開き、北京高自聯リーダー王丹らと五回にわたって個別に接触し、広場の学生リーダーたちと二回会議を開いて、協議している。特に五月二二日午後四時、北京と地方の八〇弱の大学の約一〇〇名のリーダーと国際飯店彩虹レストランで会食した事実はしばしば報道された。

万潤南はコンピューター・ソフト会社の責任者として自らが動いただけでなく、四通公司附属の研究所曹思源所長を通じて五月二〇日全人代緊急会議開催の署名運動を組織させている（これについては曹思源の項で紹介する）。また万潤南の部下たる周舵（四通公司総合計画部部長、元北京大学社会学研究所講師）は、六月二日午後四時から広場の武力制圧までハンストを行った四人（劉暁波、侯徳健、高新、周舵）の一人であった。

万潤南の四通公司は英語のストーン（石）から命名されたが、文字通り八面六臂の大活躍であった。それゆえに四通公司は学生運動の「後勤部、参謀部、指揮部の役割を果たした」と評価され、あるいは非難されている。八四年に友人七人と語らって作ったコンピューター・ソフト会社が八七年現在の営業売上げ額五億元、従業員七〇〇名余の中堅企業に成長し、民主化運動を支えたことは中国の経済改革の一つの副産物として誠に興味深い事実であった。

5 曹思源——全人代緊急会議署名運動の黒子

全国人民代表大会緊急会議の署名運動については七（一〇五頁〜）で触れるが、ここで署名運動の黒子たる曹思源の横顔だけを紹介しておきたい。曹思源は事件当時四三歳、江西省景徳鎮の人である。手職人の家に生まれ、貧しいなかで育った。大学を卒業したあと、一貫して基層レベルで働いたために、中国の国情を深く理解するようになった。

一九七九年中国社会科学院政治経済学専業の研究生（大学院生）班に合格したが、ここで運命的な出会いがあった。彼の担任指導教師・張顕揚（中国社会科学院マルクス・レーニン主義＝毛沢東思想研究所研究員、著名な改革派知識人。『日中経済協会会報』八八年六月号の拙稿参照）と出会ったからである。研究生班を終えると、国家経済体制改革委員会に入り、主任趙紫陽の下でそのブレーントラストの一員となった。

経済体制改革が進むなかで、曹思源は一九八三年に企業破産法の構想を提起し、各大都市で現地調査を行い、報告書をまとめた。一九八四年、彼は破産法制定のために院外活動を始めたが、そこで知り合ったのが若き人民代表温元凱（中国科学技術大学教授）。曹思源・温元凱ラインで他の人民代表に働きかけ、ついに破産法制定への動きが始まった。まもなく曹思源は体制改革委員会から全人代法律起草小組に出向し、破産法起草の責任者となった。草案はできたものの、全人代常務委員会はこわがって採択しない。そこで曹思源は一五〇人余の全人代常務委員に対して、片っ端から電話をかけて、法案の趣旨を説明し、支持を求めた。

中華人民共和国破産法はこうした経緯で成立したのであった。破産法が成功するや、次は「全人代会議傍聴制度」のために働き、八八年六月から全人代や地方人民代表大会で形はさまざまだが、傍聴制度が設けられるようになった。

曹思源の仕事は着々と成功したが、彼はこうした活動に限界を感じて、八八年に体制改革委員会を辞職し、四通集団（董事長・万潤南）の支援を得て、四通社会発展研究所を創立した。これは小さな民間研究所であり、メンバーは曹思源を含めてわずか三人であり、これに教師である曹思源の妻がパートタイム的に雑務を処理していたにすぎない。海淀区民族学院近くの小路内のこの小さな研究所は、八九年三月の全人代で若干の人民代表が五項目の憲法改正提案を行ったことによってまず有名になった。全人代に憲法委員会を設けて、常務委員会をして憲法解釈を有効に行えるようにせよ、憲法の執行状況を監督させよ、憲法を改正して商品経済の地位を保護せよ、公民の私有財産権を保護せよ、なにびとも裁判所の判決が出るまでは無罪であり、人権を保障せしめよ、などという改正案を起草したのは、実はこの研究所なのであった。八九年三月二六日に憲法改正理論研討会を開いたが、これは当局の圧力もとで、小さな非公開のものとすることを余儀なくされた。

6 「三研究所一学会」グループ――改革派の総参謀部

戒厳令布告のニュースが天安門広場に流れた五月一九日午後四時、「三研究所一学会」グループが「六カ条緊急声明」を出した（『重要文献』第2巻、VII・33）。全人代特別会議、中国共産党特別会議を招集して平和的解決を図ることを呼びかけるとともに、党中央、国務院など二〇の部・委員会に対して、天安門広場デモを指令したのである（『京都血火』北京・農村読物出版社）。戒厳令布告当日の五月二〇日午前九時にも「再度の声明」が出されたといわれるが（『中国教育報』八九年六月二二日付）、これは未見である。

「三研究所一学会」の三研究所とは、①中国経済体制改革研究所、②農村発展研究中心発展研究所、③中国国際投資信託公司国際問題研究所、であり、一学会とは、北京青年経済学会である。

彼らの活動を陳希同（北京市市長）報告はこう非難している。

「〔五月〕一七日夜、鮑彤は中央政治体制改革研究室の一部人員を招集して、まもなく戒厳令が実行されるという機密を漏洩した」。

「五月一九日、この政治体制改革研究室の高山副局長が経済体制改革研究所に駆けつけ、そこで会議を開催中の者たちにいわゆる〝上部からの指示〟を伝えた。その後、陳一諮が中心となり、四単位の名で〝時局に関する六カ条の声明〟を起草して、天安門広場で放送し、さらに広範に散布した」。

戒厳令の機密が、趙紫陽→鮑彤→陳一諮→高山→三研究所・一学会と流れたというのが陳希同の非難である。ここから総書記趙紫陽とそのブレーン集団との関係が浮かび上がる。

では、趙紫陽ブレーン・トラストはどのように形成されたのであろうか。

趙紫陽が一九七五年以降四川省における農業改革で実績を挙げ、八〇年に中央に招かれたことはよく知られていよう。当時四川省では「食糧が欲しければ、趙紫陽を探せ」といわれたものである。文革期以後の趙紫陽の政治的資産は、人民公社解体を中心とする農業改革である。この路線の推進のために設けられたのが行政レベルでは国務院農村発展研究センターであり、党レベルでは中共中央書記処農村政策研究室であった。実は両者の主任を兼ねるのが杜潤生（一九一三年山西省生まれ）であり、杜潤生と趙紫陽との人脈は、解放初期に趙紫陽が広東省で土地改革をやった時期にさかのぼる（拙稿「農業生産責任制の推進者・杜潤生」『日中経済協会会報』八七年二月号）。一九一九年生まれの趙紫陽にとって、杜潤生は六歳年長の兄貴分であった。つまり趙紫陽の農業政策のブレーンが杜潤生にほかならない。そして杜潤生の傘の下で、農村発展研究中心発展研究所が活発に動いていたわけである。私は八九年三月に訪中した際に、この研究所を六里橋に訪ねたことがある。

杜潤生は最近の情報によると、党員再登録に際して登録を拒否され、事実上除名されたと伝えられる。もっとも天安門事件における杜潤生と趙紫陽の関係はいま一つ不明である。附属研究所の「暴走」を杜潤生が抑えきれなかったという監督責任程度の話なのか、それともいわゆる「計画的陰謀」に一歩踏み込んでいたのか、詳細は不明である。

ブレーン集団のもう一つの線が趙紫陽→陳一諮の線である。趙紫陽は国家経済体制改革委員会の創立以来、八七年四月に李鉄映に主任を譲るまでこの委員会の主任を務めており、この委員会に対して影響力をもっていた。体制改革委員会の主任はその後、李鉄映、李鵬と代わったが、この委員会に附属する体制改革研究所は、若手の急進改革派のたむろする梁山泊のような世界であった。私は八九年三月にこの研究所を訪問したが、趙紫陽をかついで改革路線を推進しようという若者たちの心意気に接することができた。

「三研究所一学会」のなかでは、これら二つの研究所が特に重要であったと考えられる。三番目の中国国際投資信託公司（ＣＩＴＩＣ）は有名だが、その附属の国際問題研究所はよく知られていない。しかし親会社の役割からして、ここには国際経済や国際政治に明るい専門家を擁していたものと推測される。そしてこれらの各組織に属する青壮年とその他のさまざまな分野で動く青年改革派のサロンが北京青年経済学会なのであった。

ここでもう一つ注目しておくべきは、『世界経済導報』の胡耀邦追悼座談会に出席した著名知識人たちと趙紫陽との関係である。大まかに分類すれば、これらの知識人たちは基本的に胡耀邦人脈であったと見てよい。胡耀邦は五〇年代以来、ほぼ一貫して北京におり、しかも共青団書記として若手党員の中心におり、八二年の第一二回党大会で総書記に選ばれて以後は、ますます改革派知識人たちは胡耀邦に改革の望みを託するようになっていた。しかし、八七年一月の胡耀邦失脚以後、これらの「胡耀邦マシーン」は趙紫陽によって基本的に継承されたごとくである。というのは、趙紫陽は広東省での活動が長く、それ以外には四川省などで七〇年代末に働いただけであり、北京における人脈、とりわけ知識人とのつきあいはきわめて薄かった。こうして改革路線の担い手を求める改革派知識人たちとブレーンを求める趙紫陽の利害が一致したことになる。趙紫陽は政治スタイルとして、ブレーンを重用して新政策を提起することが多かったが、胡耀邦の急死に際しては、まず胡耀邦人脈が積極的に追悼活動を行い、ついでそれが趙紫陽周辺のブレーンたちをも取り込む形になったであろう。

六　戒厳令の発布

1　中央と北京の党・政・軍幹部大会

戒厳令を正式布告する会議（中央と北京市の党・政府・軍幹部大会）は五月一九日午後一〇すぎに開か

れた。会議の場所は天安門広場の西方九キロの万寿路にある解放軍総後勤部礼堂であった。テレビ画面に写し出された壇上の主席団席には総書記趙紫陽の顔が見られなかった。対話路線を主張する趙紫陽は戒厳令布告という強硬路線に反対の意を表明するために、この大会に敢えて欠席したのであった。ただし、欠席の理由は病欠であるとされた。

楊尚昆（中央軍事委員会主席、国家主席）、王震（国家副主席）、李鵬（政治局常務委員、総理）、喬石（政治局常務委員、政法委員会書記、武装警察を指揮）、胡啓立（政治局常務委員）、姚依林（政治局常務委員、副総理）が壇上に並び、中共中央、国務院、全人代常務委員会、中央軍事委員会、中央顧問委員会、中央紀律検査委員会、政治協商会議、北京市の指導者が出席したと公表されたが、出席者数、出席者名は明らかにされなかった。別稿で触れるように、北京軍区政治委員劉振華はデモ隊に車を阻まれて、この会議が終わるまでついに出席できなかった。学生たちは劉振華欠席の事実をとらえて「北京軍区の首脳は戒厳令に反対して出席を拒否した」と宣伝した（『戒厳一日（下）』二頁）。

胡啓立はジャンパー姿であり、突如連絡を受けて、あわただしく駆けつけたことを物語っていた。この事実は戒厳令布告大会が急遽開かれたことを示唆している。

大会は喬石が司会をした。李錫銘（北京市党委員会書記）が学生運動の発展状況を説明、ついで李鵬がこう述べた。

「いまやますますはっきりしてきたことだが、ごく少数、ごくごく少数の者が動乱を通じて彼らの政治的目的を達成しようとしている。すなわち中国共産党の指導を否定し、社会主義制度を否定することである。彼らが「ブルジョア自由化反対」のスローガンを公然と否定しようとしている目的は、四つの基本原則にほしいままに反対する絶対的自由をかちとるためである。彼らは大量のデマを撒き散らし、党と国家の主な指導者たちを攻撃し侮辱し罵倒している。いまはわれわれの改革開放事業に対して巨大な貢献をした鄧小平同志に矛先を集中している。その目的は組織上から中国共産党の指導を転覆し、人民代表大会を経て生まれた人民政府を転覆し、人民民主主義独裁を徹底的に否定することである。彼らは至るところで煽動し、秘密裡にしめし合わせ、各種の非合法組織を成立させ、党と政府に承認を迫っているが、これは中国に反対派、反対党を樹立するための基礎作りである」。

こうした状況認識に基づいて、李鵬はさらに呼びかけた。

「全共産党員は党の紀律を厳格に守り、安定団結を損なういかなる行動にも参加しないだけでなく、大衆を団結させ、動乱を制止するなかで前衛的模範的役割を果たせ」「全国家機関工作人員はポストを守り、職務を守り、正常な工作秩序を維持せよ」「全公安幹部警官、武装警察はさらに努力して交通秩序、社会秩序を維持し、社会治安を強化し、各種の違法犯罪活動に断固として打撃を与えよ」「あらゆる工商企業、事業単位は労働紀律を遵守し、正常な生産秩序を維持するように努めよ」「各級各類学校は正常な教学秩序を堅持し、ストライキは全て一律無条件にやめさせよ」(『重要文献』第2巻、VIII・1)。

この引用から戒厳令布告に際して、李鵬がいかに強硬な姿勢をとったかが分かるであろう。李鵬講話は翌二〇日の『人民日報』に公表され、戒厳令布告の公的理由説明となった。

楊尚昆講話は一部がテレビ放映されただけで、活字による公表は当時は行われなかった。党内学習文件でも講話摘要しか発表されなかった。曰く。

「最近北京は実際上無政府状態にあり、あらゆる機関工作の秩序、学校の教学秩序、交通秩序などすべてが混乱している」「中ソ会談という歴史的な事柄が、天安門で歓迎式をやれず、臨時に空港に改めて挙行せざるをえなかった」「予定していたゴルバチョフの人民英雄記念碑献花も、やれなかった。これは対外関係史上かつてないことであり、非常に悪い影響を与えた」「いましがたわれわれは路上に軍用車が並んでいるのを見たが、これは解放軍が外から北京市付近に進駐したものである。これは全くやむをえぬ状況によるものである。というのは、北京市の警察はすでに北京市の秩序を維持できなくなっているからである」「解放軍が北京付近に進駐したのは、断じて学生に対処するためではなく、北京市の正常な秩序と工作の秩序を回復するためである。同時に、若干の重要部門と重要機関も保護しなければならない。したがって、解放軍が進軍し、進駐したのは治安を維持するためであり、学生に対処するためではない」（『重要文献』第2巻、VIII・2）〔傍線は矢吹〕。

楊尚昆はここで軍の進駐を弁解して「学生に対するものではない」と二度繰り返している。何のためか？

楊尚昆によれば、①秩序を回復するため、②重要機関を保護するため、である。

戒厳令実施についての国務院命令は五月二〇日に総理李鵬の名で下された（『重要文献』第2巻、VIII・5）。法的根拠は中華人民共和国憲法第八九条第一六項であった。すなわち第八九条には「国務院の行使すべき職権」が規定されており、第一六項には「省、自治区、直轄市の範囲内で一部の地区に戒厳を決定すること」とあるのに基づいたとされている。この国務院命令を受けて、北京市長陳希同の名で五月二〇日午前一〇時から、東城区、西城区、崇文区、宣武区、石景山区、海淀区、豊台区、朝陽区に戒厳令が布告された（『重要文献』第2巻、VIII・6）。

戒厳令によって禁じられたのは、次の三カ条であった。

①デモ、請願、授業ボイコット、ストライキおよびその他多数が集合して行う正常な秩序を妨げる行為を厳禁する。

②デマを捏造し流布させること。オルグ活動、演説や講演をすること、ビラを配ること、社会の動乱を煽動することを厳禁する。

③党政軍の指導機関に突入することを厳禁し、ラジオ、テレビ、通信などの重要機関に突入することを厳禁し、重要な公共施設を破壊することを厳禁し、殴打・破壊・略奪・放火などすべての破壊活動を厳禁する、など。

しかし、この「北京市人民政府令第一号」はまったく無視され、秩序維持に責任を追うべき戒厳部隊が市内入城を阻まれるという事態が生まれたのであった。

2 戒厳軍入城への抵抗

鄧小平は戒厳令布告大会に欠席した。その理由、そして彼がそのときどこにいたのかは依然ナゾである。一説によれば、鄧小平は武漢に飛び、中央軍事委員会拡大会議を招集し、「第二指揮センター」を組織した。一説によれば武漢に飛んだかのごとく偽装して、北京市郊外西山の軍事施設にこもった。クリストフは前者を否定し、鄧小平は北京にいたと書いている（『ニューヨーク・タイムズ・マガジン』一一月一二日号）。八四歳の老指導者が武漢まで飛ぶよりは、大軍区の指導者を呼びつけて説得する可能性の方が強いと見てよいだろう。

五月一六日のゴルバチョフ会談以来、鄧小平は表舞台から姿を消したが、舞台裏では活発に行動していた。まず一七日の政治局常務委員会では李鵬、姚依林らの強硬方針を支持して、戒厳令発動による体制の立て直しを指示した。しかし、趙紫陽がこの強硬路線に抵抗したために、強硬路線は重大な壁に直面した。そこで一七日深夜あるいは一八日に王震、李先念、陳雲など長老を集めて、支持をとりつけ、戒厳令断行の線を固めた。

五月二〇日午前一〇時に北京市に布告された戒厳令には少なからぬ抵抗があった。戒厳部隊の北京市城区進駐に対する学生や市民の抵抗を当局側文書はこう描いている。

「何千何万という学生や群衆が昌平、朝陽、海淀、豊台、東城、西城、崇文、宣武などの区・県の交差点や大通りで戒厳任務を執行する解放軍、武装警察を阻んだ。軍隊と武装警察の入城を阻止するために、大量の学生が分散して活動し、労働者や農民、群衆とともに行動した。学生、群衆はバスやトロリーバスを阻み、運転手や車掌を追い払い、車を横にしたり、大通りに座り込んだり、寝ころんだりして、軍用車や装甲車の前進を阻んだ。ある者はバス車庫からバスを出してバリケードを作り、ある者はバスの窓ガラスを壊し、ある者はバスのタイヤをパンクさせ、ある者は車を倒したりした。ひいては石や酒瓶を投げて武警戦士と公安戦士を襲撃し、数十人を負傷させた。ある者は車上の将兵をひきずり下ろし、天安門広場へ行かない、学生を鎮圧しないという態度表明を迫った。ある者は「軍隊が北京に進駐したのは騙されたのだ。北京市民は行動に立ち上がり、学生を保護しよう」と叫んだ。軍隊を阻む群衆は少なくとも数十人、数百人、多ければ二万人にも達して、解放軍が時間通りに指定された戒厳地点に到達する行動を妨げた」(『紀事』九九頁)。

戒厳部隊の城区進駐に対する抵抗にもかかわらず、重要機関への進駐が行われたことは第二部で詳論する通りである。しかし、これらの例外を除いて、戒厳部隊の主力は布告以後およそ二週間にわたって阻止され、戒厳部隊は三環路外側に集結しただけで、三環路の内側に入ることをしなかった。

その理由について二つの要因が考えられよう。

一つは、軍事的な意味で鎮圧体制の整うのを待つためであった。十数万あるいは二〇万の軍隊が北京市郊外に集結したのであるから、その兵站任務だけでも容易ならざるものがあった。また平和的座り込みに対していきなり武力鎮圧を行うことにはムリがあり、暴乱状況の熟するのを待った可能性がある。いわば鎮圧の機会をうかがう作戦である。

もう一つは武力鎮圧の前に政治問題を先に片づける必要があったためであろう。三環路から市内を包囲しておけば、クーデタの危険はまず避けられる。こうして外堀を固めておいて戒厳体制支持の政治工作を進めたわけである。

戒厳令に基づく報道管制に対する報道機関の抵抗の一例としては、衛星利用の直接通信の問題を挙げることができる。戒厳令に伴って五月二一日午前一一時から、衛星利用の送信はできなくなったが、まもなく再度利用可能となったのである。これは戒厳令を事実上骨抜きにしようとする報道界の勢力の強さを物語るものであった。しかし、戒厳令から三日目に党中央は「戒厳イデオロギー領導小組」を設けて、胡啓立の主管する「中央宣伝工作領導小組」に置き換え、締めつけに着手した。戒厳イデオロギー小組は組長＝王忍之（中央宣伝部部長）、副組長＝袁木（国務院スポークスマン）、組員＝何東昌（国家教育委員会副主任）、曽建徽（中央宣伝部副部長）、李志堅（北京市宣伝部長）であったが、この小組の指導下で衛星送信は再開も束の間、二五日午前零時を期して送信不能となった。戒厳派の締めつけが成功しつつあった。

3　総書記趙紫陽への断罪

趙紫陽が五月一九日夜の戒厳令布告大会に欠席したことは党中央の分裂を公然化させたものであり、強硬派にとっては許すべからざる罪悪であった。鄧小平、楊尚昆、李鵬ら保守強硬派は、早速趙紫陽処分の方針を固めた。戒厳令の正しさを説得するためには、これに反対した趙紫陽の誤りを指摘しなければならない。

「問題は党内にある」（鄧小平、五月一七日発言）。いまや権力の解体状況に対して、巻き返しが始まった。第一弾が全人代、政治協商会議、第二弾が党中央機関、国務院各部、第三弾が軍内部の意思統一であった。

五月二二日の「ある会議」は全人代党組の状況報告をまず行わせ、これに対して李鵬、楊尚昆、喬石が戒厳令布告の必要性を語り、関連して趙紫陽の責任問題を追及した。つまり趙紫陽に代表される「ブルジョア自由化分子」が党内に存在するがゆえに、戒厳令による体制の立て直しが必要だという説得に尽きた。

出席者の点でもう一つ注目を要するのは、胡啓立の欠席である。彼は五月一九日の戒厳令布告大会にはジャンパー姿で出席したが、この会議には出席を拒まれたか、あるいは自ら拒否したか、いずれにせよ欠席した。

この会議における李鵬、楊尚昆、喬石の発言要旨は「中共中央白頭文件」として、党内に下達された。「白頭文件」とは、「紅頭文件」に対する俗称である。つまり「紅頭文件」とは、書類のヘッドに「中共中央文件」と書いた、中共中央の決定を伝える文件であるのに対して、「白頭文件」とは、中共中央から下級への情報伝達を旨とする参考資料である。これらの文件は地方の科長級幹部までに配付された。なお、テキストは中共中央直属機関系のもの、国務院系のもの、軍事委員会系のもの、の三種があるが(香港『文匯報』五月三〇日付)、内容には異同はない。この事実は、党・政・軍がそれぞれの系列を通じて、状況を下達し、戒厳令への支持を求めた経緯を示している。

李鵬は趙紫陽の罪状をこう指摘している。

――趙紫陽同志は朝鮮から帰って以来、五月四日に「アジア開発銀行総会代表への講話」を発表した。この講話は、常務委員のだれとも相談せず、彼が一人で準備した〔鮑彤が起草した〕ものであり、基調は四月二六日社説と全く異なる。しかも広く伝えられ、宣伝の勢いは大きい。これ以後、皆が一つの問題に気づいた、党内に二つの異なる見解がある、と。政治的経験のある者ならだれでも分かるし、動乱をやる者ももちろん気づいた。

――趙紫陽同志の五月三日、五四運動七〇周年記念大会での講話は事前にわれわれに見せた。われわれ数人〔李鵬、姚依林、楊尚昆、李錫銘ら〕は「ブルジョア自由化反対」を加えるべきだと提起したが、彼は加えなかった。

――五月四日の講話以後、学生運動はますます熱が上がり、百万人デモに膨れ、地方から北京に来る者も増えた。中央は遂に戒厳令の布告を決定した。

――彼はゴルバチョフとの会談において、まず鄧小平同志がわが党の最高意志決定者であり、これは一三期一中全会で決定したものである、われわれはすべての重要問題を彼を通じて決定していると述べた。これはどういうつもりか。鄧小平同志を放り出すものだ。果たして翌日のスローガンは「鄧小平打倒」であった。

――〔五月一九日の戒厳令布告大会は〕常務委員会決議によるもので、戒厳令も常務委員会で決議したもの〔傍線は矢吹〕である。もし党の団結を擁護するのならば、趙紫陽同志はあの会議に出席すべきであった。しかし、彼は病気欠席した。総書記たるもの、体の具合がよくないなら講話はしなくとも、せめて会議を主宰することぐらいできるではないか。しかし、彼は拒否した。主宰しないのはよいとして、だれかが主宰したら、出席ぐらいしてもよいではないか。しかし彼はそれさえしなかった〔総書記が会議を招集する権限をもつのであるから、総書記不在の布告大会は党規約違反である。強硬派にとってはこうした批判を封じ込める必要があった〕。

――五月一九日早朝、天安門広場で学生を見舞ったときの話も含めて、党内の意見分裂を全国人民に暴露してしまった。今回の闘争は確かに複雑だが、問題は党内から出ている。〔中略〕党内から解決しなければ、根っ子から解決しなければダメである（『重要文献』第2巻、IX・1）。

この発言には戒厳令布告大会への総書記の欠席という異常事態のなかで、決議の有効性を疑う党内世論への説得にかける李鵬の焦りがよく現れている。強硬派が党内の多数の支持を獲得できるかどうかの瀬戸際であった。

楊尚昆は戒厳令決定前後の経緯を説明したのち、「今すみやかに暴きださないと、やりにくい」（『重要文献』第2巻、IX・2）と趙紫陽処分を迫っている。

4 公安、警察部隊の「お手あげ」

五月二二日の「ある会議」における李鵬、楊尚昆のポイントは趙紫陽解任にあったが、喬石講話はこれと対照的である。喬石は天安門広場の整頓〔原文＝清場。鎮圧〕の必要性を論じて、そのためにこそ、戒厳令が必要だとしている。つまり、李鵬、楊尚昆らが趙紫陽処分によって党内を固め、天安門広場の整頓に乗り出そうとしているのに対して、喬石はまず「軍隊の入城」すなわち天安門広場の整頓を主張しているわけだ。喬石は趙紫陽について何も言及していないが、これは責任問題は広場の整頓後に論ずればよいとの認識に基づくものと推察される。ここから改革派と保守派の対立、抗争のなかで中間派的と見られてきた喬石の政治的スタンスを読みとれる。武装警察首脳の鎮圧に対する態度は曖昧であった。これらの武装警察首脳の判断と喬石の態度がどうかかわっていたのかは不明である。

――いまや戒厳令が布告された。われわれは衝突したくないし、流血事件を発生させたくない。しかし軍隊が完全に入城できないのはダメである。実際にはすでに一部は入城しているのだ。軍隊が入城するのは、秩序の推持を助け、重点部門、要害部門を防衛するためであり、大衆を鎮圧するとは全く言っていない。公安、武装警察の部隊はあるが、非常に緊張していたために、一カ月余、ろくろく休息していない。

――いまや軍隊を威嚇勢力として、適当な時機を捉えて〔天安門広場から学生を〕排除するときである。一部の警察力を用い、学校の党政幹部を動員し、加えて一部の父兄の協力を得たい。もしこうして問題を解決できるならば、それが最善である。

喬石はここでもう一つ注目すべき発言をしている。

——公安、武装警察の部隊はあるが、非常に緊張していたために、一カ月余、ろくろく休息していない。この局面で時間をムダに費やすならば、彼らはお手上げだと考えるにいたるだろう（『重要文献』第2巻、IX・3）。

要するに、「公安、武警はお手上げだ」というのだが、これはどういうことか。この背景はおよそ八カ月後に浮かび上がった。九〇年二月一三日付新華社電によると、国務院と中央軍事委員会は二月一日付で武装警察総部の司令員李連秀と政治委員張秀夫、そして副司令員范志倫、副政治委員張海天のトップ四人を解任した。そして後任司令員には北京軍区某集団軍（二四軍）軍長周玉書（天安門事件当時、順義県に駐屯、『在戒厳的日子里』三三頁）、政治委員には北京軍区政治部副主任徐寿増が任命された。人民英雄記念碑上の、北京高自聯指揮部の壊滅作戦に貢献した空軍一五軍の副軍長左印生は副司令員に栄転している。

この人事は「昨年の民主化運動への対応の甘さを問われたもの」とされている（『朝日新聞』九〇年二月一四日付）。つまり「民主化運動の鎮圧に際して武装警察の足並みが必ずしもそろわず、運動を初期の段階で抑えられなかったことなどに現執行部の保守強硬派が反発、より信頼の置ける腹心を配置したもの」と田村特派員は解説している。なお、「保守派要人の政治秘書（複数）も武装警察の政治部など上層部に送りこまれた」とも付加されている。

さらに香港『明報』（二月二五日付）は武装警察を中央軍事委員会の統一指導下に置くことになったと

表一・7　学生運動の目標とそれを担った組織（戒厳令布告以後）

月　日	学生運動の主なできごと、下線部分は権力の対応	主導組織
	【反戒厳行動】	
5.20	**戒厳部隊の入城阻止行動**	
5.22	ウルケシ主席が解任され、北京市高校自治聯合会が指導性を失う	
	「天安門広場臨時指揮部」が成立、広場の権力が指揮部に移る	広場臨時指揮部
5.23	**李鵬退陣を求めて百万デモ**	
	【運動の自壊】	広場保衛指揮部
5.26	臨時指揮部が発展解消し、「保衛天安門広場指揮部」が成立	
5.27	北京高自聯が広場撤退を提案したが、翌28日に6月20日まで継続と修正	
5.27	全人代万里委員長が戒厳令支持。全人代緊急会議構想が流産	
5.28	**全世界華人大デモ**	
5.29	地方の学生が広場をコントロールし、財政が混乱と封従徳が語る。学生は約2万人に激減し、北京の学生は1割程度	地方学生
5.31	工自聯の銭玉民、白東平、沈銀漢が逮捕、飛虎隊11名も逮捕	
6.1	柴玲、封従徳の拉致未遂（北京高自聯と地方高自聯の対立）	
6.2	侯徳健、劉暁波、周舵、高新がハンスト開始	
6.3	武力鎮圧（～4）	
	【逮捕・逃亡】	
6.13	21名の北京高自聯指導者に逮捕状	民主中国陣線
9.22	パリで中国民主中国陣線結成（～24）	

（資料）村田忠禧編『チャイナ・クライシス「動乱」日誌』、香港記者団『人民不会忘記』。

表一・8　中共中央の動き（戒厳令布告以後）

月　日	中共中央の動き、下線は学生、知識人の動き	主導路線
5.19	**10時、万寿路の解放軍総後勤部礼堂で中央北京市党政軍幹部大会を開く。**喬石が主宰し、李鵬、胡啓立、姚依林、楊尚昆、王震が主席台に座る。李鵬、楊尚昆、李錫銘が講話	趙紫陽の断罪、戒厳令体制の確立
5月	中旬以降、全人代緊急会議開催署名運動（知識人）	
5.22	夜、全人代機関党組の報告を聞いたあと、李鵬、楊尚昆、喬石、姚依林が重要講話を行う〔全人代常務委員会への締めつけ〕	
5.23	政治局拡大会議で鄧小平が文化部、中央統一戦線部など叱責	
5.23	中央国家機関工作委が戒厳令支持を表明〔党中枢機関への締めつけ〕	
5.24	**中央軍事委員会緊急拡大会議で楊尚昆が講話〔軍への締めつけ〕**	
5.26	中央顧問委員会常務委が戒厳令支持を表明	
	中共中央国家機関の広範な幹部が戒厳令支持を表明	
	中共中央直属機関工作委員会が戒厳令支持を表明	
5.26	全人代常務委員会党組は在京の党員常務委員および全人代機関司局長レベル以上の党員幹部大会を開き、李鵬、楊尚昆、喬石、姚依林の5月22日夜の重要講話を伝達	
5.27	全人代機関党委員会は機関全党員幹部に李鵬、楊尚昆、喬石、姚依林の重要講話を伝達	
5.31	**鄧小平の李鵬、姚依林への講話、江沢民総書記を事実上決定**	武力制圧
6.3	**天安門広場の武力制圧**（～4）	

（資料）村田忠禧編『チャイナ・クライシス「動乱」日誌』（蒼蒼社、1990年）ほか。

報じた。従来は名義上は中央軍事委員会と国務院の二重指導とされ、実際には党中央政法委員会〔書記喬石〕が指導していた。しかし、民主化運動鎮圧に際して武装警察の指導部が態度を鮮明にせず、対応がにぶかっただけでなく、六月三日の戒厳部隊の強行進駐の際にも最精鋭の反テロ特別行動隊を投入しなかったことの責任を問われたものと『明報』は解説した（『産経新聞』二月二六日付）。

報道は「対応の甘さ」「旗幟を鮮明にしなかった」としているが、ここにはいわば三八軍人脈が見え隠れしている。解任された司令員李連秀は三八軍元軍長である。李連秀の消極姿勢は三八軍軍長の抗命問題とかかわっているのではないか。さらに、武装警察部隊を指揮すべき党中央政法委員会の上級はむろん党中央総書記である以上、趙紫陽の対応ともかかわっていよう。「反テロ特別行動隊を投入しなかった」とすれば、それは民主化運動に対しては投入すべきではないと判断したことを意味していよう。武装警察は北京市民であり、学生運動に対して一般市民と同じような同情心をもっていたことも、影響していると見てよい。いずれにせよ、喬石の慎重な姿勢の背後には、実働部隊の慎重姿勢が存在したことが分かる。

七　支配体制の回復と運動の自壊

1　全人代緊急会議招集・李鵬罷免の挫折

戒厳令に抗議して、五月二三日に「戒厳令下の百万人デモ」が行われた。これは戒厳令以後「最大規模のもの」で、趙紫陽を支援する改革派勢力の強大さを示していた。デモの隊列は北京大学、清華大学、政法大学など数十の大学および中国社会科学院、国務院所属科学研究部門を主体とし、一部の中央直属機関幹部や一部の大型工場の労働者も加わり、そのスローガンは李鵬の総理退陣を求めるものに集中していた（『重要文献』第2巻、IX・16）。

しかし五月一七〜一八日の百万デモと比べると、その規模ははるかに及ばなかった。戒厳令をバックにして保守派の締めつけも日に日に強化されていたのである。

こののち二八日には全世界華人デモが行われ、香港ではいわゆる三〇〇万デモ（実際には七〇〜八〇万）に盛り上がったのに対して、肝心の北京では約二万人の学生デモに止まった。その前日の二七日、中共中央直属機関が職員労働者のデモを厳禁したことが直接的理由であったが、戒厳令のもとで運動が方向性を見失い、すでに事実上瓦解し始めていたことを示していた（『重要文献』第3巻、XI・8）。

こうして大衆デモが結集力を失っていく過程で、最後の一策として急浮上してきたのが、全人代緊急会議の開催問題であった。全人代の一部常務委員の対話支持呼びかけに勇気づけられて学生たちは、首都全学生の名で全人代常務委員長に対して戒厳令の取消しと李鵬の罷免を求める書簡を送った（五月二四日付）。同じ日に厳家其、包遵信ら二〇〇余の知識人も戒厳令取消しを求める公開状を発表している。これらの動きを踏まえて、当事者たる全人代常務委員の間でも緊急会議開催要求が本格化した。

実はこうした動きが表面化する直前の五月二二日に戒厳体制側は全人代党組に対して状況を報告させ、締めつけ方針を決定していた。この意味では、当局側の締めつけと対抗しつつ、署名運動が広がったことになる。胡績偉、厲以寧、董輔礽ら二四名が最初に緊急会議開催を呼びかけたのは五月一七日のことだが、二四日正午までには三八常務委員の署名が集まり、二四〜二六日ごろまでに緊急会議を開催するよう求めていた（『重要文献』第2巻、XI・1）。署名運動がかくも発展したのは、胡績偉（元『人民日報』社長）のネイムバリューと実際に署名集めに奔走した曹思源（四通社会発展研究所所長）の組織能力に負うところが大きい（曹思源の横顔は八八頁以下ですでに紹介した）。

胡績偉、曹思源コンビは、六月二〇日に招集される予定の全人代常務委員会に向けて報道法〔原文＝新聞法〕の上程を用意し、その院外活動を始めていたのだが、そこへ降って湧いたのが全人代常務委緊急会議開催の署名運動であった。曹思源らは報道法に切り換えて、「当面の重要情勢を討論し、法治の軌道を通じて中国の当面する危機を正しく解決する」ための常務委員会（非常）緊急会議を開催するように求める常務委員の署名を、五七名集めた。全人代常務委員会は委員長（万里）、副委員長一九名、常務委員一三五名、合計一五五名によって構成されているから五七名という数は、三分の一以上にあたり、戒厳令を布告した責任者たちの心胆を寒からしめた。

全人代緊急会議への期待は、委員長万里の柔軟姿勢と深くかかわっている。万里は五月一七日にカナダのオタワでこう述べた。

「現在、学生、知識界、労働者が民主を要求し、腐敗反対を叫んでいるが、このことは改革の進展を速めさせる愛国的行動である」「来月開催予定の七期全国人民代表大会常務委員会第八回会議では、大衆がひろく関心を寄せているこれらの問題を討議することになろう」。

同じ日にカナダのマルルーニ首相と会談した際の万里発言——

「私が中国を離れてから一週間近くになるが、この間、北京は国際報道界の注目の的となっている」

「学生がデモをやって、民主を要求し、政府の役人の汚職・腐敗に反対し、記者が報道の自由を要求しているが、これらの問題は、党と政府がこれまでずっとその解決を研究してきている問題である。われわれは社会主義の民主を発揮し、社会主義の法制を強化し、報道をさらに開放し、自由にするつもりである」（『重要文献』第2巻、Ⅶ・15）。

さらに一八日にはカナダのシャルボノ上院議長を表敬訪問した際に「北京など各地の学生はここ数日デモを行って、民主と法制を要求し、腐敗に反対しているが、この行動は非常に貴いものである。中国政府は民主と法制を強化し、政府を清廉なものにし、対外開放を拡大するだろう」と発言している（『重要文献』第2巻、Ⅶ・15）。

これらの発言は新華社、『人民日報』を通じて学生たちに伝えられ、学生たちを勇気づけていた。学生たちは万里の帰国を待ち、歓迎するために北京首都空港に出かけた。

しかし、カナダ、アメリカ訪問を途中で打ち切って二五日に帰国した万里は、学生たちの待つ北京空港ではなく、上海空港に下り立ち、直ちに病院に雲隠れしてしまった。彼は二七日、戒厳令支持の書面談話（『重要文献』第2巻、Ⅹ・15）を発表し、全人代による戒厳令取消し構想は夢に終わった。つまり、五月二二日会議が示すように、全人代開催要求の署名運動とほぼ同時に、その切り崩しの策動も保守強硬派によって行われていたわけであり、万里が北京ではなく、上海に着陸した事実は、保守派の根回しが一歩先んじていたことを示す。

緊急会議が流産しただけではない。舞台裏の黒子として、署名運動を実際に展開していた首謀者を当局はすでに監視しており、武力鎮圧と同時の六月三日深夜、曹思源は逮捕された。逮捕理由はなにか。

実は「全人代にかかわる会議はすべて中央政治局の討論を経て開催される」とする「内部規定」があり、曹思源らはこの「内部規定」違反を犯したのであった（劉鋭紹「法制を提唱した曹思源」『人民不会忘記』による）。国権の最高機関の運営について、党側からの「内部規定」がこのように具体的な形で定められていたとするのは重要情報である。これこそが全人代に対する「党の指導」なるものの内実なのである。ここには全国人民代表大会を常務委員会が代行し、常務委員会の議事は全人代主席団が采配し、それはまた中央政治局によってコントロールされるという操作のありかたがグロテスクな形で示されている。

要するに、党の指導を建前とする立法機関は、人民代表たる常務委員の要求に応じて緊急会議を開く代わりに、党の指導を重んじて戒厳令という暴走を追認したのであった。当初は署名に同意しながら、のちに圧力に屈して署名の事実を否定した一部常務委員（たとえば歴史家劉大年ら）の豹変（『重要文献』第3巻、XI・2）は、権力に弱い「人民代表」の本質を雄弁に物語っていよう。彼らは人民代表というよりは権力の走狗にほかならなかった。

中国の改革派はまず戒厳令の決定によって党内闘争で敗北したが、この劣勢を巻き返す二つの武器――党外勢力を結集した百万デモと全人代会議の開催で敗れた。党外勢力に依拠して党内闘争の劣勢を巻き返すことはいまや不可能であることが明らかになった。

こうして党内外への引締めは確実に浸透し始めたが、さまざまな抵抗も見られたことはいうまでもない。

たとえば「一共産党員が党中央宛てに書いた公開状」は、①趙紫陽の罪状、②動乱の認定問題、③法制による解決の問題、④軍事管制の問題、の四カ条について、保守強硬派の認識と真向から対立する見解を示して、こう結んでいる。

「私はしばらくは脱党しようとは思わない。大量の野戦軍が遅かれ早かれ市内に進撃するという話だからだ。私は大学生たちと、広範な北京市民たちとともに、断固として軍隊の入城に反対する。私は実感してみたいのだ。共産党員の戦車が共産党員の肉体を押し潰すとき、いかなる味がするものかを！」（『重要文献』第3巻、XII・4）。

2　中央軍事委員会緊急拡大会議

五月二二日会議によって全人代常務委員の活動を封じ込めた二日後、すなわち五月二四日に中央軍事委員会緊急拡大会議が開かれている。これは戒厳任務を直接的に執行する軍隊への締めつけであった。「各大単位の主な責任者」（大単位とは七大軍区のほか、第二砲兵、国防科学工業委、軍事科学院、国防大学などを指す）の出席したこの会議で、楊尚昆は戒厳令に対する異論を意識しつつ、その必要性を説くとともに、それに反対した趙紫陽をこう断罪している。

――五月一九日午前、趙紫陽同志が天安門広場に行き、ハンスト者を見舞ったとき、彼が何を話したかを見給え。いささかなりとも脳味噌のある者なら彼の話すことには道理がないことに気づくであろう。第一に、彼は「われわれの来るのが遅すぎた」と言って泣き出した。第二に、「情況はとても複雑であり、いまは解決できないことが沢山ある。一定の時期が経てば結局は解決できるだろう。君たちはまだ若く、人生は長い。われわれは老いたからどうということないが」と話した。かくも低調子の、内心忸怩たることを話したのは、彼にはグチがあっても言えなかったからだろう。

――〔戒厳令布告大会に〕もともと彼が出席するように手配していたのだが、開会の段になって、突然出ないと言った。かくも重要な会議に総書記が参加しないのでは、人様はすぐに問題に気づくだろう。もともとは彼が講話する手筈になっていた。彼は来なかった。開会のときにも皆はまだ彼を待っていた。このとき、軍隊は北京へ向かって進駐していた。

――当夜は本来私が講話する予定はなかったが、臨時にあの講話をしないわけにはいかなくなった。というのは軍用車があそこで阻まれたのであり、話さなくてどうして済まされようか。だから私は「軍隊は命令を奉じて北京に来たものであり、治安を維持するためである。断じて学生に対処するものではない〔後略〕」と話した。

――今回の事件は〔ブルジョア〕自由化反対が不徹底なこと、精神汚染反対をやらなかったことと関わっている。だから趙紫陽同志と胡耀邦同志は自由化に反対しなかった性質において同じである。〔鄧小平同志が指摘したが〕これは問題をズバリえぐったものである。

――中央は考慮に考慮を重ねたが、指導部を代えなければならない。というのは彼〔趙紫陽〕は、中央の指示を執行せず、同時に別のやり方をやるからである。彼はこのように〔万里の帰国を待って、全人代常務委員会を開くこと〕立法の手続きに従って彼の目的を達しようとしている。党内の政治局の大多数は彼の意見に同意しない。常務委員会のなかでも彼だけである。趙紫陽辞職のウワサが外に伝わるやこんな空気が出てきた。「七〇や八〇の老人に、どうして問題を解決できるものか」と。私に言わせれば、この問題は答え易い。これは政治局常務委員会が多数で行った決定である。さらに〔陳雲、李先念

ら の〕老同志は党内で徳望が最高で、歴史が最長である。しかも党と国家に対して重大な貢献がある。鄧小平同志はいうまでもなく、李先念、陳雲、徐向前、聶栄臻、鄧穎超、彭真、さらには王震老、いずれも重大な貢献をしている。党と国家のこのような緊急の関頭にあって、彼らがどうして口を閉じていることができようか！

――いま一部の者は党が一人によって決定されているなどとデマを撒き散らしているが、これは非常に誤っている〔厳家其らの「五・一七宣言」を指す〕。この問題の処理は中央政治局、常務委員会の多数によって行われた正しい決定であり、陳雲、李先念、鄧小平同志らを含む老革命家たちはこの正しい政策を完全に支持し擁護している。ゴルバチョフが中国に来て、趙紫陽はゴルバチョフに対して鄧小平同志の歴史的地位を語ったのは全く当然である。しかし〔中略〕、冒頭にこれを語り、しかも長く語り過ぎた。「重大な問題はすべて鄧小平同志が決定している」と。いささかなりとも頭脳をもった者なら、これは責任回避の話だと気づくであろう。鄧小平同志を前に出して、一切の誤りは彼のところからくると説明したに等しい。最近の彼の一連の発言には、君たちもなにかを感じているものと私は信じている。

――私がこの消息を君たちに通報するのは、党の最高指導機構にひとたび人事異動があった場合に、皆が突然だと感じるのを免れるためである。趙紫陽同志はいくらかの工作を行ったが、正直にいえば、われわれは彼に金メッキをしてやったのだ。この数年の成果は、根本的政策は鄧小平同志が提起したものであり、政治局の集団決定を経て、彼が執行してきたにすぎない。皆さんに来て頂いたのは、これらの工作をやってもらうためである。

楊尚昆はここで鄧小平の次の語録も紹介している。

「〔私の一生で〕多くの誤りを犯したが、最大の誤りは、胡耀邦、趙紫陽の二人を用いたことである」。「三百万の軍隊と四千万の党員に頼らなければならない。しかし四千万党員のうち、多くの者が頼りにならない」（『重要文献』第2巻、IX・18）。

楊尚昆が紹介した鄧小平発言はおそらくその前日すなわち二三日の政治局拡大会議で行われたものであろう。鄧小平がここで直面した最大の問題とは、党機構そのものがトップの指導者たる自分から離れて一人歩きを始め、統制不能に陥り始めたことである。中南海の中枢に働く党員でさえも当てにはならないという慨嘆は文化大革命を発動した際の毛沢東の党員観に酷似している。鄧小平はここで四〇〇〇万党員の多くの者が頼りにならないと述べたと楊尚昆によって報告されたが、さすがに楊尚昆の講話記録からこの箇所は削除されて下部に伝達された。

3　鎮圧態勢作りのプロセス

ここで、戒厳令布告以後の鎮圧態勢作りの過程を簡単に整理しておく。

胡績偉を初めとする全人代緊急会議開催要請派は、全人代の権威において国務院李鵬の戒厳令暴走を食い止めようとしていた。したがって当局側からすればなによりもまず第一に、全人代をコントロールしなければならなかった。すなわち五月二二日会議である。全人代党組から緊急会議開催要請問題について実情を報告させ、この報告を聴取したうえで、李鵬、楊尚昆、喬石、姚依林が戒厳令発動の必要性を語り、戒厳令支持を説得したわけである。

全人代の一部常務委員が立法機関の名において、国務院の発動した戒厳令の取消しを求める動きを表面化させたことは、共産党による全人代支配の形骸化、体制の弛緩の端的な現れにほかならない。ぜひともこの動きを食い止め、中華人民共和国解体の危機に対処しなければならなかったはずである。政治協商会議の一部委員も全人代と同じ動きを示しており、これに対しても全人代と同じ対応をしたはずである。

第二に、五月二三日の政治局拡大会議である。戒厳令布告から布告大会まで、基本的に政治局常務委員会レベルで意思決定を行ってきた。この経過を政治局レベルで広く説明し、一部の党政機関から所属機関の横断幕を掲げてデモに繰り出すという当局側から見て「由々しい事態」に対処しなければならなかった。この会議で鄧小平は党中央、国務院の一部からさえデモ参加があったことについて、統一戦線部や国務院文化部、外交部などを厳しく叱責したと伝えられる。

第三に、五月二四日の中央軍事委員会緊急拡大会議である。戒厳令に対しては解放軍内部にも強い異論が存在した。抗命事件さえいくつか表面化した。こうした反対や消極姿勢を抑えて、戒厳令支持で一本化することが緊急に必要とされていた。

第四に、各種会議――五月二六日に中央顧問委員会会議と中央紀律検査委員会会議が開かれ、二七日には政治協商会議全国委員会主席会議が開かれた。

かくて、一九日から二七日までの一週間余を経て、党政軍各機関を戒厳令支持で一本化した。

戒厳令体制を固める課題と趙紫陽処分問題とは、表裏一体のものであった。そして趙紫陽処分問題は総書記の後継問題と同義であった。鄧小平は舞台の陰でこの工作に全力を挙げていた。ついに五月三一日、江沢民総書記案で姚依林、李鵬に引導を渡すところまでこぎつけた。党規約からすれば、総書記は常務委員のなかから選ばれる建前になっているが、この講話のなかで鄧小平は敢えて規約を無視して、二階級特進させて江沢民を総書記に選んだ理由を語り、彼らに協力を求めている（『重要文献』第3巻、XII・5）。鄧小平はこうして政治工作が完了するのを待って、おもむろに鎮圧に乗り出したことになる。

胡耀邦についで趙紫陽——、鄧小平の抜擢した後継者が二人ともに失脚することによって、鄧小平の権威が大きく揺らいだことは否めない。それだけではなく、鄧小平にはもはや総書記候補の持駒はなかった。そこで李先念、陳雲ら長老に受けのよい江沢民を抜擢した。鄧小平はいまや江沢民昇格によって、保守派李鵬の総書記昇格を防ぐのが精一杯であったごとくである。

この間、戒厳令という強硬路線で党内世論をまとめるうえで、大きな役割を果たしたのは、李先念、王震らであったと観察される。

李先念は政治協商会議主席として、民主化運動に同情的な世論を切捨て、強硬路線で臨む方向にまとめることに大きく貢献し、それによって党内への発言力を強めた。これは国家主席のポストを若返り時代のさなかに自分よりも年長の楊尚昆に譲らざるをえなかった屈辱をいくらか回復できたであろう。

もう一人は国家副主席王震である。一説によると、王震は文革時代に盛んに行われた世界革命の「中心東漸説」を展開して、「中国のみが社会主義を救いうる」と論じ、そのためには断固として「暴徒」を鎮圧せよと号令したといわれる。つまり、丸腰のデモ隊に対して解放軍を出動させることに対しては解放軍内外に逡巡ムードが広範に存在したわけだが、この老人は老いの一徹のごとく「暴徒」鎮圧論を繰り返したと香港報道は暴露している。

こうして、五月末には支配体制側は政治レベルでも、軍事レベルでも強硬路線でまとまり、いまや鎮圧の発動は時間の問題であった。

4 自壊する学生運動

戒厳令布告以後の数日、天安門広場は誰によって管理されていたのか。北京高自聯、ハンスト団、対話代表団、北京学生声援地方学生指揮部などの集団指導が行われていた。北京高自聯にはもはや指導力はなく、辛うじて常務委員ウルケシ、王丹らを通じて広場の管理に参加しているにすぎなかった。この段階での学生の主な行動は、軍用車の入城阻止であり、敢死隊を組織して各軍隊の駐屯地に行き、兵士たちへの説得を行うことであった。また街頭で市民に対する動乱の真相の説明会もしばしば開かれた。

このころ広場で勢力を伸ばしてきたのは地方学生グループであり、彼らは次々と北京へ応援に駆けつけた。そして「全国高校自治聯合会籌備委員会」を作り、北京高自聯がその傘下に加わるよう求めたが、北京高自聯は時期尚早として代表を派遣しなかった。そこで地方学生たちは北京高自聯は権利を放棄したと見なし「全国高自聯」の成立を自称したが、一般には「地方高自聯」〔原文＝外地高自聯〕にすぎないと見られていた。

地方高自聯は北京高自聯と比べてよりルーズな組織であり、意思決定は各省レベル代表からなる常務委員会によって行われたこともあずかって、その行動は往々過激な方向へ走った。

五月二三日、北京高自聯は広場撤退を宣言し、天安門広場臨時指揮部に管理を委ねることを決めた。広場臨時指揮部は五月二四日に成立した。柴玲（北京師範大学）が総指揮、封従徳（北京大学）、李録（南京大学学生）、張伯笠（北京大学）、楊濤（北京大学）が副総指揮に選ばれた。

地方高自聯と北京高自聯の関係はしっくりいかず、このため地方高自聯はしばしば北京高自聯傘下の広場臨時指揮部が指導力不足だと批判し、五月二八日には広場の放送ステーションの接収管理を決議する始末であった。この段階では放送ステーションを誰が掌握するかが広場の権力維持のシンボルとなっていた。しかし地方高自聯の組織はルーズなものだったために、実際にはこの決議は実行には至らなかった。地方高自聯と広場臨時指揮部の関係はこのように緊張したものであったが、両者ともに広場防衛の一点では一致していたために、正面衝突には至らなかった。

北京高自聯は二八日のデモを契機として、三〇日以降広場を撤退する柔軟方針を提起したが（『重要文献』第3巻、XI・9）、二九日の常務委員会で全人代の開かれる六月二〇日までの座り込みを堅持する強硬方針に変更した（『重要文献』第3巻、XI・11）。柴玲は撤退提案が否決された二八日夜に広場防衛指揮部総指揮の辞任を申し出て、慰留されている。封従徳、李録らハンスト団と指揮部メンバーは、表向きは広場に存亡をかけるとしていたが、その危険性への認識もあり、実際の態度はかなり曖昧であった。

五月二八日、広場指揮部に財務部と監察部とが成立した。前者は封従徳、後者は柴玲、王丹が担当することになったが、夫封従徳の財務処理を妻柴玲が監察することにはムリがあり、王丹は六月一日にこの役割を望まないと表明する始末であった。こうしてカンパの使途をめぐって学生指導者同士の内輪もめが起こり、封徳・柴玲夫婦の拉致事件にまで発展した（『重要文献』第3巻、XI・18）。この間、香港の学生聯合会は財務の混乱を理由として、カンパを凍結している（『重要文献』第3巻、XI・17）。カンパはウルケシ、周勇軍、柴玲、封従徳ら個々の学生指導者が個人名義で受け取り、いかなる監督も行われない状況となっていた。

戒厳体制が固まるにつれて、党員や文化人、報道人などは当局側によってデモ参加を禁じられ、工自聯など自主労組の活動も顕在化するや直ちに芽をつまれ、広場の動員力は急激に衰えた。これに反比例して広場大衆の行動は急速に過激化していった。

五月三〇日、中央美術学院の学生たちが発泡スチロールと石膏を用いて作り上げた「民主の女神」像が広場に運びこまれ安置された（『重要文献』第3巻、XI・14）。これは広場に新たな活力を与えるかに見えたが、いまや散漫になった広場への凝集力を回復するには至らなかった。学生運動はすでにほとんど自壊していた。

「ゴミ捨場と化した広場に香港から支給された真新しいテントが整然と張られた。しかし広場の学生数は激減している。戒厳令発布当初、学生が鎮圧されることを心配していた市民も、広場への関心をそれほど示さなくなっていた」（『動乱日誌』一四三頁）。

こうした最悪の状況下で、最後の閃光となったのが、六月二日午後、劉暁波（師範大学講師）、周舵（四通公司総合計画部長）、侯徳健（シンガー・ソングライター）、高新（『師大周報』前編集長）ら四人によって行われたハンストであった。これは元来五月二六日に社会各界知識人五〇〇〇名規模の大ハンストとして計画されたもの（『重要文献』第2巻、X・10）が、一週間後にわずか四人によって決行されたものであった（『重要文献』第3巻、XI・22）。五〇〇〇名目標から実績四名へという数字は、運動の自壊状況をなによりも雄弁に物語るものである。しかし、この四人はそれぞれの意味で民主化運動を代表する人々であった。劉暁波は知識人として、最も厳しい言論を吐いたが、言行一致を貫いた。周舵は学生運動の総後勤部の役割を果たした四通公司を代表していた。ヒットソング「竜の子孫」で知られる侯徳健は、いわば世論代表であろう。そして高新は一種のマスコミ代表である。彼らのハンストは、暗闇のなかに光る閃光となった。実はこの光に導かれて広場に最後まで踏み止まった学生たちが無血撤退できたのである。侯徳健らは広場での流血を避けるために、学生に平和的撤退を説得し、また戒厳部隊将校たちと撤退交渉を重ねたのであった。

5　江沢民総書記の内定

かくて戒厳体制が着々と固まり、学生運動が自壊の道を歩んでいた五月末、舞台裏では趙紫陽の後任が事実上内定していた。

五月三一日、鄧小平は李鵬、姚依林を呼びよせて、引導を渡している。

——（総書記の）人選問題においては、社会上の公論に注意すべきであり、感情的であってはならない。

——皆が江沢民同志を核心として、立派に団結するよう希望する。

——新たなグループの威信を樹立できたら、私は断固として引退し、君たちの仕事を妨害しないことにする。

——私は、君たち二人に私の話を、新指導機構で工作する一人ひとりの同志に伝えてもらいたかった。これは私の政治的引き継ぎだ（『重要文献』第3巻、XII・5）。

趙紫陽総書記の後任として江沢民を当てることは、事実上ここで決定している。すなわち鄧小平は戒厳令発動前後の強硬派指導者たる李鵬、そしてその後見役たる姚依林に対して、「社会上の公論」のゆえに、すなわち戒厳令の責任者たる李鵬は「公論が許さない」として論功行賞を預かり、上海から党委員会書記江沢民を「二階級特進」させて総書記に抜擢したのであった。さらに江沢民総書記を核心とする「第三代の指導グループ」の威信を樹立したならば、「断固として引退する」と明言していることが注目される。ここから明らかなように、鄧小平は五月末の時点で、後継者江沢民を決定し、そのうえで学生デモの鎮圧作戦に臨んだのであった。なお、ここでもう一人の常務委員たる喬石は、鄧小平から呼ばれていないが、その理由は明らかではない。

こうして、政治レベルでは戒厳令支持を基本的にとりつけ、趙紫陽の後継者として、江沢民を当てることまでが事実上決定し、政治的問題は解決した。

戒厳令以後二週間を経て、物資補給、兵員の輸送など、軍事レベルの問題も基本的に解決した。ここで戒厳令はいよいよその内実を伴うものとなった。当局はいわば和戦両用の構えが完了したことになる。戒厳部隊指揮部では繰り返し、幾通りもの鎮圧計画が練られていた。しかし、丸腰のデモ隊に対して、いかなる手段で対処すべきなのか、この最も根本的な問題において、解放軍は依然完全に意見の一致を見ていたわけではない。

強硬派は動乱説を繰り返したが、学生運動の指導者と接触した将兵の間では、動乱説への疑いも消えなかった。こうした認識の不一致を統一させるためには、意図的な暴乱状況を作るほかなかった。それにゴーサインを出したのは、明らかに鄧小平であるが、彼が現場の状況をどこまで正確に把握していたかは疑わしい。

八　反革命暴乱の鎮圧過程

天安門事件の悲劇のクライマックスが六月三日夜から四日朝にかけてであることはいうまでもない。その軍事過程の分析は第Ⅱ部で行うが、ここでは全体の流れを説明しておくことにする。

1　天安門制圧作戦の始動

六月一日の『人民日報』を見ると、当局側の鎮圧態勢が整ったことが示唆されている。まず全人代常務委委員長万里は前日三一日に上海から北京に戻っている。国家教育委員会は三日前の五月二九日に開いた会議で学生の授業復帰を求めるよう決定し、「今年度の大学入試や卒業生配分は予定通り行う」と警告している。さらに国務院弁公庁スポークスマンが新華門前の座り込みに対して談話を発表し、秩序を破壊し、党と国家の重要な公務を妨げるものと非難、「政府はこれまで十分に自制してきた。政府の勧告をこれ以上無視してはならぬ」と恫喝している。

より重要なのは、次の二つの記事である。一つは総参謀長遅浩田、総政治部主任楊白冰、総後勤部部長趙南起が前日三一日にそれぞれ戒厳部隊を見舞い、中央軍事委員会主席鄧小平と常務副主席楊尚昆の慰問を伝達したことである。もう一つは首都十数箇所（首都空港、北京駅、電報大楼、カラーテレビ・センター、広播電視〔放送テレビ〕部、新華社、人民日報社など）の「重点警衛目標」を戒厳部隊がすでに武装してパトロールを始めたという記事である。

天安門広場の武力制圧作戦はすでに始動したのである。六月二日未明、戒厳部隊の一部たる六五軍の一個師団約一万名に対して、私服を着て三々五々人民大会堂に潜入する命令が出され、彼らはさまざまな衣服をきて、二日午後群衆に紛れて目的地に向かった。人民大会堂には女性兵士の一群があったことから、一部の兵士たちはアベックを装ったことが分かる。のちに人民大会堂から降って湧いたように現れたこの兵士たちに学生や市民は驚かされるが、潜入の段階ではまだ気づかれていない。

二日夜一一時ころ、多数の軍用車両が復興門外大街を駆け抜け、そのうち一台のジープが通行人三人をはねて即死させた。これは中央テレビ局が武装警察隊第五支隊から一一カ月間借用していたジープを武装警察に返却する途上で起こした、まったくの交通事故であったが、学生側にとっては恰好の宣伝材料となった。ニュースは直ちに広場の学生たちに伝えられ、憤激を巻き起こした。

三日未明、東長安街から天安門広場に向かう丸腰の白シャツ部隊（上半身は白地のワイシャツ、下は軍服のズボン。三九軍の一部とみられる）が現れた。市民が追い掛けて道を塞いだところ、意外にもこの部隊はしばらく対峙したあと、整然と退却した。市民たちは勝利に拍手したが、これは二つの目的をもった陽動作戦であった。一つは戒厳部隊の任務遂行を「暴徒が阻止し」「反革命暴乱が発生した」という口実を作るため、もう一つは鎮圧の主力部隊を西線に配置した事実をカムフラージュして、東線に群衆の目を引きつけるためであった。

2　「反革命暴乱」の発生

三日午前までの戒厳部隊の丸腰出動が群衆によって阻止された事実をとらえて、当局側は「反革命暴乱が発生した」と認定した。六月四日付『解放軍報』社説は「三日未明から首都に重大な反革命暴乱が発生した」と指摘している。北京市人民政府および戒厳部隊指揮部通告（『重要文献』第3巻、XIV・3）はこう述べている。

「六月三日未明、解放軍戒厳部隊の一部部隊は、命令にもとづき城区内に進軍し、重要目標地点を確保した。ごく少数の者はデマの捏造や煽動によって、一部の真相のわかっていない者を挑発し、市内の多数の交差点にバリケードを設置させたため、入城部隊の一部はその進軍を阻止されたが、解放軍兵士は極めて自制した態度を堅持した」。

反革命暴乱の発生という事実認識に基づいて、三日午後二時半、戒厳部隊指揮部は各方面の部隊に対して予定されていた戒厳位置への「緊急出動命令」を出した（『在戒厳的日子里』三九頁）。これらの命令を各師団や連隊が受領したのは、三日午後三～五時である。

各部隊は直ちに東西南北四方向から広場に向かった。西線は五棵松→復興門→天安門広場、東線は通県→建国門→天安門広場のルート、南線は六里橋→菜市口→正陽門、大興→宣武門→正陽門、木樨園→珠市口→人民大会堂の三ルート、北線は沙河→清河→徳勝門のルートであった（『在戒厳的日子里』四〇～五一頁）。このほかに、二日から人民大会堂に潜入していた部隊があった。

これらの部隊はすべて群衆の入城阻止に遭遇したが、抵抗の最も大きかったのは西線であった。西線は三梯隊編制からなり、先頭が三八軍、ついで二七軍、最後が六三軍であったと推定される。群衆と最大の衝突を繰り返したのは三八軍であった。群衆の抵抗を排除するために、軍事博物館周辺で最初の警告発砲が行われて、当初は文字通りの「警告」に止まっていたが、天安門前の金水橋に到着したころはすでに完全な水平撃ちに発展していた。当然群衆側に大量の死者が出た。

南線の主役は五四軍と空挺一五軍であった。五四軍のある師団は行軍の途中で群衆の投石によって通信部隊が壊滅し、発砲許可の命令を受領できずに進軍を続け、大きな被害を出した。しかし「発砲なし」の名誉を守った。

戒厳部隊は四日午前一時半ごろから、天安門広場に到着し始め、午前四時半を期して、広場の整頓〔原文＝清場〕に着手し、およそ三〇分でこの任務を達成した。広場の人民英雄記念碑周辺に最後まで残った学生たちは数千であったが、彼らは侯徳健、周舵らと三八軍某連隊政治委員季新国上校、顧本喜中校らとの撤退交渉のおかげで、平和的に撤退することができた（『重要文献』第3巻、XIV・7〜11）。もし彼らの努力がなく、学生側がごくわずかであれ、武器で抵抗したとすれば、流血はもっと拡大したはずであった。

六月四日朝には学生たちは広場からは一掃されたが、学生や市民、群衆のゲリラ的抵抗はその後数日続いた。たとえばのちに共和国衛士となった蔵立杰は七日午前に建国門立体交差橋周辺でビデオ撮影班の警護中にゲリラから狙撃されて死んだとされている（『解放軍報』七月二八日付）。

3　鄧小平の軍幹部接見

混乱は北京だけには止まらず、全国が騒然として、たとえば上海では六月六日夜列車焼討ち事件が発生した（『重要文献』第3巻、XV・5）。成都における軍民の衝突も激しいものであった（『重要文献』第3巻、XV・7、8）。

しかし六月七日には、各レベルの党委員会から武力鎮圧支持の表明が相次いだ。北京軍区、済南軍区、南京軍区、広州軍区、成都軍区の各党委員会、遼寧省、河北省の党委員会、中共中央国家機関党委員会（以上、『人民日報』六月九日付）。海軍、空軍、国防科学工業委、国防大学委、陝西省党委、チベット自治区党委、湖南省党委、江蘇省党委、広西自治区党委（以上、『人民日報』六月一〇日付）。安徽省、青海省、黒竜江省、山西省、雲南省、甘粛省、天津市の各党委員会（以上、『人民日報』六月一一日付）。

六月九日午後、鄧小平は中南海懐仁堂で軍レベル以上の幹部を接見し、鎮圧の苦労をねぎらった。これには楊尚昆、李鵬、喬石、姚依林、万里、李先念、彭真、王震、薄一波も同席した。この模様は同日夜のテレビで全国放映されたが、鄧小平が大衆の前に姿を現したのは、五月一六日のゴルバチョフ会談以来のことであった。鄧小平曰く。

「今回の嵐は遅かれ早かれ来るものであった。それは国際情勢と中国自身の情勢によって決定されており、必ずやってくるものだ」「今回の事件が発生したからといって、われわれの戦略目標が誤っていたということはできない」「誤りは四つの基本原則〔①社会主義の道、②人民民主主義独裁、③共産党の指導、④マルクス・レーニン主義、毛沢東思想〕自体にあるのではなく、一貫して堅持しなかったこと、教育と思想政治工作がまずかったことである」「今後われわれはどうすべきか。われわれが制定していた基本路線、方針、政策はもとのままとし、断固としてやり続ける。個別の表現を変えることはありうるが、基本路線、基本方針、政策はすべて変えない」（『重要文献』第3巻、XV・12）。

鄧小平はここで「教育と政治思想工作」の欠陥に暴乱発生の原因を見出しており、これを除けば、経済発展の基本戦略や改革開放の路線にはまったく問題がなかったのだと強調している。この段階では鄧小平はまだ武力鎮圧の後遺症がどこまで深く広く中国を蝕むことになるかをまだ自覚していない。

九　天安門事件の始末と余波

1　四中全会（六月二三〜二四日）と趙紫陽処分

天安門広場から北京高自聯司令部を排除することによって、民主化運動は制圧したが、武力鎮圧ののちには、早急に解決しなければならない難問が待っていた。

それは抽象的にいえば鎮圧行動を中共中央委員会によって承認することだが、より具体的には趙紫陽処分が中共中央委員会で支持されるかどうか、新総書記を順調に選ぶことができるかどうかであった。

鄧小平は政治局拡大会議（六月一九〜二一日）および四中全会（六月二三〜二四日）を前にして、六月一六日に、ふたたびトップ・グループの指導者たちを呼び寄せた。それは楊尚昆（政治局委員、国家主席、軍事委員会常務副主席）、万里（政治局委員、全人代常務委員会委員長）、江沢民（政治局委員、上海市党委員会書記）、李鵬（政治局常務委員、国務院総理）、喬石（政治局常務委員）、姚依林（政治局常務委員、国務院副総理）、宋平（政治局委員、党中央組織部部長）、李瑞環（政治局委員、天津市党委員会書記）であった。この顔触れは、その一週間後の一三期四中全会（六月二三〜二四日）で新常務委員に選ばれた六人および国家主席、全人代委員長である。ここから江沢民を中核とする新指導部はすでに事実上決定しており、中央委員会では単に追認しただけであることが分かる。鄧小平曰く。

――いかなる事柄も比較しなければならないが、あれやこれや比較して、〔総書記のポストが〕彼〔江沢民〕のところへ回ったのだ。

――私は李鵬、姚依林同志と話した〔五月三一日講話を指す。『重要文献』第3巻、XII・5〕が、新指導部が樹立されたならば、以後もはや私は口を出さず、みんなのやることに干渉しない。これは私の政治的引き継ぎだと私は話した。むろん、君たちに用事があり、私を訪ねた場合、謝絶することはないが、これまでのようなわけにはいかない。

――私の役割が大きすぎることは、国家と党に不利である。いつかある日たいへん危険だ。アメリカの対中国政策でいま注目しているのは、私が病気で倒れ、あるいは死去することだ。国際上多くの国が対中国政策上、私の生命に注目している。私は長年来、この問題を意識してきた。ある国家の命運が一、二の個人の声望の上に置かれるのは、たいへん不健康であり、危険である。事件が起こらなければ問題はないが、事件が起こった場合に収拾できなくなる（『重要文献』第3巻、XVI・1）。

鄧小平のこのような問題提起と人事構想に従って、政治局拡大会議および四中全会が開かれ、構想通りの人事が正式に決定された。二つの会議は要するに、鄧小平提案をそのまま追認したことは、他の中央委員の証言からも明らかである。

ここで鄧小平が具体的に言及しているのは、

①新総書記江沢民を核心とする、李瑞環、宋平を含めた新指導部の人事

②自らの引退提案

である。鄧小平の当時のポストは中共中央軍事委員会主席および国家中央軍事委員会主席であるから、

図一・2　天安門事件当時の権力構造

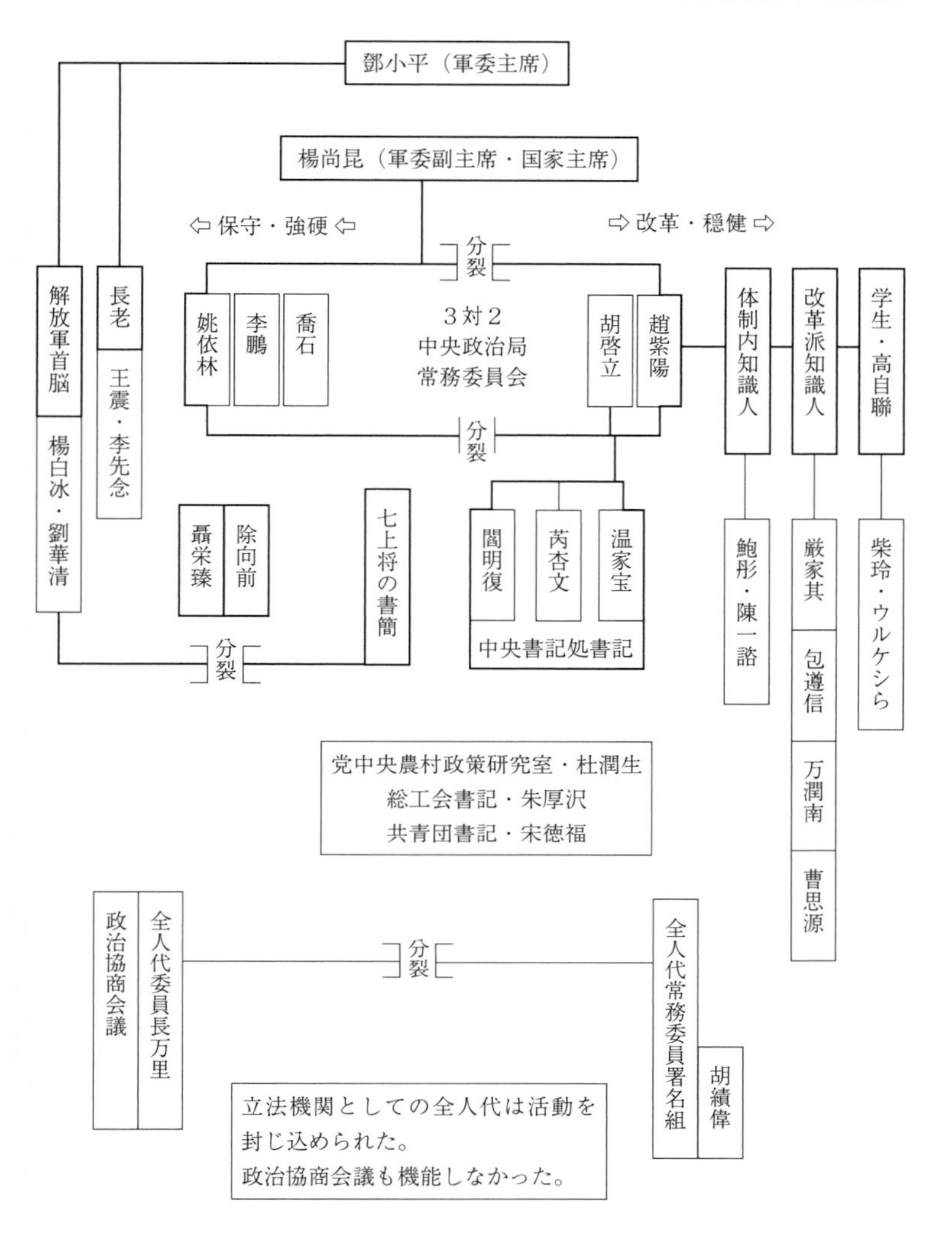

（注）『天安門事件の真相（上）』96頁より再録。

表一・9　中共中央政治局の人事異動

【1987年第13回党大会後　18名】　⇨

	姓名	主な兼職
常務委員	▲趙紫陽	総書記・軍委副主席
	李　鵬	総理・経済体制委主任
	喬　石	政法委書記・書記処書記
	▲胡啓立	書記処書記
	姚依林	副総理・計画委主任
委員	万　里	全人代委員長
	田紀雲	副総理
	江沢民	上海市書記
	李鉄映	国務委員・教育委主任
	李瑞環	天津市書記・市長
	李錫銘	北京市書記
	楊汝岱	四川省書記
	楊尚昆	国家主席・軍事委副主席
	呉学謙	副総理
	宋平	中央組織部長
	▲胡耀邦	
	秦基偉	国務委員・国防部長
候補	丁関根	

▲は13期4中全会で失脚または死去。

【1989年6月13期4中全会後　15名】

	姓名	歳	主な兼職
常務委員	●江沢民	62	総書記・中央軍事委主席
	李　鵬	61	総理・経済体制改革委主任
	喬　石	65	政法委書記・書記処書記
	姚依林	72	副総理
	●宋　平	72	
	●李瑞環	55	書記処書記
委員	万　里	73	全人代委員長
	田紀雲	60	副総理
	李鉄映	53	国務委員・教育委主任
	李錫銘	63	北京市書記
	楊汝岱	62	四川省書記
	楊尚昆	82	国家主席・軍事委副主席
	呉学謙	68	副総理
	秦基偉	75	国務委員・国防部長
候補	●丁関根	60	書記処書記

（注）●は13期4中全会で昇進。

表一・10　中国の動き（武力鎮圧以後）

月　日	主な動向	特徴
6・3	**天安門広場の武力制圧**（～4）	銃による秩序回復
6・9	鄧小平が戒厳部隊軍レベル以上の幹部を接見（武力制圧完了）	
6・16	鄧小平の江沢民ら新指導部への講話	
6・19	政治局拡大会議で趙紫陽「最後の弁明」（～21）	
6・23	**13期4中全会開かれる。趙紫陽解任、江沢民総書記に**（～24）	
9・22	「民主中国陣線」結成（パリ、厳家其主席、ウルケシ副主席）（～24）	中国民主化の逆流と「蘇東波」の衝撃
10・1	戒厳体制下の建国40周年国慶節	
11・1	戒厳部隊のパトロールを武装警察に変更	
11・6	**13期5中全会（経済引締めの決定）。鄧小平が中央軍事委を引退、後任には江沢民**（～9）	
11・9	（ベルリンの壁崩壊）	
12・25	（ルーマニアのチャウシェスク大統領夫妻処刑）	
1990年		戒厳令なき戒厳体制
1・11	**戒厳令解除**	
3・9	13期6中全会（～12）	
3・	反体制地下組織「中国民主救国戦線聯合委員会」結成宣言（北京）	
4・初	柴玲・封従徳夫婦、パリに亡命	

（表一・10、9、資料）村田忠禧編『チャイナ・クライシス「動乱」日誌』（蒼蒼社、1990年）ほか。

引退とはこれら二つの「主席」ポストの辞退にほかならない。

ここから得られる論理的結論はただ一つ、江沢民体制が安定したら、軍事委員会（党レベル、国家レベル）のポストを江沢民に譲ることである。なぜなら、「党が軍を指揮する」のが中国共産党の鉄則だからである。この意味で、鄧小平個人の意志は、五月三一日にすでに明確に提起されていた。ただし、鄧小平提案を政治局会議がどう受け止めるかはまた別の問題であった。この提案にはおそらく少なからぬ抵抗が存在したはずである。

まず第一に、総書記江沢民の軍歴問題がある。胡耀邦は長征参加者であったにもかかわらず、軍事委員会の入口で拒否され、失脚している。趙紫陽は軍事委員会第一副主席という主席昇格含みの新設ポストについたものの、ついに主席まで到達しなかった。胡耀邦、趙紫陽と比べてなおさら軍歴の乏しい、否皆無である江沢民を軍事委員会が受け入れるためには、多くの説得を必要としたはずである。

第二に、天安門事件以後の軍事委員会は楊尚昆・楊白冰兄弟が牛耳っている。実は戒厳部隊を事実上指揮したのは、弟楊白冰である。彼は総政治部主任として、戒厳令布告その他の文書の起草に直接関与したごとくである（『重要文献』第2巻、X・7）。丸腰のデモ隊に対する正規軍隊の出動であるから、総参謀部や総後勤部には出番がなく、総政治部主任が大活躍したわけである。楊兄弟を中心とする軍の強硬派は江沢民ではなく、李鵬と命運をともにしていたのであった。したがって、彼らの論功行賞要求は熾烈であったはずである。そこで楊兄弟をそれぞれ一階級ずつ昇進させ、さらに楊白冰を中央書記処書記に昇格させることによって、バランスをとったのであろう。

こうして、この人事は保守派楊兄弟から見れば、傀儡江沢民主席の誕生である。しかし、改革派からみれば、軍の強硬派指導部に対する改革派のシビリアン・コントロールでもあろう。

第三に、趙紫陽処分問題である。趙紫陽処分をどの程度のものとするかについては、いくつかの選択肢があり得たはずである。胡耀邦は八七年一月に総書記を解任されたが、政治局常務委員、政治局委員のポストはそのままだった。四中全会において、厳しい趙紫陽弾劾演説を行ったのは李鵬であった（『重要文献』第3巻、XVI・3）。李鵬は趙紫陽に対して、①動乱を支持した、②党中央を分裂させた、という二つの罪状で告発し、趙紫陽の党内の職務はすべて解任された。ただし、鄧小平の指示で党籍は留保された。保守派は党からの除名、反革命罪としての起訴も示唆したが、これに対して鄧小平は第一三回党大会の路線は動かさない、改革・開放の路線を堅持することを指示し、保守派の政勢にブレーキをかけた。趙紫陽処分の赴くところ、改革開放路線の名存実亡である。ひいては鄧小平自身の後継者養成の失敗、改革開放路線の破産を認めることにつながりかねない危険性をはらんでいた。趙紫陽は保守派と改革派との綱引きのなかで党籍だけは辛うじて保ったものの、処分問題は継続審議とされた。

むろん、趙紫陽処分に対しても、江沢民昇格に対しても少なからぬ異論があり、中央委員会の採決結果は過半数を辛うじて上回る程度であったと報道されている。

政治局からは、胡耀邦、趙紫陽、胡啓立三委員が消えたのであるから、その穴埋めが必要であったが、欠員を補充するには至らなかった。三つの空席の争奪をめぐって保守派 vs 改革派が激突するおそれがあったために、人事預かりとしたものと見られる。要するに、政治局常務委員の空席を埋めるだけという必要最小限の人事異動を行うに止めざるをえなかったと見てよいだろう。

2　民主化運動に対する報復

武力鎮圧から一〇日目の六月一四日、中共北京市党委員会と人民政府は「粛清〔原文＝清査〕と暴乱鎮圧工作のやり方についての請訓」を党中央と国務院に提出した（『中国之春』九〇年第一期）。ここでは「反革命暴乱に対する打撃対象」が次の一〇種にわたって列挙されている。

①反革命暴乱の計画者、組織者
②非合法組織のリーダーと中核分子
③反革命宣伝と煽動を行った者
④軍警要員を襲撃、傷害、誘拐した者、武器を奪い、軍用車両に放火した者
⑤暴乱期間にその他の殴打、破壊、強奪、放火、殺人などの犯罪を行った者
⑥戒厳部隊から奪った武器弾薬の提出を拒んだ者
⑦反革命暴乱分子をかばい、かくまった者
⑧党政機関や要衝部門を襲撃した者
⑨暴乱期間中にその他の犯罪を行った者
⑩上述の犯罪の摘発に対して報復したり、陥れたりした者

北京市当局のこの提案を中共中央、国務院は六月三〇日付で承認し、中共中央文件として、各省レベル党委員会と人民政府、各大軍区党委員会、中央と国家機関の各部・委員会、軍事委員会各総部、各軍兵種党委員会、各人民団体に宛てて発出した（各省、各軍レベルどまりの「機密文件」）。

この文件に依拠して民主化運動の活動家に対する粛清が全国的に始まった。実は北京市公安局が高自

聯のリーダー二一名に対して、逮捕令状を出したのは六月一三日であった（表一・11）。

周勇軍（政法大学）は六月一一日、馬少方（電影学院）、熊煒（清華大学）は六月一四日にそれぞれ自首し、郭海峰（北京大学）は六月四日、周鋒鎖（清華大学）は六月一三日、熊焱（北京大学）は六月一四日、楊濤（北京大学）は六月一六日、劉剛（元北京大学大学院）は六月一九日、王丹（北京大学）は七月二日、それぞれ逮捕されている。

他方、ウルケシ（北京師範大学）、柴玲（北京師範大学大学院）、封従徳（北京大学大学院）、李録（南京大学）、などは外国に脱出した。注目されるのは翟偉民（北京経済学院）で、依然地下活動を続けており、九〇年三月には北京で西側記者と会っている。

陳希同報告で名指しされた知識人は表一・13の二十数人だが、真っ先に逮捕されたのは（一部は武力鎮圧以前）、鮑彤（趙紫陽秘書）、曹思源（四通社会発展研究所所長）、劉暁波（北京師範大学講師）などであり、ついで于浩成（群衆出版社前社長）、高山（政治体制改革研究室副局長）、戴晴（『光明日報』記者）、陳子明（北京社会経済科学研究室所長）、任畹町（「人権同盟」リーダー）、包遵信（中国社会科学院歴史研究所研究員）、李洪林（福建社会科学院前院長）らが相次いで逮捕あるいは軟禁された。彼らの一部は秦城監獄に投獄され、一部は国家安全部の朝白河招待所に軟禁されていると伝えられる（唐静論文、香港『百姓』九〇年五月一日号）。

方励之・李淑嫻夫妻が六月五日に北京のアメリカ大使館に避難したことはよく知られていよう（『重要文献』第3巻、XV・9、10）。

厳家其、陳一諮、万潤南らはパリに亡命し、「民主中国陣線」を結成した。

表一・11　いわゆる「ごくごく少数の陰謀家」（1）学生

①逮捕状の出た高自聯のリーダー21人（89年6月13日指名手配書順）

姓　名	大学・組織・役割など	生年	その後
王　丹	北京大学歴史系学生。民主サロンを主宰。高自聯常務委員	1969	7月初旬逮捕
ウルケシ	北京師範大学教育系学生。ウィグル族。高自聯常務委員。パリに逃れ、民主中国陣線副主席	1968	パリに亡命
劉　剛	元北京大学物理系大学院生。82年中国科学技術大学卒業。耐磨材料開発公司を辞職して無職	28歳	6月19日逮捕
柴　玲	北京師範大学心理系大学院生。北京大学卒。天安門広場防衛指揮部総指揮。夫は封従徳	1966	90年4月にパリに亡命
周鋒鎖	清華大学物理系学生。陝西省西安市の兄の家に潜伏中、家族の密告のために逮捕	1967	6月13日逮捕
偉民翟	北京経済学院労働経済系学生。河南省新安県出身。高自聯常務委員。90年3月に西側記者と会見	21歳	地下活動継続
梁擎暾	北京師範大学心理系学生	1969	?
王正雲	中央民族学院学生。クツォン族。雲南方言を話す	1968	逮捕
鄭旭光	北京航空宇宙学院学生。河南省密県出身。高自聯常務委員	20歳	逮捕
馬少方	北京電影学院劇作班学生。高自聯常務委員	1964	6月14日自首
楊　濤	北京大学歴史系学生。福建省福州人。北京大学生自治会籌備委員会常務委員	19歳	6月16日逮捕
王治新	中国政法大学学生。高自聯秘書長	1967	?
封従徳	北京大学遥感技術研究所大学院生。高自聯主席。天安門広場防衛指揮部副総指揮。柴玲の夫	22歳	90年4月パリに亡命
王超華	中国社会科学員大学院生。文学史家王瑶の娘。高自聯常務委員	37歳	米国に亡命
王有才	北京大学物理系大学院生。浙江省出身	1966	?
張志清	中国政法大学第二学士班学生。山西省太原出身	1964	?
張伯笠	北京大学作家班学員。黒竜江省出身。天安門広場防衛指揮部副総指揮	26歳	?
李　録	南京大学学生。天安門広場防衛指揮部外聯部長	24歳	7月パリ亡命
張　銘	清華大学自動車工程系学生。吉林省吉林市出身。臨時学聯常務委員	1965	?
熊　煒	清華大学無線電系学生。湖北省応城県出身	1966	6月14日自首
熊　焱	北京大学法律系大学院生。湖南省双峰県出身。北京大学生自治会籌備委員会常務委員	1964	6月14日逮捕

②その他学生リーダー

姓　名	大学・組織・役割など	生年	その後
常　勁	北京大学生。北京大学生自治会籌備委員会常務委員	?	
胡春林	人民大学法律系学生。臨時学聯常務委員	?	
張啓才	民族学院経済系学生。臨時学聯常務委員	?	
周勇軍	政法大学学生。4月27日高自聯主席解任。5月8日高自聯常務委員解任。29日工自聯常務委員となる	?	6月11日自首
郭海峰	北京大学国政系学生、天安門広場指揮部秘書長、高自聯常務委員	?	4日未明逮捕

表一・11　いわゆる「ごくごく少数の陰謀家」（1）学生（続き）

②その他学生リーダー（続き）

姓　名	大学・組織・役割など	生年	その後
項小吉	政法大学国際政治学系学生。北京学生対話代表団主席	?	
沈　彤	北京大学生物系学生。北京学生対話代表団秘書長	21歳	在米
李　潔	北京大物理系本科学生。北京学生対話代表団メンバー	?	
徐国棟	社会科学院研究院法学系民法専業博士。北京学生対話代表団メンバー	?	
連勝徳	天津民航学院学生。天安門広場防衛指揮部副総指揮	?	
楊朝輝	北京師範大学職員子弟。太平ガラス店職員労働者。天安門広場防衛指揮部糾察隊隊長	?	
張智勇	北京大国政系研究生	?	
丁小平	北京大学力学系研究生	?	
周峙峰	武漢大学学生	?	逮捕
潘　江	地方高自聯オルグ	?	逮捕

（注）年齢は事件当時。

（資料）三菱総合研究所編『チャイナ・クライシス WHO'S WHO』（蒼蒼社、1990年）32～34頁、中共北京市党委弁公庁編『1989北京制止動乱平息反革命暴乱紀事』ほか。

表一・12　いわゆる「ごくごく少数の陰謀家」（2）市民・労働者

①逮捕状の出た工自聯〔北京市労働者自治聯合会〕のリーダー

姓　名	単位・組織	生年	その後
韓東方	北京鉄路分路豊台機務段労働者	26歳	
賀力力	北京機械局職員	36歳	
劉　強	北京3209工場労働者	26歳	6月15日逮捕

②その他市民・労働者

姓　名	単位・組織	生年	その後
岳　武	工自聯副総指揮	?	パリに亡命
劉文也	首都鋼鉄公司労働者	?	6月13日逮捕
王維林	6月4日素手で戦車を停めた	?	逮捕処刑か
華徳建	定福庄京湘飲料廠臨時工。市民敢死隊メンバー	20歳	
劉永紅	無職。市民敢死隊メンバー	21歳	

③兵士殺害等で逮捕・処刑された者

姓　名	単位・組織	生年	その後
趙躍堂	男。湖北省公安県農民。崔国政殺害	22歳	6月14日逮捕
楊世増	男。崇文門中医院労働者。崔国政殺害	29歳	6月14日逮捕
李衛東	男。無職。崔国政の遺体棄損	32歳	6月14日逮捕
孟　多	元労働改造犯。無職。李国瑞殺害		6月15日逮捕
林昭栄	放火		6月17日逮捕。死刑判決
羅紅軍	強奪		6月17日逮捕。死刑判決
班会杰	ゴロツキ		6月17日逮捕。死刑判決

（資料）三菱総合研究所編『チャイナ・クライシス WHO'S WHO』32～34頁、ほか。

表一・13　いわゆる「ごくごく少数の陰謀家」（3）改革派知識人

①陳希同報告で名指しされた知識人

姓　名	単位・組織	生年	その後
于浩成	前群衆出版社社長	1926	軟禁
王炳章	前「中国民聯」リーダー		在米
温元凱	中国科学技術大学教授	1946	党除名
戈　陽	『新観察』編集長	1916	在米
金観濤	「走上未来叢書」編集委員	1947	在香港
厳家其	中国社会科学院政治学研究所前所長	1942	パリに亡命
胡　平	「中国民聯」主席		在米
高　山	政治体制改革研究室副局長		逮捕
蘇紹智	中国社会科学院ＭＬ研究所前所長	1923	在米
蘇暁康	北京放送学院講師		在米
曹思源	四通社会発展研究所所長	43 歳	逮捕
戴　晴	『光明日報』記者	1941	逮捕
張顕揚	中国社会科学院ＭＬ研究所研究員	1936	？
陳子明	北京社会経済科学研究所所長		逮捕
陳一諮	経済体制改革研究所所長	1940	パリ経由米国へ
陳　軍	「中国民聯」リーダー		在米
湯光中	「中国民聯」リーダー		在米
任畹町	元「人権同盟」リーダー	45 歳	逮捕
万潤南	四通公司総経理	1946	パリに亡命
方励之	北京天文台研究員	1936	米大使館避難
鮑　彤	趙紫陽秘書	1932	逮捕
包遵信	中国社会科学院歴史研究所研究員	52 歳	逮捕
李洪林	福建社会科学院前院長	1925	軟禁
李淑嫻	方励之夫人	1935	米大使館避難
李沢厚	中国社会科学院哲学研究所研究員	1930	？
劉再復	中国社会科学院文学研究所所長	1941	パリに亡命
劉暁波	北京師範大学講師	1955	逮捕
劉鋭紹	香港『文匯報』北京事務所主任		在香港

②陳希同報告以外の箇所で名指しされた知識人

姓　名	単位・組織	生年	その後
于光遠	中国社会科学院ＭＬ研究所元所長	1915	事実上の党除名
王若水	前『人民日報』副編集長	1926	？
王若望	作家	1918	89年9月8日逮捕
欽本立	『世界経済導報』編集長を解任	71 歳	？
胡績偉	全人代常務委員	1916	人民代表解任
呉祖光	劇作家	1912	離党
高　欣	『師大周報』前編集長		？
侯徳健	シンガーソング・ライター	32 歳	釈放
周　舵	四通公司総合計画部長		逮捕
徐四民	政協委員（香港代表）	1917	在香港
北　島	詩人		？
劉賓雁	ルポルタージュ作家	1924	在米
厲以寧	北京大学教授、全人代常務委員	1930	健在
千家駒	政協委員	1909	在米
阮　銘	哲学者、中央党校		在米
王軍濤	北京社会経済科学研究所副所長	1959	逮捕
張偉国	『世界経済導報』記者		逮捕
王培公	劇作家		逮捕
許小薇	『世界経済導報』記者		逮捕
李南友	世界知識出版社図書編集室副主任		逮捕
楊百揆	中国社会科学院政治学研究所研究室主任		逮捕

（資料）三菱総合研究所編『チャイナ・クライシス WHO'S WHO』32 ～ 34 頁、ほか。

陳希同報告では名指しされていないが、民主化運動に積極的に参加して弾圧された人々も少なくない。たとえば黒子として大活躍した王軍濤（北京社会経済科学研究所副所長）、『世界経済導報』の記者張偉国、許小薇、劇作家王培公などは逮捕された。胡績偉（『人民日報』元社長）は九〇年三月の全人代会議を前にして、「人民代表」の地位を失った。于光遠（中国社会科学院顧問）は党員再登録に際して申請を拒否され、事実上除名された。

当局による民主派知識人に対する非難はほとんどヒステリックなほどである。たとえば表一・14は当局のいう「動乱のエリート」非難キャンペーンの一例である。方励之、厳家其、劉暁波などに対する非難がとりわけ目立つのは、それだけ影響力が大きいことを示していると見てよい。

六月一五日、上海では列車焼討ちの主犯三名に死刑を判決し、直ちに執行し、一七日には北京で軍用車やバスに放火した八人に死刑を判決した。

北京市公安局は六月一〇日までに、「暴徒四〇〇人を逮捕した」と公表した（『重要文献』第3巻、XV・20）。即決処刑は中国国内を震撼させただけでなく、テレビ画面を通じて世界中の茶の間を震撼させ、人民中国のイメージは史上最悪のレベルまで急降下した。

その後、イデオロギー面での引締めはますます強化された。最も典型的な一例は九月に入学した北京大学の新入生七〇〇人余が一年間にわたって石家荘陸軍指揮学院で軍事教練を受けることになったケースであろう。これは北京大学が民主化運動の原点となったことに対する報復を象徴的に示すものであった。

表一・14　当局による「動乱エリート」批判のキャンペーン

被批判者	批判者・論文名・発表紙誌
方励之	李京「方先生はもはや独立していない」『北京日報』89年6月12日 陸詩宜「外国の傘に身を隠した鼓吹手」『北京日報』89年6月13日 凌陣「方先生はアメリカのためにいかなる計略を捧げたのか」『北京日報』89年6月15日 凌陣「方励之らはどのように中国を解体するつもりか」『北京日報』89年7月14日 趙前「方励之・張顕揚らはかねて動乱を提起していた」『人民日報』89年7月17日 甌海「方励之の反共売国の経過」『光明日報』89年9月9日 余敏「方励之の鼓吹する西方民主主義を分析する」『人民日報』89年11月6日
王　丹	ある大学生「私は王丹の状況を伝える決心をした」『北京日報』89年6月16日
劉暁波	王昭「劉暁波の黒い手をつかむ」『北京日報』89年6月24日 凌陣「劉暁波のプロフィール」『北京晩報』89年7月4日 徐穎「劉暁波の〈河殤〉観を分析する」『北京日報』89年7月26日 馬潤青「奴才売国面の大暴露」『工人日報』89年9月8日 石達文「狂人から黒い手へ」『人民日報』89年9月27日 蔣兆祥「劉暁波の非理性的美学観を評す」『人民日報』89年10月3日 聞平「民族ニヒリズムから売国主義へ」『人民日報』89年11月7日 穆強「劉暁波が欲するのはいかなる自由か」『動乱"精英"劣跡録』中共北京市党委研究室編、北京・北京出版社、89年12月
李淑嫻	周彤文「李淑嫻はいかなる中国心をもっているのか」『人民日報』89年7月15日
厳家其	李建生「動乱の"エリート"厳家其」『人民日報』89年8月3日 鐘海「厳家其『首脳論』を評す」『光明日報』89年9月2日 呉大英・李延明「社会主義の共和国は転覆させられない」『人民日報』89年9月21日
万潤南	葉光「万潤南は石を持ち上げて誰に落とすか」『人民日報』89年8月17
ウルケシ	石青「ウルケシの真面目」『中国教育報』89年8月29日 魏谷「ウルケシはアメリカでいかなる役割を演じているか」『瞭望』89年第35期 范民友「ウルケシその人」『人民日報』89年12月3日、『瞭望』89年第48期
戴　晴	鄺岩「動乱の記者・戴晴」『光明日報』89年9月13日
戈　陽	喬煊「動乱の老女エリート戈陽」『光明日報』89年10月14日
劉賓雁	郭帆「劉賓雁の反動的面目の大暴露」『人民日報』89年11月3日
李洪林	厳和「ブルジョア自由化の理論家李洪林」『動乱"精英"劣迹録』中共北京市党委研究室編、北京・北京出版社、89年12月
王若望	栾保俊「王若望その人」『人民日報』90年1月6日
胡績偉	陳延「彼らは何を宣揚したか？——胡績偉主編『猛醒的時刻』を評す」『人民日報（海外版）』90年4月5日
陳一諮	龔佐周・金燦「陳一諮の真面目を見よ」『人民日報（海外版）』90年4月14日
蘇紹智	馬理銘「反社会主義、反マルクス主義の面目の大暴露——蘇紹智の海外での若干の言論を評す」『人民日報（海外版）』90年4月27日

（資料）中共北京市党委研究室編『動乱"精英"劣迹録』北京・北京出版社、1989年12月、ほか。

3 東欧の激動と五中全会（一一月六〜九日）

武力鎮圧から三カ月後の九月四日、鄧小平は中共中央政治局常務委員六人に楊尚昆、万里を加えた八人に対して、再度自らの軍事委員会主席引退問題を提起した。

「もし私が一九八五年に引退しておれば、はるかによかったが、いま引退しても遅くはない〔原文＝如果我在八五年退下来就更好、但現在退也不晩〕」。

鄧小平はさらにこう述べた。

「〔一九九二年に予定されている〕第一四回党大会では、もう顧問委員会は不要だ」「改革と開放を堅持する者が結局は勝利を得ることを私は固く信じている」「〔趙紫陽処分問題について〕やはり党内に留めておこうではないか」（香港『鏡報』八九年第一二期）。

この際に鄧小平は中央政治局に宛てた中央軍事委員会主席辞表（九月四日付）を手渡したようである（公表は『人民日報』八九年一一月一〇日付）。五中全会はこの辞表を承認し、江沢民を主席に、楊尚昆を第一副主席に、劉華清を副主席に、楊白冰を秘書長に選んだ（同上）。

文化大革命期に実権派として打倒され、一九七三年に復活した鄧小平は一九七六年四月五日の第一次天安門事件を通じて再度（江西ソビエト時代を加えれば、三度目の失脚）失脚した。この体験を通じて、毛沢東晩年の誤りを鄧小平は痛切に自覚していた。それゆえ彼は「終身制の廃止」を主張し、生前の引退構想を練ってきた。一九八二年九月第一二回党大会で胡耀邦を総書記に抜擢し、ついで一九八五年九月の中国共産党全国代表者会議で人事の若返りを敢行し、自らは半引退〔原文＝半退〕した。すなわち中央顧問委員会主任のポストを下り、中央軍事委員会主任のポストだけを保持する形となった。当時、鄧小平自身は「完全引退」を主張したが、政治局の同意を得られなかった。

政治局メンバーのうち、鄧小平引退に同意しなかったのが長老たちであることは、のちに胡耀邦事件が起こって明白になった。保守長老派たちは鄧小平に圧力をかけて、胡耀邦を失脚させたのであった。胡耀邦辞任事件において、鄧小平は長老たちの意を受けた形で胡耀邦を斬ったのであった。

そして八九年の天安門事件においては、胡耀邦の後継者たる趙紫陽を再度斬る形となった。こうして鄧小平は自らが擁立した後継者を相次いで二人処分するハメに陥った。鄧小平は後継者養成において失敗しただけでなく、その処分を通じて自らが一〇年にわたって追求してきた改革と開放の政策を危殆に瀕せしめたのである。

ここに一つのエピソードがある。東ドイツの建国四〇周年祝典（八九年一〇月七日）に中国共産党を代表して参加したのは、保守派の姚依林であった。彼は天安門広場武力鎮圧の経験を自信たっぷりにホーネッカーに紹介し「ホーネッカーはもし東独に動乱が現れたら、北京に学んで断固として鎮圧すると言明した」という。この姚依林・ホーネッカー会談のニュースに激怒したのがゴルバチョフであった。『モスクワ・ニューズ』に、中国の天安門事件を「粗暴であり、野蛮である」「このようなやり方は八〇年代にふさわしくない」とする非難が載ったのはそれからまもなくであった。『モスクワ・ニューズ』はゴルバチョフのブレーン集団の新聞である。ゴルバチョフはこの記事によって、表向きは北京を非難しつつ、実際には合わせてホーネッカーを非難した。こうして一〇月一八日、ホーネッカーが失脚し、クランツが昇格したが、クランツはかつてソ連留学時代にＫＧＢの訓練を受けたことのあるソ連派であった（香港『鏡報』八九年第一二期、劉燕英論文）。

ホーネッカー引退の背後で実はもっと大きな地殻変動が生じていた。すなわちベルリンの壁の崩壊である。しかも、こうした地殻変動の出発点をなす大衆のデモがそもそもは天安門事件に抗議して東ベルリンの中国大使館へ向けて行われたものであったことは、歴史の強烈な皮肉である。

八九年一一月末、中央軍事委員会主席を引退した鄧小平は人民大会堂で政治局常務委員および楊尚昆、万里らを前にして、東欧情勢についてこう語った。

「いまやルーマニアだけが〔社会主義を〕堅持している。しかしいつまで堅持できるかを多くの同志は憂慮している。チャウシェスク同志が〔一一月の党大会の祝賀に赴いた〕喬石同志に対して、ルーマニアは社会主義の不沈の巨船だと語った。喬石同志が帰国後ルーマニア党大会の状況を紹介したので、この憂慮は不要になった」（『争鳴』九〇年第一期）。

一二月二六日チャウシェスク処刑のニュースが北京の中央電視台（中央テレビ局）から放映された。鄧小平はルーマニアのその後の事態の急展開を知って、人民大会堂に喬石、銭其琛（外交部部長）を呼びつけ、彼らの報告の状況誤認を叱責したという。

ホーネッカー失脚、チャウシェスク処刑と相次いだショックに続いて、九〇年二月、モスクワから複数政党制、共産党独裁相対化の激震がやってきた。これらの衝撃は、中国共産党にとって並大抵のものではあるはずがない。血は水よりも濃く、ソ連東欧と中国は「共産党独裁体制」の一点において瓜二つである。それゆえ、ここには「中国的特色」の余地は存在しない。ソ連東欧の民主化の波は中国共産党の一党独裁体制の深部にボディブローを与えた。この衝撃にもかかわらず共産党は戒厳令を一月一一日に解除した。これはあくまでも外向けのものにすぎない。つまり西側の経済制裁あるいは経済協力の停止が中国経済に対して、大きな締めつけとなっており、経済協力再開を要講するために、戒厳令解除に踏み切った形跡が濃厚である。

国内的には、実質的な戒厳体制は現在もなお続いており、当面解除の見通しは立たない。文化大革命期の初期段階を想起させるような解放軍における「雷鋒に学べ」キャンペーンが全党的に行われていることは、イデオロギーの引締めのあり方をよく示している。

中華人民共和国が建国四〇周年を戒厳体制の下で祝賀せざるを得なかった事実の意味は、限りなく深刻である。それは中国社会主義が単なる軍事政権に転落したことを示し、軍事政権という現実は中国社会主義が破産に瀕していることを象徴している。

さて、武力鎮圧以後の混乱した経済秩序を再建するために、五中全会が開かれた（一一月六〜九日）。この間、すなわち六月の四中全会から一一月の五中全会までの間に、鄧小平は二度趙紫陽を自宅に招いている（『百姓』九〇年四月一日号、陸鏗論文）。

趙紫陽は、①四・二六社説の基調に賛成できない。②学生運動は愛国的なものである。③動乱を支持し、党を分裂させたとする罪状は納得できない。④十年の改革の方向は正しく、成果は大きい、と四点を主張したといわれる。

これに対して鄧小平は「大局から着想して、しっかり考えよ」と諭したという。

五中全会では「整備整頓と改革深化をよりいっそう行うことについての中共中央の決定（三九カ条）」が採択された（公表は九〇年一月一七日）。この決議は八八年秋の三中全会以後一年余の経済調整を踏まえて、引締め方針を再確認したものだが、表向き引締め堅持の方針と経済危機回避のための事実上の金融緩和との対照が際立っていた。

4　六中全会（九〇年三月九～一二日）と後遺症

年が明けて一九九〇年二月、六中全会（三月九～一二日）と全国人民代表大会（三月二〇日～四月四日）、政治協商会議（三月一八～二九日）を控えて、鄧小平はもう一度趙紫陽を呼び寄せ、国事についての意見を求めた。

これに対して趙紫陽は「主観的には反党や党を分裂させるつもりはなかったが、客観的には党に大きな損失を与えた」事実を認めた。部下の鮑彤や陳一諮らの行動についてはこう述べたという。「一部は彼らが勝手にやったものだが、監督責任は私にあり、この意味では〔総書記としての〕職責を欠いたところがある〔原文＝失職〕」。

鄧小平はなぜ趙紫陽の意見を求めたのであろうか。全人代の開催を前にして、趙紫陽や胡啓立の「人民代表」の資格をどう扱うかの問題があり、李鵬ら保守派は追放を画策していた。しかし、鄧小平の指示の結果、趙紫陽の「全国人民代表」の資格は剥奪されず、したがって趙紫陽よりも罪状の軽い胡啓立のクビもつながった。会議に姿を現した胡啓立に対して各代表は握手攻勢をかけることによって、江沢民や李鵬を軽視し、民心のありかを間接的に示した。

こうして趙紫陽、胡啓立はそれぞれに最低限の政治的地位を保証されたが、全人代緊急会議の開催要求で活躍した胡績偉は四川省代表に選ばれず、また穏健派を代表して学生指導者との対話に粉骨砕身した閻明復は政協副主席、政協委員の資格を失った。

六中全会では「中共中央の党と人民大衆との連携を強化することについての決定」を採択した。これは天安門事件やソ連東欧の激動の根本的原因は、指導部が人民大衆から離れたことにあるとして、「大衆のなかから、大衆のなかへ」という中国共産党のお家芸たる大衆路線〔原文＝群衆路線〕の方法を再確認しようとするものであった。

二月一五日付『人民日報』は「基層へ行こう」と題する社説を掲げて「国際面、国内面の政治的嵐がいかに大きくとも、人民大衆の支持さえあれば、持ちこたえることができる」「一つは大衆の意見、建議、批判を誠心誠意傾聴すること、二つは党と政府の方針、政策を宣伝すること、三つは基層幹部、大衆とともに相談し、生産、工作、生活での実際の困難を解決すること」だと社説は論じた。

この社説のもと、江沢民は黒竜江省へ（二月二三日〜三月一日）、喬石は上海市へ（二月二三〜二六日）、李鵬は厦門市へ（二月二四〜二七日）、宋平は四川省へ（二月二四〜二八日）、李瑞環は山東省へ（二月二六日〜三月一日）、姚依林は陝西省へ（二月二五〜二八日）、それぞれ出向いた。

政治局常務委員の全メンバーが揃って、北京を離れ地方遊説へ出かけるのはたいへん珍しい。中国の政治がいかに危機的状況にあるかを間接的に物語っていると見てよい。しかしながら、手垢にまみれた「大衆路線」が危機対策の特効薬になりうる可能性はほとんどない。

九〇年北京の春は、建国以来最大の危機感に彩られているが、顧みて八八年秋以来の一年半の動向を図式化すれば、次のごとくであろう。

経済改革の危機からこれを突破するための民主化運動へ。民主化運動の弾圧による国内政治危機へ、そして国際的孤立化へ。ついで内外の危機によって加速されてさらなる経済危機へ。経済危機と政治危機との相乗作用。そこへ追い打ちをかけるソ連東欧の変革の衝撃（拙稿「中国経済の長く深い低迷」『世界』九〇年五月号）。

こうして中国社会主義の危機は、国内的要因と国際的要因の相互作用からなる「全般的危機」、すなわち複合的、重層的危機であり、まさにチャイナ・シンドロームにほかならない。社会主義下の中国で初めて「信念の危機」が語られたのは、一九八〇年初のことであった（郭羅基論文、上海『文匯報』八〇年一月二三日付）。そこから経済改革が始まり、政治改革の必要性へと認識が深まった。

しかし、改革は否応なしに、既存の体制を深部から動揺させざるを得ない。既得利益階層の特権を侵害することなしには改革は一歩も進まない。この文脈では天安門事件は改革の行方に危機感を感じた保守派の巻き返しであったと見ることができる。

一九七六年の第一次天安門事件が二年を経ずして七八年一二月の一一期三中全会で名誉回復された事実はよく知られている。この歴史を用いて学生たちは戒厳部隊に対して説得を試みた。厳家其は『文革十年史』を書いて、文化大革命を総括し、ついで『四五運動紀実』を書いて、第一次天安門事件を総括した論客である。厳家其はパリに亡命したのち、中国の政治動向について三つの可能性を語っている（香港『明報』八九年七月二三～二四日付、のち『走上民主政治――厳家其中国政治論文集』所収）。

第一の可能性は、学生と人民の大規模な反抗に直面して、江沢民を代表とする勢力と李鵬、楊尚昆集団が結託して食い違いを彌縫し、共同して民主化運動に対処することである。

第二の可能性は李鵬・楊尚昆集団がよりいっそう自己の権力を拡大するために、鄧小平の配置した四中全会の枠組に反抗して、各種の手段を通じて江沢民、李瑞環らの権力と影響を削減することである。第三の可能性は、適当な時機に、李鵬・楊尚昆らをスケープ・ゴートとして失脚させて大屠殺、大逮捕に対する恨みを緩和することである。学生運動が「腐敗から生まれたこと」は、鄧小平も認識しており、それゆえ「〔民主化分子の〕処刑は限度が必要だ」と表明している。江沢民もまた「性質の異なる二つの矛盾を厳格に区別し、政策を厳格に執行し、厳格に法に照らして事を処理せよ」と語っている。

これら三つの可能性のうち、第一の可能性は小さい。第二の可能性は、李鵬・楊尚昆集団が民心を失っていることからして、彼らが自己の勢力を拡張しようとすれば、全国人民の抵抗と反対に遭うだろう。したがって、中国の政局は第三の可能性に沿って発展する可能性が高い。李鵬の失脚は避けられない。失脚は時間の問題にすぎない。新たな政治局常務委員のなかから、鄧小平はすでに未来の総理を物色し始めている（同上、三二二頁）。

さて厳家其の書生論的政治学はどこまで的中するであろうか。「五・一七宣言」においては、標的を鄧小平にしぼり、戦術的には敗北の契機を作った。今回は、李鵬に焦点を当てて、むしろ鄧小平の英明さに期待しているかに見える。鄧小平がかくも大きな存在であるからには、ポスト鄧小平がやはり事態を流動化させるカギとなるだろう。ちょうどポスト毛沢東がそうであったように。北京の春はまだ来ないが、権力者たちにとって薄氷踏むが如しである。

第二部　天安門事件の軍事的プロセス

序　問題の所在と探究の方法

いずこの国でも軍事機密は厚いベールに閉ざされている。機密の意味を再考してみると、それは敵からの防衛のためにほかならない。しかし、味方に対しては秘密を保持する必要があるわけではなく、むしろ情報を知らせる必要がある。たとえばどの部隊のどの兵士が敵と最もよく戦ったのか、信賞必罰の対象はどの部隊、どの兵士たるべきなのか――。これらが仮に軍事機密の名において、軍隊内部においてさえ曖昧なままに残されるならば、指導部による恣意的な論功行賞が横行しかねない。そのような軍隊は軍内の士気を高めることはできまい。

この事実は、軍事機密が軍内部における情報公開と紙一重であることを物語っている。言い換えれば、軍の情報を機密扱いすることには矛盾があるわけである。一方では敵に対して機密を保持する、他方では味方に対して情報として知らしめる。したがって、軍事機密のゆえに、ボカされた情報でさえも、軍内部に視点を置いたものと仮定して解読するならば、真実に迫りうる可能性がある。

現代社会主義諸国は基本的に情報支配を権力維持の特徴としており、チャイナ・ウオッチングの方法の一つは、秘匿された真実を周辺の情報から解読することにある。そのような訓練を心掛けてきた者にとって、同じ方法を適用して、軍事情報を解読する試みはたいへんスリリングである。

中国当局側情報もさまざまである。真実を秘匿することはいうまでもなく、ときには、敢えてミスリーディングな情報をまき散らすことによって、真相への接近を妨げることさえある。そこで、無数の情報のなかから、腑分けし、意味のある情報を分析することによって、真相に迫る試みを行う必要がある。私自身は軍事問題については素人であるが、軍内部で流通された公開情報を分析することによって、どこまで真相に迫れるか、挑戦してみよう。

では、軍事機密として指定されているのはなにか。手許の『中国人民解放軍軍語』(中国人民解放軍軍事科学院編、北京・中国人民解放軍戦士出版社、一九八二年一二月)を開いて見ると、こう定義してある。「国防、軍隊の安全と利益にかかわる、規定範囲外に公開してはならない事項のこと。たとえば部隊の番号、実力、作戦行動、軍事計画、重要軍事施設などである。その機密度に応じて、絶密、機密、秘密〔の三段階〕に分かれる」(一九〇頁)。

もう一つの記述例。『解放軍報』のある小さなコラムはこう書いている。

「機密関係は軍隊の生命である。北京で戒厳任務を執行する各部隊の機密保持工作は立派に行われている。しかし反革命暴乱が平定され、首都の秩序が回復するにつれて、個々の同志の脳裏で機密保持の弦が緩み、ときには知らず識らずのうちに、部隊の番号、編制、装備などの状況を漏らすべきではない者に漏らしている。これは断じて許されるべきではない」(李維起「機密保持には慎重のうえにも慎重に」『解放軍報』八九年八月一九日付)。

ここから明らかなように、「部隊の番号、作戦行動」などは、一般に機密扱いである。したがって、解放軍あるいは中国当局の公表資料では、これらの記述はすべて某集団軍、某師団、某連隊、某大隊、某中隊といったように「某」で置き換えられている。しかし、これらの某、某部隊の記録では、武力鎮圧の舞台裏の真実がほとんど見えてこない。そこで公表資料から伏せられた某の意味を推定する作業が不可欠である。むろんその試みには一定の限界があるが、しかし、痕跡をたどることによって鎮圧の真相の骨格程度は把握できるはずである。

天安門事件およびその後の東欧ソ連の激動を見るうえで、「情報」の役割は決定的に大きかった。政変劇の陰の主役は情報であり、東欧では情報が独裁権力を倒したと言って過言ではない。しかし、情報にはまた少なからず「虚報」が含まれている。ここでは天安門事件の武力鎮圧について情報の虚実を腑分けし、真相を抉りだそうとするものである。誰もが抱く疑問を列挙しておけば、こうなるであろう。

①丸腰の学生や市民のデモに対して、なぜ戒厳令発動が必要であったのか。
②戒厳令布告二週間後に、広場の制圧を命じたのは誰か。
③制圧命令はいかに計画され、伝達されたのか。
④発砲命令は誰がいつ出したのか。
⑤抗命問題の真相はなにか。発砲を避けた部隊はどれか。
⑥軍と群衆との衝突の実態はいかなるものであったのか（五月一九日から六月一日までの対峙。二日から三日未明までの衝突と軍の敗退。三日午後から四日朝までの衝突）。
⑦鎮圧によって、結局どれだけの犠牲者が出たのか。
⑧軍と軍との衝突はあったのか。

これらのテーマを中心に、武力鎮圧の構図を描いてみよう。その実像は事件直後に伝えられた西側情報をもとに、われわれが想像した姿とは、著しく異なっている。たとえば最も激しく発砲したのは三八軍であり、当時虐殺の下手人と非難された二七軍はそれほど殺傷していない。とすれば、なぜあのような虚像が生まれたのか。

軍事過程を分析するに際して、はじめにいくつかの表を掲げておく。

表二・1は中国人民解放軍の組織図である。これは一九九〇年四月現在の人事に基づいているが、右肩に天安門事件当時の中共中央軍事委員会のメンバーを掲げておいた。

表二・2は解放軍将校の職務等級と編制階級である。

表二・3は将校だけでなく、「士兵」をも含めた階級一覧である。まず「軍官」と「士兵」に分けられ、「軍官」は「将官、校官、尉官」の三階級からなり、「士兵」は「士官、軍士、兵」の三階級からなること、それぞれの階級がまた細分されていることがこの表から分かる。なお、現行制度の下では元帥はおらず、また大将の呼称もない。現在の最高位は「一級上将」である。

表二・4は軍の編制単位を示したものである。班は戦士編制の最小単位である。通常は三班をもって一排が編制され、三排をもって一連が編制され、三連をもって一営が編制され、三営をもって一団が編制され、三団をもって一師が編制され、三師をもって一軍が編制される。

表二・1　中国人民解放軍組織図（1990年4月）

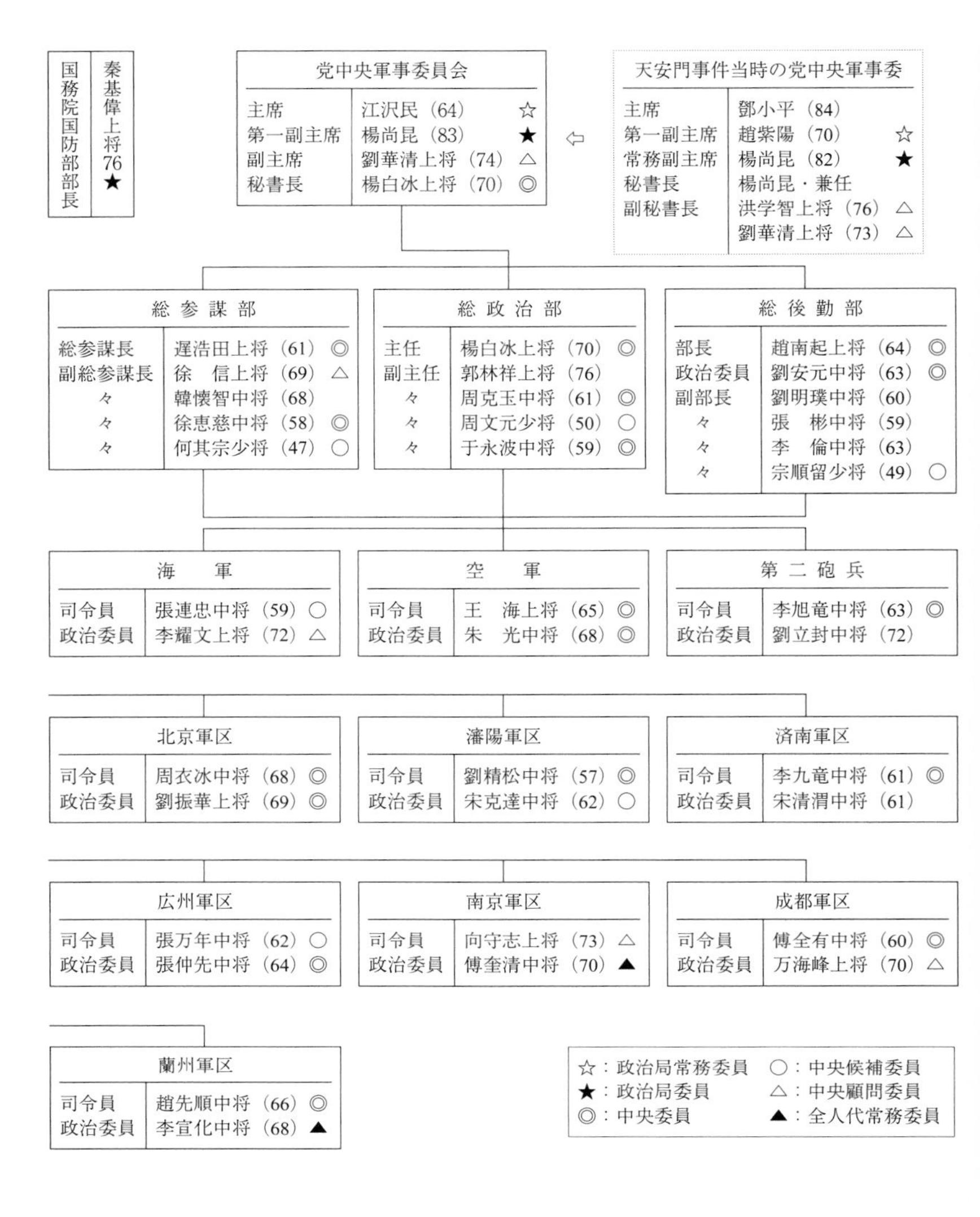

表二・2　中国人民解放軍将校の職務等級と編制階級

◎：基準階級　○：範囲を示す

職務等級＼階級		一級上将	上将	中将	少将	大校	上校	中校	少校	上尉	中尉	少尉
中央軍事委員会主席・副主席		職務等級と編制階級は全人代常務委が別に規定										
中央軍事委員会委員			◎	○								
総参謀長・総政治部主任			◎	○								
大軍区司令員	（正軍職）		○	◎	○							
大軍区副司令員	（副軍職）			◎	○	○						
軍司令員	（正軍職）			○	◎	○						
軍副司令員	（副軍職）				◎	○	○					
師団長	（正師職）				○	◎	○					
副師団長・旅団長	（副師職）					○	◎	○				
連隊長・副旅団長	（正団職）						◎	○				
副連隊長	（副団職）							◎	○			
大隊長	（正営職）							○	◎			
副大隊長	（副営職）								○	◎		
中隊長	（正連職）									◎	○	
副中隊長	（副連職）									○	◎	
小隊長	（排　職）										○	◎
高級専門技術職務				○	○	○	○	○	○			
中級専門技術職務							○	○	○	○		
初級専門技術職務									○	○	○	○

階級制度復活時（1988年10月1日）の主な大軍区級の授与者

〔**上将**〕徐信（副総参謀長）、郭林祥（総政治部副主任）、尤太忠（軍事委紀律検査委第二書記）、王誠漢（軍事科学院政治委員）、張震（国防大学校長）、李徳生（国防大学政治委員）、劉振華（北京軍区政治委員）、向守志（南京軍区司令員）、万海峰（成都軍区政治委員）、李耀文（海軍政治委員）、王海（空軍司令員）。

〔**中将**〕徐恵慈（副総参謀長）、韓懐智（副総参謀長）、周克玉（総政治部副主任）、劉安元（総後勤部政治委員）、張連忠（海軍司令員）、朱光（空軍政治委員）、李旭閣（第二砲兵司令員）、劉立封（第二砲兵政治委員）、周衣冰（北京軍区司令員）。

〔**少将**〕何其宗（副総参謀長）、周文元（総政治部副主任）。

表二・3　中国人民解放軍の階級

軍官	将官	一級上将、上将、中将、少将	士兵	士官	軍士長
	校官	大校、上校、中校、少校		軍士	上士、中士、下士
	尉官	上尉、中尉、少尉		兵	上等兵、列兵

（注）①旧兵役法は55年7月制定、65年5月廃止。②新兵役法は84年5月採択。
（資料）『人民解放軍新軍銜制』

表二・4　中国人民解放軍の編制

原文	軍区	方面軍	集団軍	軍	師	旅	団	営	連	排	班
日本語					師団	旅団	連隊	大隊	中隊	小隊	分隊
党組織	軍区政治委員		集団軍政治委	軍政治委員	師団政治委員		連隊政治委員	政治教導員	政治指導員 党支部	党員	党員
およその人数				43,000	11,600		2,800	680	150	37	12
武装警察の編制					総隊		支隊	大隊	中隊	站・所	

（資料）Nelsen, The Chinese Military System, p.4 ほか。

一　政治過程への軍隊の動員

1　北京軍区三八軍の出動

通常北京市内の警備は、武装警察部隊と北京衛戍区部隊によって行われている。では、北京軍区の三八軍（駐屯地は保定、北京の西南一五二キロ）が最初に動員されたのはいつか。

これについては四月二二日説と二五日説と二つの情報がある。長らく胡耀邦の身辺にあった旁旁（筆名）の記録『胡耀邦之死』（香港・大地出版社、八九年七月）は、こう記録している。

「四月二二日午前三時、三八軍の二個師団の将兵が時間通りに天安門広場に到着した。今日彼らは衛戍区の三個師団とともに、天安門広場と北京のその他の主要地区の戒厳任務を担当する。毛沢東から〝万歳軍〟と賞賛された三八軍は、かつて朝鮮戦争で困難な戦いを戦ったことがある。この数日、北京の学生たちが頻々と騒ぎを起こし、警備力が明らかに不足していた。そこで保定に駐屯しているこの虎の子部隊を学生に対処する切札としたものである」（一一八頁）。

しかし、より広く行われているのは、四月二五日説である。四月二五日、鄧小平は地安門近くの私邸を訪れた楊尚昆（政治局委員、国家主席、軍事委員会常務副主席）、李鵬（政治局常務委員、総理）を前にして、北京市党委員会（書記＝李錫銘）のまとめた学生運動についての報告趣旨を承認し、学生運動を「動乱」であると断定した。このとき鄧小平は、即座に武装警察北京総隊に加えて首都防衛任務を担う北京軍区第三八集団軍の二個師団（約二万人）に対しても出動命令を下した。それらの部隊は続々と北京市周辺に移動し始めた（北京発AFP時事四月二六日電、『産経新聞』四月二九日付）。

三八軍の出動が四月二二日あるいは二五日、いずれにしろ、この段階では武装警察部隊も三八軍も丸腰の出動であり、威圧や説得の行動に限定していた。武装警察北京総隊、中央警衛師（師長兼中央警衛局局長・楊徳中中将）による人民大会堂、中南海警備などがこれに先立って行われていたことはいうまでもない（たとえば四月一九日、二〇日の新華門における衝突を見よ）。

最初に動員された三八軍に対して学生たちは活発に説得活動を行った。その効果もあって（おそらく原因はそれだけではあるまいが）生まれた三八軍の消極姿勢あるいは抗命問題について、香港『明報』は「本報専訊」として次のように報じている。

「ある学生指導者が昨日（五月一五日）昼に天安門広場の放送でこう述べた。四月二七日に入城し学生デモの隊列を阻止するよう命ぜられた解放軍三八軍は、最近中央の命令を執行することを再度、拒絶している。『軍長から兵士に到るまですべて入城を拒否している』。この消息は学生にとってきわめて大きな鼓舞となっている。同時に学生はまた広場で一部の軍人が学生を支持した書簡〔のコピー〕をばらまいた」（『明報』五月一六日付）。

三八軍二個師団の動員のニュースをつかんだ学生側は、四月二七日の天安門広場集会で、三八軍の軍歌を唱うことによって、三八軍との連帯を強調した（元NHK大崎雄二特派員の証言）。

六月八日付『タイムズ』（ロンドン）はのちにこう報じている。

「天安門広場の多くの学生は大学入学前の軍事教練を三八軍で受けていた。一部の将兵は個人用武器と火災瓶を作る材料を学生に手渡したと非難された」（Jane's Information Group, "Special Report" in *China in Crisis*, p.23 から再引用）。

ここで三八軍（三八集団軍）について、若干説明しておく。

三八軍は林彪が司令員を務めていた第四野戦軍の虎の子部隊である。とりわけ文化大革命の開始を決定した八期一一中全会（六六年八月）の直前に北京市内に動員された事実はよく知られている。毛沢東は林彪系のこの部隊を動員することによって初めてクーデタの危険をなくし、文革を推進できたのである（『現代中国の歴史』有斐閣、二四九頁）。

なお、集団軍とは「若干の軍あるいは師団から構成される軍隊組織であり、方面軍あるいは統帥部に所属するもの」と定義されている（前掲『中国人民解放軍軍語』一三三頁）。三八集団軍とは、旧三八軍（歩兵）を中核として、その他の兵種あるいは軍種を加えて合成された陸軍部隊である（同上、一三四頁）。つまり「合成軍隊」としての集団軍と旧来の軍級組織とは異なるが、中核は同一であり、このことから往々集団軍を単に「〇×軍」と略称することも広く行われている。

2　三八軍軍長の抗命

五月一七日の戒厳令決定前後に三八軍軍長の「抗命」問題が発生した。N・クリストフは、次のような伝聞を報じている（『ニューヨーク・タイムス・マガジン』八九年一一月一二日号）。

三八軍の司令員は徐海東（十大大将の一人。中央軍委委員、国防委委員歴任）の息子であったが、彼は四月二七日の出動の際の学生との小競り合いに懲りて、もはや再度出動することを拒否した。徐将軍は三八軍の指揮を放棄して入院してしまった（N・クリストフ、六六頁）。

その後、「徐将軍」のフル・ネームは徐勤先であると香港紙『サウスチャイナ・モーニング・ポスト』

（八九年一二月二八日付）が伝えた。

この問題についての最も詳しい情報は「北京軍区のある軍人」署名の「三八軍徐軍長の解任経過を記す」と題したビラである。

八九年三月末のある日、三八軍徐軍長は新兵に対する手榴弾投擲訓練に立会い、骨折し、北京軍区の陸軍総医院に入院した。四月初めから五月中旬までの四十数日、徐軍長は医院のテレビで学生運動の発展、ハンストなどをつぶさに見た。五月中旬のある日、三八軍軍長は突然北京軍区司令部に呼び出され、司令員周衣冰、政治委員劉振華（ビラは周一杉、劉華清と誤記している）から鄧小平署名の軍事委員会命令書を手渡された。命令の内容は三八軍が速やかに北京に進撃し、動乱を制止せよというものであった。徐軍長は杖を引いて駐屯地（保定）へ戻り、各級指揮官を集めて「戦前緊急動員」を行い、命令を伝達したが、自らは「病につき指揮不可能」として、再び陸軍総医院に入ってしまった。

これを聞いて楊尚昆（軍事委員会常務副主席）が激怒し、北京市朝陽区にある陸軍総医院に自ら署名した軍長解任の命令書を持った保安要員を派遣するとともに直ちに身柄を軍事法廷に送検した（八九年五月二九日、『中国民運原資料精選（第二輯）』十月評論社、八九年六月、所収）。

このビラがどの程度に真実であるかは確認できないが、三八軍軍長の抗命事件はまたたく間に三八軍全体に広まり、天安門広場の自主放送は五月一五日昼の段階で既に軍長の入城拒否を放送している（前掲、香港『明報』五月一六日付）。

五月一五日の時点で軍長の入城拒否のニュースが流れていることが重要であろう。

事後に九〇年一月一八日北京発共同電はこう伝えた。

「中国筋は一月一七日、天安門事件の際、三八軍軍長が鎮圧命令を拒否したため抗命罪で軍法会議にかけられており、軍内に処分をめぐる不満がくすぶっていると語った」「同筋は軍長の名を明らかにしていないが、北京の外交筋の間では元国防部副部長故許光達大将の遺児であるとみられている」「同筋によると、軍長は戒厳令布告後、鎮圧命令を受けても私は執行できないと明言し、北京市内の病院に入院、このため三八軍は副軍長と政治委員が指揮して天安門広場に進駐する異常事態になった」(『読売新聞』九〇年一月一八日付夕刊)。

ここでは徐将軍ではなく、許将軍とされているが、これはローマ字表記のGeneral Xuから誤解したものとみられる。三八軍軍長はその後軍法会議で一〇年の懲役を科せられたとも伝えられる。六月三日夜の三八軍の進撃を指揮したのは、のちに見るように、軍長ではなく、副軍長(張美元)であることも軍長不在を示唆している。

三八軍はいうまでもなく首都に最も近い位置に駐屯しており、予め首都防衛の任務を予定されていた部隊である。この部隊が動かせないとすれば、他の部隊(たとえば二七軍)を動員せざるを得ないことになる。それだけでなく、この「抗命」が民主化運動支持の立場に基づくものだとすれば、中共中央における総書記、中央軍事委員会第一副主席趙紫陽の動きと呼応してクーデタの危険性さえ危惧されたであろう。

3 戒厳令発布の目的

軍令違反問題について、楊尚昆は五月二四日の軍事委員会緊急拡大会議でこう述べている。

「戻ったら党委員会を開き、皆にはっきりと説明されたい。軍隊は連隊級幹部まで伝えよ。連隊級幹部が非常に重要である」「軍隊では命令を執行しなければ軍法会議にかけることになる」(『重要文献』第2巻、IX・18)。

これは事後の情報だが、八九年一二月二八日付香港『サウスチャイナ・モーニング・ポスト』は解放軍の鎮圧拒否問題についてこう伝えた。

総政治部主任楊白氷〔軍事委員会秘書長兼任〕が天安門事件のあと、八九年一二月初めに行った講話が、現在党内レベルで回覧されている。これによれば、四～六月の民主化運動鎮圧の際に、師団レベル以上の幹部二一名、連隊・大隊レベル幹部三六名、中隊レベル幹部五四名が「著しく軍紀律に違反し」、兵士一四〇〇名が武器を捨てて戦線を逃亡した。

要するに一五〇〇名が軍令に違反したわけである。仮に動員された部隊数が一五万とすれば一%であり、三〇万とすれば〇・五%に当たる。ここで師団レベル以上の幹部とは、軍レベルの軍長、副軍長、政治委員、副政治委員、参謀長、師団レベルの師団長、副師団長、政治委員、副政治委員、参謀長などであるが、それが二一名というのは、かなりの消極姿勢あるいは抵抗勢力と見てよい。

抗命事件は戒厳部隊だけではないし、むろん三八軍軍長だけではない。党中枢においても発生していた。一説によると、中央機関勤務者のなかでデモに参加した者約一万名、署名者約二〇〇〇名、カンパを出した者約二〇〇〇名に上る。このうち一八〇名は局長レベル以上の高級幹部であった(香港『鏡報』八九年第一一期)。

これらの事実は、総書記、軍事委員会第一副主席趙紫陽を中心とした柔軟路線を支持し、戒厳令による強圧作戦に反対した勢力の大きさを示している。

五月一七日の政治局常務委員会決定を踏まえて、中共中央軍事委員会が戒厳令布告の方針を各軍区に通告したのは、一八～一九日である。すなわちまず一八日に外出兵士の原隊復帰、特命を命じて、一九日に北京近郊へ向けての出発を命じた（『山西日報』八九年七月一八日ほか）。この際に、全軍区の支持をとりつけることが難しく、鄧小平は武漢東湖に飛んで軍区首脳会議を開き、説得したとの情報も流れたが、N・クリストフは中国筋の話としてこれをきっぱり否定している（『ニューヨーク・タイムス・マガジン』八九年一一月一二日号）。おそらく鄧小平は北京西郊西山の軍事施設にこもり、鎮圧の行方を見守ったものと推定してよいであろう。

以上の情報から戒厳令布告の目的は二つと考えられる。

第一に、百万デモの背後にある権力の解体状況に対処するため。

第二に、より具体的に、軍隊の動揺、すなわち三八軍の動揺に対して圧力を加え、クーデタなどの動きを未然に防ぐため。

戒厳令は「学生運動に対するものではない」とか、「学生に対する発砲はありえない」と繰り返し言明された理由は、ここにあるのではないか。

4 動員された部隊数と動員数

中国側公表資料は軍名を基本的に削除しているが、わずかな削除ミスから（おそらくは意図的な）確認できるのは、済南軍区の五四軍、北京軍区の六三軍（『平暴英雄譜』二五一頁）および三八軍、二七軍

表二・5　戒厳令直後に北京市郊外へ出動した部隊

軍区	出動した部隊	
北京軍区	38 軍（保定）、27 軍（石家荘）、63 軍（太原）	〔南から北京西郊へ〕
	24 軍（承徳）、65 軍（張家口）	〔北から北京北郊へ〕
瀋陽軍区	39 軍（営口）、40 軍（錦州）、23 軍（ハルピン）	〔東から北京東郊へ〕
済南軍区	54 軍（新郷）、20 軍（開封）	〔南から北京南郊へ〕
広州軍区	15 軍（武漢）	〔空路、南苑空港へ〕
南京軍区	12 軍（徐州）	
成都軍区	出動せず	
蘭州軍区	出動せず	

（資料）筆者推定による。

（『北京周報』八九年九月一二日、第三七号）だけである。

『解放軍報』など公表資料からは以下の表記を確認できる。

河北省駐屯軍四個軍、山西省駐屯軍一個軍、北京衛戍区、天津警備区（以上、北京軍区）、遼寧省駐屯軍二個軍、黒竜江省駐屯軍一個軍（以上、瀋陽軍）、河南省駐屯軍二個軍（済南軍区）、江蘇省駐屯軍一個軍（南京軍区）、湖北省駐屯空挺軍（広州軍）。計一二個軍プラス二部隊である。

ここから駐屯地をキーワードにして軍名を推測すれば、今回の戒厳令を執行すべく動員された部隊は表二・5のように推測される。北京周辺の瀋陽軍区や済南軍区に限らず、南京軍区や広州軍区所属の部隊まで動員したのは、

①責任を分散させるための政治的要請、

②軍隊の忠誠心欠如を疑い、各部隊を相互に牽制するために、故意に各地の部隊を出動させたもの

とする二つの見方が行われている。

戒厳令布告直後に到着したのは、三八軍（保定）、二七軍（石家荘）などである。これらは五月一九日夜一〇時ごろから続々と五棵松周辺に結集し始めた。三八軍一部部隊の「抗命」に対処するために、二七軍

が動員された背景について防衛大教授の川島弘三は以下のように分析している。

「三八軍に代わって北京市内に進駐してきたのが、第二七集団軍である。この部隊は、内蒙古から山西省に布陣しており、北京の前面、西翼でソ連軍を迎撃する野戦攻防部隊である。六四天安門事件の惨事を起こしたのは、主としてこの二七軍である」「三八軍が今回の戒厳執行に対して消極的であったとしても何ら不思議なところはないし、また二七軍の過激行動に対して反発し散発的な小競り合いがあったと伝えられたことも十分に首肯できることである」「三八軍と三九軍（瀋陽軍区営口駐屯）は、従来から機械化が進んでおり、このため八四～八五年に三五個の歩兵軍が二四個の集団軍に改編されたとき、モデルケースとして真っ先に機械化合成集団軍に再編されている」「こうした近代化再編に最も熱心であったのは北京軍区司令員秦基偉（国防部長）であり、装備発給に力を尽くしたのが総後勤部長洪学智であった」「三八軍は旧林彪系であるが、最近ではこれらの改革派軍人とのつながりが深まっていた」「一方二七軍は同軍師級出身の遅浩田が総参謀長に抜擢され、楊尚昆に厚遇されるなど、最近では楊尚昆の影響力が強まっていた。二七軍は元来、南京軍区に所属し、当時の同軍区司令員許世友の直系部隊である。遅浩田もその部下であり、七七年許世友全盛期に副総参謀長に起用されたが、八五年許世友が引退してから済南軍区政治委員に転出させられていた」「北京周辺に集中してきた三〇万に達する兵力（三八軍、二七軍、二四軍、二八軍、六三軍、六五軍、以上北京軍区所属の各集団軍、南京軍区の一二軍、済南軍区の五四軍、二〇軍、瀋陽軍区の三九軍、四〇軍、蘭州軍区の二一軍、広州部隊の空挺一五軍、等と推定される）は、学生を鎮圧するにはあまりにも過大であり、部隊が互いにクーデタ的行動を牽制し、また中央の権力闘争に影響力を行使しようとするための連動の所作と考えられる」（川島弘三

「中国の学生運動と人民解放軍の動向（下）」『国防』一九八九年八月号）。

ジェーンズ・インフォメーション・グループのスペシャル・リポート「天安門広場における解放軍の役割」（*China in Crisis* 所収）は、以下の事実を指摘している。

戒厳令直後にまず動員されたのが約一五万の兵力であること。

北京軍区からは三八軍、二七軍のほか二八軍が動員されたこと。

瀋陽軍区からは一六軍、三九軍、四〇軍、六四軍が動員され、このうち少なくとも二つの軍は北朝鮮国境付近に展開されていたこと。

蘭州軍区からは二一軍、四七軍が動員されたこと。

このほか広州軍区武漢から第一五空挺軍が動員されたとしている。

以上のように川島論文は一五個軍動員、ジェーンズ・リポートは一〇個軍動員としているが、北京側報道によれば五月末までに動員された軍隊の数は一五万人である（英文『北京周報』一九八九年五月二九日～六月四日号）。これは五月二九日以前の数字であり、その後も増強されているので、六月段階での最大動員数は二〇万人以上になるものと見られる。ともあれ動員された軍の数に関する限りジェーン推定は『北京周報』に照らしておそらく過小であり、逆に川島推定は過大であろう。

5　三八軍 vs 二七軍抗争の幻影

三八軍に代わって二七軍が前面に出たとする川島弘三論文の観察が当てはまるのは、六月一日までであり、天安門広場の制圧の事情は従来の解釈を大幅に修正する必要がある。喧伝された三八軍、二七軍の衝突問題については、『北京周報』（第三七号、一九八九年九月一二日）がこう解説している。

「二七軍の駐屯地と三八軍の駐屯地はあまり遠く離れておらず、両軍の関係はきわめてよい。このたび北京に入城して戒厳任務を遂行するに当たり、両軍とも軍令を厳守し、時間通りに進撃した。天安門広場の整理は、この部隊が共同で実施した。反革命暴乱平定で初歩的勝利をおさめたのち、この二部隊はまた共同で北京中心部の戒厳任務に当たり、他の部隊とともに首都の正常な秩序の急速な回復を保障した」。

では、なぜ三八軍、二七軍対立説が流れたのか。いくつかの理由がある。

三八軍が出動を躊躇していた五月末までの段階で、市内の重点警護目標を警護していたのは二七軍であり、ここから学生たちは三八軍は学生に同情的、二七軍は保守派の道具にすぎないとする構図を作り上げた。そして切なる期待をもって、三八軍の全軍的抗命を幻想したようである。たとえばある学生ビラは兵士たちに対してこう呼びかけた。

「どうして北京に駐屯している部隊、武装警察、人民警察が治安に乗り出すことができないのでしょうか。それは北京駐屯の軍人と警察はみな事態の真相を知っており、人民の敵にはなりたくないからです。彼らはすでに完全に人民の側に立っています。首都警衛師団はすでに人民を支持する声明を発表しましたし、三八軍軍長はむしろ職務を解任されることを望むとして、人民を鎮圧する命令の執行を拒否しており、北京駐在の武装警官戦士、制服組軍官と人民警察は公然とデモに参加しています……」（『重要文献』第2巻、IX・10）。

このような幻想に基づいて六・四鎮圧を解釈したものに六月五日夜七時付の北京大学伝単、「大屠殺の下手人二七軍」と題したガリ版刷りのビラがある（『中国民運原資料精選（第二輯）』、一八頁）。

「六月三日夜から四日朝にかけて無辜の群衆および学生を狂気のように屠殺したのは二七軍だけである。二七軍は楊尚昆の三男が指揮する嫡系部隊であり、事前に興奮剤を飲まされ、防疫のためと騙されていた」「後続の二八軍は群衆に包囲されても断じて発砲しなかった。公主墳の空軍大院屋上から二八軍への機銃掃射が考えられ、ヘリコプターも発砲させようとしたが、二八軍は断じて発砲しなかった」「最後に二八軍と群衆は協議がまとまり、軍事博物館に退却した。三八軍も断じて発砲しなかった。ある師団長は〝むしろ軍法会議にかけられようとも、群衆には発砲しない〟と語った」。

このビラの作者は西線からの部隊が第一梯隊＝二七軍、第二梯隊＝二八軍、第三梯隊＝三八軍からなると認識していたごとくである。実際にはあとに詳述するように、最も激しく発砲した第一梯隊は三八軍なのであった。

二　軍隊と学生の対峙段階

1　戒厳任務遂行のための工作組派遣

五月一九日夜一〇時すぎ、北京市に対する戒厳令の発動を事実上宣言する会議が、万寿路の解放軍総後勤部礼堂で開かれた。趙紫陽が出席を拒否する異例の首都党政軍幹部大会において、楊尚昆はこう語っている。

「最近北京は実際上無政府状態にあり、あらゆる工作機関の秩序、学校の教学秩序、交通秩序などすべてが混乱している。この混乱は実際には無政府状態である」「正常な秩序を回復するために、社会の治安を維持するために、北京市の安定した局面のために、われわれはやむなく解放軍の一部を北京付近に進駐させた」「解放軍が北京付近に進駐したのは、断じて学生に対処するためではなく、北京市の正常な秩序と工作の秩序を回復するためである。同時に、若干の重要部門と重要機関も保護しなければならない」（『重要文献』第2巻、VIII・2、九二〜九三頁）。

楊尚昆のいう「無政府状態」に対処するために工作組が組織され、説得活動が行われた。総参謀部、総政治部、総後勤部の首長と機関要員からなる百近くの工作組が、各戒厳部隊を慰問し、思想認識、部隊管理、物資保証などの実際問題の解決を援助した。工作組の任務は、なによりもまず軍内の民主化同情分子の説得であり、ついで私服を着て群衆のなかに入る世論誘導工作であった。

首都党政軍幹部大会の前後、五月一九日夜から二〇日未明にかけて活動した、ある工作組の報告を次に見てみよう。

五月一九日夜八時四〇分、総後勤部礼堂一帯の群衆を散らすために、工作組〔軍服を脱いだ兵士たちからなる。指導者は張元発大校・副部長〕が派遣された。

夜九時、学生・群衆側は糾察隊〔ピケ隊〕を設けて、五棵松——公主墳一帯を検問し、解放軍の移動を制約していた。九時半、各路の交通指揮台上の交通警察はすべて紅白の腕章をつけた学生によって「接収管理」〔原文＝接管〕された。

一二時ごろ、首都党政軍幹部大会が終了したが、北京軍区政治委員劉振華〔上将〕および他の将軍、部長たちは三〇一病院（解放軍総医院、五棵松にある）付近で群衆に包囲された四台のワゴン車に閉じ込められ、幹部大会に出席できなかった。

この事実をとらえて学生側はのちに「北京軍区の首長は大会に参加することを拒絶した」とデマ宣伝したという。

深夜一時すぎ（五月二〇日）、工作組は足止めを食っている某集団軍（三八軍）の車隊に紛れこみ、学生たちと交渉した。公主墳から軍事博物館までわずか一キロの距離だが、交渉は九時間余かかった。この間、車のタイヤは穴をあけられ空気を抜かれたりした。兵士たちはこの間、食事も水を飲むことも用便もできなかった（『戒厳一日（下）』一〜三頁）。

このとき学生たちは言った。「君たちは×××集団軍（三八軍）に学ぶべきだ。彼らは上京して学生を鎮圧することを拒否している」「一四〇名以上の連隊級以上の幹部が集団的に辞職した」。――実は学生たちによって包囲されている部隊こそがその集団軍（三八軍）の一部なのであった。そこで工作組と当該部隊指導部は協議のうえ、第一に、連隊以上レベルの指導者は身分を明らかにすること、第二に、部隊は撤退をもって援護とし、近くの軍事単位（軍事博物館か）に入り、命を待つことにしたという（『戒厳一日（下）』一〜三頁。ほかに三八軍と推定される科長辛健中校の師団直属分隊は五月一九日午後、万寿路で市民、学生に包囲された『戒厳一日（下）』一二〜一六頁）。

こうした説得のために、師団、連隊レベルには宣伝隊を、中隊には宣伝組を、分隊には宣伝員を設けた。某部では政治的立場の確固とした、分析能力の高い中核分子四〇二名を選んで、部隊の宣伝隊列として用いた。某部では宣伝用の中核分子一三五〇名を訓練し、メガホンとともに中隊にはりつけた。某部では一三〇二名の宣伝用中核分子を二五三の小分隊に分け、想定問題集を作り、模擬対話を行って、宣伝効果を挙げた。戒厳部隊の一〇〇余の宣伝隊からなる万を超える宣伝大軍は北京の街角で活躍し、「学生が語り、群衆が騒ぐ」局面の転換に活躍した（『在戒厳的日子里』三〇頁）。

三八軍の政治委員王福義、政治部主任李之雲がそれぞれ別個に学生代表郭海峰（北京大、当時天安門広場防衛指揮部秘書長）ら八名と対話したのは、その一例であった（『在戒厳的日子里』三一頁）。また六三軍師団長黄伯誠、政治委員邵松高なども学生を説得した。某連隊政治委員武耀庭は相次いで北京大学、清華大学、人民大学、北京師範大学などの学生代表と接触し、戒厳任務の執行を支持するよう説いた。某師団〔三八軍であろう〕は、北京の一七大学で軍事訓練を行い、五〇〇〇人余を訓練したことがあったので一七の宣伝組を作り、学生のなかで宣伝工作を行った（『在戒厳的日子里』三一頁）。五月二一日には総政治部主任楊白冰も自ら工作組を率いて豊台で阻まれている戒厳部隊某部〔二七軍であろう〕を慰問している（『在戒厳的日子里』二三～二四頁）。

2　二七軍の重点警衛目標への進駐

戒厳令に伴う出動命令を受けたあと、自動車化部隊による北京到着者は予想以上に速かった。「自動車化部隊」〔原文＝摩托化部隊〕とはトラックなどによる兵員輸送を行う部隊のことで、機械化部隊と対になっている。後者は装甲輸送車や戦車を用いる部隊を指している（前掲『中国人民解放軍軍語』一三六頁）。たとえば、ある部隊は京石公路（北京――石家荘）を数百台のオートバイ、装甲車、戦車、トラックで行軍し、出動命令を受けてからわずか七時間で北京豊台区に着いた（『在戒厳的日子里』一〇頁）。北京——石家荘は二八三キロであるから、時速四〇キロとして、ちょうど七時間かかることになる。この部隊は石家荘駐屯の二七軍と見られる。

もう一つの某師団自動車化中隊は昼夜兼行六二一キロを一九時間半で走り、到達目標よりも二八時間三〇分早く北京大興県に着いた（『在戒厳的日子里』一〇頁）。北京から六二一キロであること、大興県に着いたことからして、河南省新郷に駐屯している五四軍と見られる。この部隊の行軍速度は、昼夜兼行で平均時速約三〇キロの計算になる。

石家荘駐屯の二七軍はまず豊台周辺に到着したが、うち一個師団は直ちに北京東郊の通県（天安門の東方約二〇キロ）に向かった。この部隊の任務は瀋陽軍区の部隊が到着するまで、東線を守ること、もう一つの狙いは学生たちの目が西に向いている盲点を利用して、重点警衛目標に進駐することであった。

ここで重点警衛目標とされているのは、人民日報社、永定門駅、北京駅、彩電中心（カラーテレビ・センター）、広播電視部（放送テレビ部）などである。要するに、マスコミ機関と交通機関の要衝を押さえたわけである。この事実について、「軍事クーデタを起こすときにとる手段」であり、「普段ここを警備している武装警察や北京を守っている北京衛戍区の軍事的職務を事実上奪ったもの」との解釈がある（笠雪「人民鎮圧の血塗られた記録」『東亜』九〇年四月号）。

この論者によれば、戒厳令布告は「軍事クーデタに備えたもの」である。クーデタの可能性について、この論者は、①軍の百万削減に対する軍内の不満、②腐敗問題に対する軍の正義派の不満、学生の民主化要求に対する支持、の動きからして「可能性は存在した」として、民主化運動〔原文＝民変〕は恐れることではなかったが、クーデタ〔原文＝兵変〕は恐るべきであった、と解している。

【人民日報社などへの進駐組】

二七軍の某一個師団の連隊長李旦生中校に対して、秦濤師長が人民日報社など「重要警衛目標」への進駐を命じたのは、五月二〇日午前一〇時であった。通県から市内に向かうこの師団の中継基地は農業展覧館近くの二九二医院であった。朝陽区大北窯一帯には学生たちが封鎖線を設けていたので、李旦生は私服を着る〔原文＝仮装〕よう命じ、連隊の経営する化学工場の五台のバスを用意するよう手配した。

午後八時半、八里荘橋（通県から北京へ数キロ）には約二〇〇〇名の学生や市民が集まっていた。午後一一時、偵察に出ていた鄧副参謀長が戻って報告するには、「北京入城はもとより、通県を出ることさえ困難だ」という。そこで順義県李橋郷（通県から二〇キロ北方）へ回り、それから官荘を経て、前進基地たる二九二医院のコースを選んだ。

二三時三〇分、民間プレート〔原文＝地方車牌照〕のバス五台が到着しないので、二一七名の兵士たちは武器、弾薬、無線設備などをもって軍用車に乗った。五台のうち一台は八里橋――管荘コースを選び、他の四台は通県北関橋から管荘を経て、前進基地たる二九二医院へ着いた（『戒厳一日（上）』一～四頁）。

【永定門駅への進駐組】

程志仕専業軍士は五月二〇日深夜、六〇〇元と八〇〇斤の食糧切符をもって救急車に乗り、永定門駅（北京南駅）へ向かった。救急車は新街口で学生に停止させられた。そして段ボール箱の軍服を発見されてしまった。彼は小用を口実に学生たちから逃げ、途中「邯鄲語」を話すだけで北京語はできないふりをして（石家荘と邯鄲の距離は一六五キロであることからして、これは二七軍所属の兵士であると推測できる）、アジア競技大会の建設工事現場の作業員を装って、無事に永定門駅の連隊指揮所にたどりついた（『戒厳一日（上）』五～八頁）。

ここで一言すれば、石家荘駐屯はすべて邯鄲出身の兵士だというのではない。将兵の出身地はさまざまであろう。ただし、ある部隊において「邯鄲語」を話すと敢えて記述しているのは、この部隊ではそのような兵士が多いことを示唆している。彼らがこの部隊の主流派であると推測できる。

【北京駅への進駐組】

連隊政治処主任車光明少校は五月二〇日二一時に五人で私服で北京駅一帯の状況を偵察した。二一日午前四時、車は一〇〇〇人近くの群衆に囲まれた。彼らは「懐柔県民政局の者であり、北京駅へ五四次列車で上京する者を迎えに行く」と用意した口実を伝え、難を逃れた（『戒厳一日（上）』八～一一頁）。

【カラーテレビ・センターへの進駐組】

班長陳貴水は五月二一日早朝、順義県火神営に連隊のバスで着いた。ここから警衛目標たる「彩電中心」（カラーテレビ・センター、復興路にある）まで七〇キロを徒歩で行進した。三元立体橋では学生たちに検問され、火神営へ押し帰されたが、その後群衆にまぎれ、自らも群衆と同じVサインなどをやりながら、ついにカラーテレビ・センターに定められた時間内に到着した（『戒厳一日（上）』一一～一三頁）。

【放送テレビ部への進駐組】

戦士董振軍は広播電視部（放送テレビ部、復興門外大街にある）へ向かう途中一五キロ回り道して、北京駅に着いた。そこで学生たちによって臨時監獄たる地下鉄に五人の兵士が拘禁された。彼らは三日二晩水も飲まず、トンネルを歩き、ついに建国門駅から外に出て、広播大厦の目標についた（『戒厳一日

(上)』一三～一四頁)。

これも広播電視部進駐組と推測されるが、指導員張付臣上尉は五月二一日二三時、二七名の兵士を率いて中継地点たる二九二医院を出て、農業展覧館を西へ行き、三里屯十字路で群衆につかまった。彼は一六〇発の弾丸を背負っていた。二二日夜明けになって三元立体橋へ戻された。朝七時半今度は油条をかじりながら、再度目標地点へ到着した。彼は北京で長年工作しており、北京人気質を知っているので、わざと地方なまりを用いてごまかした(『戒厳一日(上)』一五～一八頁)。

もう一つ、広播電視部に進駐した教導員張躍少校は私服を着て、廟城(京承線で北京から六四キロ)から汽車で北京駅へ着き、そこから徒歩で広播電視部へ向かった。北京駅でも東単でも学生の検問は厳しかった(『戒厳一日(上)』一八～一九頁)。

【軍事博物館への進駐組】

五月二七日午後三時から五時半までに、私服を着て一八台の幌つきトラックに分乗して軍事博物館に潜入した部隊がある。連隊長李少軍上校の「零号行動」(先遣部隊行動)であった。彼らは市政公司第二攪拌ステーションに駐屯していたが、「二八日一二時までに到達せよ」との命令を受けて九キロの道を学生や市民の目を逃れながら軍事博物館へ向かった(『戒厳一日(下)』二七頁)。

なおこれらはすべて二七軍の行動と考えられる。二七軍の秦濤師団の半数六〇〇〇人が仮に一〇箇所の目標に向かって進駐したとすれば、一箇所への進駐は約五〇〇～六〇〇人になろう。おそらくこの程度が私服で東から行動するために、西郊では六五軍などによる陽動作戦が行われていたことになる。この段階では三八軍にはまだ問題があるために、学生と接触する機会の多い場面には用いられなかったものと考えられる。

3　戒厳令布告と戒厳部隊指揮部の形成

国務院総理李鵬の名において、五月二〇日午前一〇時から北京市の一部地域で戒厳を実行すること、および北京市政府がその実施にあたるとともに具体的な戒厳措置を講じることが、布告された。戒厳令に伴う北京市人民政府令第一号はデモ、ストライキなどを厳禁した。第二号は外国人が中国公民の戒厳令違反行動に介入することを禁じ、第三号は内外記者の取材活動を大幅に制限した（『重要文献』第2巻、VIII・5〜8）。

戒厳部隊指揮部は周衣冰（北京軍区司令員）、劉華清（中央軍事委員会副秘書長）、陳希同（北京市長）によって構成されているとする香港報道が行われたが（穆望「中南海高層闘争真相」『鏡報』八九年第六期）、指揮部の構成や活動内容についてはまったく秘密に閉ざされており、当局側の公式報道はない。

戒厳部隊の「北京市民に告げる書」は「部隊が戒厳の任務を遂行するのは完全に首都の治安を維持し、正常な秩序を回復するためである。絶対に愛国的学生に向けられたものではない」と強調している（『重要文献』第2巻、VIII・27）。ここでは「部隊の任務は治安の維持」に限定されており、秩序を混乱させる暴徒には厳格に対処するが、愛国的学生に対する武力鎮圧は避けたいとする意向が現れている。戒厳令布告翌日の五月二一日午後、学生代表が解放軍某部隊の駐屯地を訪れ某連隊政治処主任劉智軍らと会見したが、そこで劉智軍はこう述べている。

「解放軍は中国共産党が指導しており、われわれは党の指揮に従うものだ。党中央と政府は、軍隊は発砲してはならず、流血事件防止にあらゆる努力を払うようはっきりと指示しており、また軍隊は秩序を維持するだけであり、学生を鎮圧するためのものではないと再三表明している。われわれが現在自制した態度を保っているのは、中央の決定を真剣に実行しているからであり、決して戒厳に対して消極的態度をとっているわけではない」(『重要文献』第2巻、VIII・26)。

「戒厳に対して消極的態度をとっているわけではない」とする説明が必要であったのは、「消極的態度」と見る見方が広範に存在したことを前提とした弁解にほかならない。なお劉智軍は、三八軍所属と推定される。彼は七月一日の建党記念日に表彰された七六名の「優秀党務工作者」の一人である(『解放軍報』八九年七月一日付)。

4 戒厳令支持表明の遅れと軍長老の牽制

ここで省レベル党委員会および七大軍区を中核とする解放軍各「大単位」の戒厳令支持表明の日時を見ておけば、表二・6~8のごとくである。

要するに、二〇日午前二時の上海市党委員会を皮切りとして、二七日午後の政治協商会議の支持表明をもって、戒厳令は全国各地の各組織によって支持を得たことになる。ここで注目を要するのは、南京軍区、瀋陽軍区、成都軍区、広州軍区は二二日、蘭州軍区、済南軍区は二三日であったのに対して、お膝元の北京軍区が二五日まで遅れたことの意味である。一九日の戒厳令布告大会から数えてちょうど一週間も遅れたことは、北京軍区内部に戒厳令に対して消極的態度をとるグループが存在したことを示唆している。

表二・6　省レベル党委員会の戒厳令支持表明

省レベル党委員会	支持表明公表時点	省レベル党委員会	支持表明公表時点
上海市 = 20日午前2時	『人民日報』5月22日	江蘇省	『人民日報』5月24日
陝西省＋人民政府 = 20日	同上	寧夏自治区	同上
湖南省 = 20日付	同上	内蒙古自治区	同上
河北省 = 20日付	同上	吉林省	同上
河南省＋人民政府 = 20日付	同上	安徽省	同上
福建省 = 20日付	同上	チベット自治区	同上
天津市	『人民日報』5月23日	黒竜江省	同上
江西省	同上	湖北省	『人民日報』5月25日
新疆自治区	同上	広西自治区	同上
雲南省	同上	浙江省	同上
山西省	同上	遼寧省	同上
広東省	同上	貴州省	同上
海南省	同上	山東省	『人民日報』5月26日
甘粛省	同上	北京市	同上
青海省	同上	四川省	同上

表二・7　解放軍大軍区レベル党委員会の戒厳令支持表明

党委員会	支持表明公表時点	党委員会	支持表明公表時点
南京軍区	『人民日報』5月23日	空軍	『人民日報』5月24日
瀋陽軍区	同上	海軍	同上
成都軍区	同上	蘭州軍区	同上
広州軍区	同上	済南軍区	同上
国防科学工業委	同上	北京軍区	『人民日報』5月26日
		第二砲兵	同上
		軍事科学院	同上
		国防大学	同上

表二・8　その他中央重要組織の戒厳令支持表明

中央重要組織	支持表明公表時点	中央重要組織	支持表明公表時点
国家機関工作委	『人民日報』5月24日	中央国家機関（広範な幹部表明）	『人民日報』5月27日
顧問委員会常務委	『人民日報』5月27日	政治協商会議全国委第18次主席会議	『人民日報』5月28日
中央紀律検査委員会（報告材料）	同上		

（表二・6～8、資料）『人民日報』。

十大元帥の生き残りの一人たる大長老聶栄臻は「軍隊が北京に来て戒厳令を実施するのは、全く首都の社会秩序と安定を維持するためである」「学生諸君は〔デマを〕軽々しく信じないよう希望する」との談話（五月二一日）を中国科学技術大学の学生に語った。これは『解放軍法』にも『人民日報』にも報道された。

またもう一人の元帥徐向前つきの工作人員は「部隊が戒厳任務を執行するのは、首都の正常な秩序を回復し、安定・団結の局面を守るためであり、決して学生を狙ったものではない」とする徐向前の伝言を中国科学技術大学の学生に伝えている。聶栄臻、徐向前という軍の大長老たちは、おそらくこうした了解のもとに戒厳令の発動を了承したのであろう（『重要文献』第2巻、VIII・28、29）。

これと比較して、葉飛、張愛萍ら七人の退役上将の戒厳部隊指揮部および中央軍事委員会宛ての書簡は、もっとストレートに戒厳令を批判している。

「現在の事態が極めて重大であることに鑑みて、われわれは老軍人の名において、あなた方に以下の要求を提出する。人民の軍隊は人民に属する軍隊であり、人民と対立してはならない。いわんや人民を射殺してはならない。断じて人民に発砲してはならない。断じて流血事件を引き起こしてはならない。事態のより一層の発展を避けるために、軍隊は入城してはならない。五月二一日」（『重要文献』第2巻、VIII・30）。

ここで七人の上将の前歴は、以下の通りである。

葉飛（海軍司令）、張愛萍（国防部部長、軍事委副秘書長）、蕭克（国防部副部長、軍事科学院院長）、楊得志（総参謀長、軍事委副秘書長）、陳再道（武漢軍区司令、鉄道兵司令）、李聚奎（総後勤部政治委員）、宋時輪（人民志願軍副司令、軍事科学院院長）。

この書簡を印刷したビラは、戒厳部隊のヘリコプターが「北京市民に告げる書」を配付して数時間後に、同様に軍用ヘリコプターから播かれたという（香港『文匯報』程翔記者）。

また翌二二日には王平（上将、元国防委員）も中央に書簡を書き、部隊が入城しないよう訴えたという（香港『文匯報』五月二四日付）。軍内の戒厳令反対勢力の大きさが知られる。

5　部隊入城への抵抗

戒厳部隊は北京城区への進駐を各地で阻まれた。いまその阻止地点を整理しておけば、次のごとくである。

第一に、郊外の豊台・石景山・大興・延慶・昌平・順義・密雲・通県。

第二に、三環路の六里橋・薊門橋・馬甸橋・三元立体橋・東大橋。

第三に、二環路内外の復興門・西直門・徳勝門・安定門・東直門・建国門・崇文門・正陽門・和平門・宣武門・万寿路・公主墳・木樨地・西単・六部口・東単・北京駅。

いずれも主要交通路口である。各地に、コンクリート製通行分離台（原文＝水泥隔離墩。自動車と自転車とを分離するロープを支える台）、ごみ箱、果皮箱、煉瓦、ブロック、大型バス二〇〇台以上などでバリケードが作られた（『在戒厳的日子里』二一頁）。学生、市民側の抵抗に対して、戒厳部隊は当初は「殴られても仕返しはしない（原文＝打不還手）」、「罵倒されても言い返さない」（原文＝罵不還口）、「群衆に対して絶対に発砲しない」（原文＝絶不向群衆開槍）の「三不」を鉄の紀律としていた（『在戒厳的日子里』

二七頁)。

このころ北方から北京に到着したある師団は公路では市内に入城できず、やむなく密かに鉄道の臨時便を出して入城している。たとえば――

五月二一日午前零時一五分、北京鉄道分局駐屯の軍代処は午前二時までに××師団の北京入城手配を命ぜられた。一時一〇分、大同〔北京から三八二キロ〕行きの一四一七号無蓋車を京包線沙城駅〔北京から一二九キロ〕で停車させ、迅速秘密裡に兵士を載せて、三時二五分「平二四号」として沙城を出発し、六時一三分に北京駅に到着した(『戒厳一日(下)』四~五頁)。

しかし、軍用列車が阻止された事例もある。

五月二二日午前一時、軍用列車が河北省遷安駅〔京秦線で北京から二〇四キロ〕で阻止され、そこで二日待たされた(『戒厳一日(下)』六~九頁)。

軍用列車は北方でも阻止されていた。

五月二四日、工程師王占文上校と政治部幹事岳魏松は昌平駅〔北京の北方五五キロ〕へ行った。戒厳部隊が三日三夜足止めを食っていたからである。軍用列車の一二〇〇名の将兵と百余台の装備が北京八大学学生一万人弱によって包囲されていた。二四日零時ごろ、①学生側とマラソン式の交渉を行って、学生、市民を落ち着かせる。②鉄道部門と協力して、カモフラージュしながら秘密裡に列車を発車させるようにして、一時間余をかけて、部隊を安全に指定位置に移動させた(『戒厳一日(下)』一〇~一一頁)。

六里橋で三日三晩足止めされた部隊がある。

連隊政治委員楊清福上校、参謀長李国友、副連隊長張洪臻らの部隊は五月一九日に北京進駐の命を受け、二〇日早朝六里橋で群衆に阻まれ、三日三晩対峙し、二三日午前四時二〇分、学生たちが極度に疲労した隙を縫って、駐屯予定地へ向かった（『戒厳一日（上）』一〇～二五頁）。

これは戒厳令以後最も早く北京に到着した部隊であることからして、石家荘駐屯の二七軍と推定される。

軍長〔六五軍〕が包囲された例――

五月二〇日午前七時五〇分、臧文清軍長、曹和慶政治委員は部隊を率いて天安門広場へ向かおうとした。指揮に便利なように、兵士と同じ解放印トラックに乗って、九時一〇分、北京西郊西山から出発した。九時三〇分、八角街付近で自動車隊は数万の群衆に包囲された。群衆は一〇トントラック三台とバス六台を並べてバリケードとした。そこでトラックを下りて徒歩行進したが、二キロ進むのに、二時間以上もかかる始末であった。学生側のオートバイ部隊「飛虎隊」、自転車部隊「敢死隊」、そして北京高自聯の宣伝車がなりたてていた。午後五時四〇分ころ、臧文清軍長、曹和慶政治委員らは二一二号ジープに乗って古城路口まで来たが、群衆の抵抗に遇って、九時半ころ、八角地の師団所在地に戻った。その後、二一日早朝七時まで七回にわたって、包囲を突破しようとしたが、果たせなかった（『戒厳一日（上）』二六～三一頁）。

ここで包囲された六五軍と推察される部隊は武力鎮圧直前の六月二日に人民大会堂に潜入している（後述）。

以上のうち最後の二つの軍隊の行動は、後述の二七軍の一個師団が重要警衛目標へ密かに進駐するのをカモフラージュするための陽動作戦ではないかとする見方がある（笠雪「人民鎮圧の血塗られた記録」『東亜』九〇年四月号）。

6　最初の流血事件

五月一九日夜から豊台大井立体橋で足止めされた（三八軍）先頭部隊の某連隊は立体橋から二キロ離れた某部隊倉庫に向かった。これは一三名の大学生とこの部隊の結んだ「協議書」に基づいて道を開けることによって行われたものであった。しかし、先頭部隊が動き始めてまもなく群衆側の投石が始まり、結局一一六名の将兵が負傷し、四八名が入院治療した。二九名が重傷であった。大学生は一一名が軽傷、そのほかに軽傷者一二名、重傷一名であった。彼らは豊台医院に送られた（『戒厳一日（上）』三二～三七頁）。

ここで「協議書」という表現に注目したい。この段階でも、そしてこのあとも学生と兵士たちは平和的な交渉をさまざまな形で行っていた。この事実は運動をすでに動乱と見ている保守強硬派から見れば、憂慮すべき事態であったはずである。

五月二三日午前一一時半には、石景山区八角西街で軍用車の交通整理に当たっていた陳知平（二八歳、上尉、中隊職の幹事）が群衆に押されてトラックの下敷きになり、死亡した（『解放軍報』八九年七月一九日付）。

三　「反革命暴乱」の発生

六月三日夜から四日早朝にかけての武力鎮圧命令が、いつ、どのように決定されたのか。以下この秘密に迫ってみよう。

1　戒厳部隊指揮部の緊急通告

六月三日夜に戒厳部隊指揮部の「緊急通告」あるいは「通告」が四本出ている（『重要文献』第3巻、XIV・1〜4）。

①戒厳部隊指揮部の「緊急通告」――「中国人民解放軍は、命令にもとづき北京市の一部地域で戒厳を執行し、動乱を制止し、首都の社会的安寧を維持するという神聖な使命を果たしており、各級政府と広範な人民大衆の支持を得ている。しかしながら、ここ数日来、ごく少数の者はデマを捏造して、戒厳部隊を悪辣に愚弄し、かつ攻撃を加え、卑劣な手段によって人民大衆と戒厳部隊との関係に水を差そうとしている。彼らはまた一部の者たちに軍用車を破壊し武器を奪えと煽動する一方、戒厳部隊の幹部や兵士を殴打し、軍人を尋問し、包囲攻撃し、戒厳部隊の行動を妨げ、計画的に事件をひき起こしては動乱を拡大させている」。

②北京市人民政府および戒厳部隊指揮部の「緊急通告」――「全市民各位：首都に今夜〔三日〕重大な反革命暴乱が発生した。暴徒たちは猛り狂って、解放軍の兵士を攻撃し、軍の武器を奪い、軍用車を焼き払い、路上にバリケードを設置し、解放軍将兵を捕縛し、中華人民共和国を転覆し、社会主義制度を覆そうと企んだ。人民解放軍は多日にわたって極めて自制した態度を堅持してきたが、ここに至っては断固として反革命暴乱に反撃しなければならない」。

③北京市人民政府および戒厳部隊指揮部の「通告」――「六月三日未明、解放軍戒厳部隊は、命令にもとづき城区内に進軍し、重点目標を確保した。ごく少数の者はデマの捏造や煽動によって、一部の真相のわかっていない者を挑発し、市内の多数の交差点にバリケードを設置させた〔中略〕この混乱の中で、暴徒、与太者、ゴロツキ、殴打・破壊・略奪分子たちは、この機に乗じて事態の拡大を企て、解放軍兵士を公然と殴打し、侮辱し、捕縛し、一部の兵士を負傷させるとともに一部の軍用車を破壊し、さらには欲しいままに軍用物資や武器を略奪した」。

④北京市人民政府および戒厳部隊指揮部の「緊急通告」――現在、北京の事態の発展はすでに極めて厳しいものとなっている。ごく少数の暴徒たちは、欲しいままにデマを捏造し、大衆を煽動し、解放軍兵士を公然と侮辱し、包囲攻撃し、殴打し、捕縛しており、さらに軍隊の武器を強奪し、中南海を包囲し、人民大会堂に攻撃をしかけており、しかも各種の勢力を糾合させようと企んでおり、一段と深刻な暴乱がひき起こされる状況となっている」。

中国の権威のある資料集『新華月報』（八九年六月号）は、①〜④をこの順序で掲載している。解放軍総政治部宣伝部が編集した『捍衛社会主義共和国』（以下『捍衛』と略称）は②③④①の順序で並べてある。並べ方の違い、発出単位の違い（①のみ）、「緊急通告」（①②④）と「通告」（③）の違い、そして①は『人民日報』（六月四日付）、②③④は『北京日報』に掲載という掲載紙の違いは何を意味しているのか。私の解釈では、①は戒厳部隊指揮部の任務遂行のための、いわば「予定原稿」である。②③④は北京市と戒厳部隊指揮部の連名であり、かつ北京市党委員会の機関紙『北京日報』に掲載されていることからして、ここに北京市当局の強いイニシャティブが感じられるように見えるが、実はこの段階では北京市はもはや軍のイニシャティブに全てを委ねていよう。

①は「ごく少数の者」が「動乱を拡大させている」と言ってはいるが、「暴乱」や「反革命暴乱」というコトバは使っていない。

②は「反革命暴乱発生」と認定した点で決定的な文書である。六月四日午前一時三〇分に発出され、ラジオ・テレビで繰り返し、放送された。新聞掲載は翌四日朝刊である。「反革命暴乱」とする基準は「暴徒たち」が「解放軍の将兵を攻撃し、軍の武器を奪い、軍用車を焼き払い、路上にバリケードを設置し、解放軍将兵を捕縛し、中華人民共和国を転覆し、社会主義制度を覆そうと企んだ」ということである。この現状認識（暴乱発生の断定）の問題については本書一八六〜一九〇頁で詳論する。

③は②の状況説明を行っている。ここには「戒厳部隊の一部部隊が城区内に進軍し〔原文＝奉命入城〕、重要目標地点を防衛し〔原文＝保衛重要目標〕」と書かれており、軍のその時点での目標が「重要目標地点の防衛」にあったことを示している。従来どおり、解放軍の任務は「動乱を制止し、首都の安定を維持し、正常な秩序を回復するためであり、まったく人民大衆の利益を保護するためであり、決して広範な大衆、学生と対決するためのものではない」としており、「暴乱」や「反革命暴乱」というコトバは

使っていない。「暴徒、与太者、ゴロツキ、殴打・破壊・略奪分子たち」が登場している。

④は「外出禁止勧告」であるから、②③を踏まえて出されたものである。ここには「反革命暴乱」という成句はないが、「一段と深刻な暴乱」状況として、「ごく少数の暴徒たち」が「中南海を包囲し、人民大会堂に攻撃をかけており、しかも、各種勢力を糾合させようと企んで」いることが付け加えられている。

これら性格の異なる四文書を『新華月報』は発出単位の統一という形式的観点から①②③④と並べたのに対して、解放軍は「反革命暴乱の発生」という認定において北京市人民政府と連帯責任を負うという軍としての政治的判断を加味して②③④①と並べたのではないか。ここには北京市の要請（いいかえれば「共産党の要請」）に基づいて軍が行動するという慎重なスタンスがよく示されているが、それは表向きのポーズであろう。

2　戒厳部隊指揮部の出動命令（六月三日午後二時三〇分）

各部隊がいつ出動したか、その時刻をかれらがあとになって記した回想録から抽出してみよう。

①六月二日中に人民大会堂へ私服で集まった部隊は、丸腰であった。三日未明に撤退した部隊も丸腰であった。いずれも、武器弾薬は別送扱いである。

②武装警察北京総隊の第五支隊第八中隊は北京西郊八大処に駐屯していたが、この中隊に武装して出動するよう命令が出たのは三日午後五時五〇分であった（五棵松到着は九時五五分ごろ）。

③北京南郊の東高地にある北京軍区戦車部隊に出動命令が出たのは三日午後四時であった（第一梯隊は

四日午前三時五五分に定福荘に着いた）。

④（三八軍所属と推測される）張副軍長が軍区会議に出掛けたのは三日午後四時であった。張副軍長から軍区命令が電話で伝えられたのは午後五時であった（命令内容は三日夜一〇時までに軍事博物館以東に集結せよというもの。この部隊は実際には予定の一〇時より三〇分早い九時三〇分に出発した）。

⑤武装警察各支隊は三日夜一〇時四〇分に城区に向かった（『歴史的碑文』七頁）。

⑥三日午後三時一〇分大興県東南の集結地から出発した五四軍は七時四八分に六里橋に着いた。九時五〇分、天安門広場に向かえという命令が出て再び行進を始めた。

⑦北線・沙河空港の某軍に対して秘密電話で東直門へ向けて進軍するよう緊急命令が出たのは、六月三日午後三時三五分である（『戒厳一日（上）』二三四頁）。

⑧北線の連隊長張振生は三日午後四時四五分に沙河空港で出動命令を受け、一三分後に城内に向かって出発した。

これら八つのケースはそれぞれに重要な情報である。まず①の人民大会堂集合の私服部隊は、すでに二日に集合しているが、これはのちに検討することにし、ここではこうした部隊があったことを確認するにとどめておこう。

④にいう副軍長が軍区会議に出向いたのは、むろん出動軍令を受領するためにほかあるまい。副軍長は郊外の駐屯地（石景山）から五時間以内に約一五キロ離れた軍事博物館への出動を命じられたわけである。この時間（三日午後四時）と符合するのは、同じ方向に駐屯していた武装警察②および③の戦車部隊の出動時刻である。これら三つのケースが示唆するように、郊外駐屯の部隊に対しては、午後三時

〜五時段階で（三環路周辺への）武装出動の命令が出ている。そして（三環路周辺から）天安門広場へ向けての出発時間はいずれも午後一〇時前後である。②は九時五五分に五棵松に着いている。④は九時三〇分に出発した。⑤は一〇時四〇分である。⑥は九時五〇分に天安門広場に向かって出発した。これらの事実から、各部隊は、三日午後一〇時前後に三環路周辺の中継地点を出発するよう命じられたものと推定してよいであろう。

これを戒厳部隊指揮部との関連で描いた記述がある。

「六月三日午後二時三〇分、各路の戒厳部隊は予定の戒厳位置に時間を早めて緊急出動せよ〔原文＝提前緊急出動〕という命令を受けた」「師団は四〇分以内に、連隊は三〇分以内に、中隊は十数分以内に出発した」「各級指揮員たちの胸中では、今回の進撃の主要目標が天安門広場であることは明白であった。そこには不法組織高自聯、工自聯の指揮部があり、動乱と暴乱の元凶である。天安門広場を奪回してこそ、動乱と暴乱が平定できる」（『在戒厳的日子里』三九頁）。これは各路の戒厳部隊が命令を受けた時間として書かれているが、午後二時三〇分は戒厳部隊指揮部が命令を出した時間でもあろう。

結局、戒厳部隊指揮部が午後二時三〇分に出した命令を、各路の戒厳部隊は午後三〜五時に受領し、午後一〇時前後に天安門広場に向けて出動したことになる。ここでもう一つ注目されるのは、「予定の戒厳位置」「予定の出動時間」が前もって決められており、当日は「時間を早めて」出動したにすぎないことである。

以上の分析から、遅くとも三日午前中までの衝突を踏まえて、事態を「暴乱」と断定し、午後二時三〇分までには戒厳部隊指揮部が全部隊の出動を決定したことが分かる。

3 『解放軍報』社説――「六月三日未明から反革命暴乱が発生した」

「反革命暴乱が発生した」とする判断を最も直截に語っているのは、『解放軍報』六月四日付社説「反革命暴乱を断固として鎮圧せよ、党中央の意思決定を断固として擁護せよ」である。社説は冒頭で「六月三日未明から、首都で重大な反革命暴乱が発生した」と指摘している。

「一部の者が不法にもチェックポイント〔原文＝卡〕を設け、軍人を包囲攻撃、殴打、拉致〔原文＝囲攻、殴打、綁架軍人〕し、わが幹部、戦士を死傷させ、軍用車を焼き、武器弾薬を略奪した。そして中南海に突撃し、人民大会堂に突撃した」。「党中央、国務院、中央軍事委員会は反革命暴乱鎮圧の意思決定を迅速に行った」「わが戒厳部隊は首都公安幹部、警官、武装警察部隊とともに、果断な措置をとり、この暴乱を迅速に平定する」。

この社説は暴乱鎮圧の決断を下したのは党中央、国務院、軍事委員会の三者としているが、事実上は中共中央軍事委員会の決定と見てよい。では、六月三日未明の「暴乱」状況はどのようにして起こったのか。

六月二日から三日未明にかけて丸腰で、いわゆる重要目標地点に向かった戒厳部隊の一部部隊があったことはさきに確認しておいた。これらの部隊のうち私服で三々五々目標地点に向かった部隊は到着し得たが、制服部隊は市内の各交差点に設けられたバリケードによって阻まれ、群衆の反撃によって部隊が撤退する局面さえ見られた（『重要文献』第3巻、一四九頁）。

部隊側の丸腰進駐とこれに対する群衆の激しい投石、そして「戒厳軍の敗退」こそが三日未明に各地で見られた事件であった。この丸腰出動、白シャツ部隊の行動の意味するものは何か？

当時の学生、群衆側のバリケード状況からして、丸腰進駐が成功すると見ていたとすれば、あまりにも甘い状況認識といわなければならない。むしろ戒厳部隊指揮部は丸腰進駐の失敗を予測していたであろう。これは失敗を前提した進駐であり、一種の挑発であると考えられる。つまり、強硬派の説く動乱、暴乱論を説得するために一芝居必要であったという解釈である。

のちに詳しく触れるように、ここで丸腰進駐して、群衆に囲まれ、悠々と撤退したのが主として東線であった事実に注目したい。これは三九軍の一部であった。鎮圧の主力軍はのちに明らかになるように西線に配置してある。

したがって、東線の「悠々とした撤退」は、一つには反革命暴乱を印象づけるためのもの、二つには西線の進駐を助けるための陽動作戦と見てよい。つまり、五月二〇日すぎの時点では西郊で陽動作戦を行って、東線から重点目標に進駐し、六月二、三日には逆に東線で陽動作戦を行い、西線から本格鎮圧に臨んだことになる。

東線の撤退のもう一つの狙いは、おそらく軍内の世論工作であったろう。十数万の部隊を反革命暴乱発生論でまとめるためには、軍内世論形成のための犠牲が必要であったと解釈できる。「連隊長、われわれはいつまでここでブラブラしているのですか！　われわれはどうして天安門へまだ行かないのですか？」（『戒厳一日（下）』二七頁）。こうした兵士の声がなにより必要であったろう。

四日付『解放軍報』は「暴乱」を裏付ける資料として、三日午後二時に六部口で群衆に奪われた武器輸送車を催涙ガス弾を初めて用いて奪還したことを目立つ位置に掲げている。この「暴乱」の内情を具体的に見てみよう。

ある師団の参謀長王小京が三日午前一〇時に進駐していた人民大会堂に帰ったとき、武器弾薬の輸送車が西単路口で群衆に包囲されているとの情報を師団長、政治委員から聞かされ、三〇名の兵士を率いて人民大会堂西南門から出て現場に急行した事実が記録されている。

数千人が輸送車を取り囲み、三人の学生が車の屋根に上がり、機関銃一丁、突撃銃二丁、炊事用菜切り包丁、ヘルメット一つ、つば広帽子、ナイロン製帽子ネットを展示し、外国記者に写真を撮らせていた。王小京が屋根に上がり武器を保護するためにやってきたと語ったところ、三つの問題に回答しなければ、生きて帰れると思うな、と言われ対話した。

「解放軍はなぜ私服で入城したのか？　解放軍は武器を携帯してなにをやるのか？　昨晩お前たちはいかなる命令を受け取ったのか？」

「わが部隊は初めて入城しようとしたときに、制服を着ていたために三日間動けなかった。ちなみに私がもし軍服を着ていたならば、ここまで来れたであろうか。第二、武器装備は軍人の第二の生命である。どこへ行くにも携帯する。第三、われわれが接した命令は治安を維持し、動乱を制止し、情勢を安定させよというものだった」。

一部の学生と群衆は納得したが、ここでは問題を解決できないとして、王小京を高自聯指揮部へ連れて行った。そこで糾察隊長李偉と交渉し、西城区公安分局と連絡をつけ、武器弾薬は安全に海軍医院に移された（『戒厳一日（上）』八〇～八三頁）。

ここに描かれている車の屋根上での武器展示、武器の公安局への引渡しは、当時西側マスコミで報道されたものと同じである。三日午前までの段階ではこのような平和的交渉がまだ行われていた一つの例である。

西単の武器引渡し事件については公安局側によって以下のように記されている。

六月三日一〇時ごろ、北京市公安局西単商場派出所へ区長〔西城区長〕、分局長〔西単分局〕から電話があり、武器の接収を指示してきた。正午一時前後、西単商場派出所長肖勇、副所長尹燕霊、民警姜樹宏、李学元、于建国ら五人が西単勧業場南門へ行った。

午後二時ごろ所長肖勇、副所長尹燕霊は北京師範大学、中国科学技術大学の二名の代表と勧業場内の美佳餐庁で武器接収の交渉を行った。

五時三〇分、北京師範大学学生自治会の任××、中国科学技術大学大学院生の戴××が西単商場派出所へ来て、「高自聯から通知が来て、撤退することになった。軍服はあなた方が引き取ってよい。武器弾薬は学生側は管理できない」と伝えた。

夜七時ごろ分局副局長趙懐達、副局長王崇勲も西単商場派出所へ来て学生代表と接触した。そしてついに武器を保管していた郵電学院の学生代表たちを説得して協議ができた。一〇時半、郵電医院前に待機していた救急車が到着して、武器を積んで、西単、商業部、民族宮、復興門、展覧路、甘家口の六箇所の検問を越えて、四日早朝海軍医院に運んだ（『戒厳一日（下）』三四〜四一頁）。

四日付の『解放軍報』で、社説のほかにもう一つ目立つのは、洪学智（軍事委員会副秘書長、元総後勤部部長）が二日に、劉華清（軍事委員会副秘書長、元海軍司令員）が二日に、秦基偉（軍事委員会委員、国防部長）が三日にそれぞれ戒厳部隊某部を見舞ったという記事である。事後に読むと、出動部隊に対する鼓舞であり、軍の出動態勢が整ったことを示していると読める。

戒厳令布告後すでに二週間、軍内部の動揺に対しては工作組の派遣によって軍令違反というムチと論功行賞というアメによって態勢を固めていた。この段階での課題は、すでに鎮圧の是非ではなく、いかに鎮圧するかであり、この意味では、意思決定は戒厳部隊指揮部に委ねられていたと見てよい。

こうして、「三日未明」の衝突という事態をとらえて、「反革命暴乱」と裁断が下った。しかも、「三日未明」の衝突と軍の敗退は、丸腰進駐（武器は別送）によって引き起こされたものであるから、「暴乱」は戒厳部隊の進駐によって作り出されたものと言ってさしつかえない。

4　六月二日未明発令の人民大会堂潜入作戦

『驚心動魄的56天』（北京・大地出版社、二〇〇〜二〇二頁）は、丸腰進駐についてこう説明している。「六月三日未明、戒厳部隊は既定計画に従って、引続き警戒目標（人民大会堂、中央宣伝部、広播電視部、中南海の西門と南門など）に向かって進撃した」。

ここで「既定計画」とあるから、二日以前から計画されていた行動であったことが分かる。この丸腰進撃に対してさまざまな抵抗、妨害が行われた事実を指摘したあと、「この緊急状況下で、党中央、国務院、中央軍事委員会は首都周辺に駐屯している戒厳部隊が市城区に進撃し、暴乱を平定するよう命じざるを得なかった」という（『驚心動魄的56天』二〇二頁）。

ここでとりわけ注目されるのは、人民大会堂に私服で集合することを命ぜられた一万人の兵士の存在である。

六月二日午後、某集団軍将兵一万余が私服〔原文＝便装〕でさみだれ的に集まった（『戒厳一日（上）』

五六頁）。この師団（薛政治委員、任旅長）は五月二〇日すぎ西郊で陽動作戦を展開した部隊であり、「塞北高原を長年守ってきた兵士たち」であるというから張家口駐屯の六五軍と推定される。陽動作戦の一つたる「F75作戦」について次の記述がある。

六月二日午前一時一〇分、某部隊〔六五軍〕は変装して入城せよ〔原文＝仮装入城〕との命を受けた。一〇時五〇分には全将兵に伝達され、それから一時間半後には全員が出発準備を完了した。トレパンあり、香港シャツあり、運動着あり、ランニングシャツありとさまざまであった。一三時四〇分、「調整収容組」は四台のジープに分乗して、それぞれ香山、動物園、西単、北海公園などへ向かった。一四時二〇分、数百名の将兵は一〇〇余の小組に分かれてそれぞれ幹部や党員が率いて三々五々人波に消えていった。こうして二日一八時にはF75作戦の某部隊将兵はすべて集結地点〔人民大会堂〕に到着した（『戒厳一日（上）』六〇〜六三頁）。

ここで人民大会堂一番乗りが二日夜六時であった事実が重要である。そして北京入城の命令が二日の未明に出ている事実がいっそう重大である。後者は中共中央軍事委員会、戒厳司令部レベルでは、遅くとも六月一日の深夜までに人民大会堂への進駐を決断していたことを意味しよう。

人民大会堂へ一番乗りしたある師団の参謀長王小京（七月一日に優秀党務工作者として表彰された）の活躍は次の通りである。

参謀長王小京（上校）の師団は六月二日、人民大会堂に進駐した。部隊はすべて私服を着て、三々五々、素手、徒歩で人民大会堂に向かった。二日夜七時半王小京は師団前方指揮部を率いて人民大会堂に到着して、後続部隊を待った。三日午前一時、師団長、政治委員も到着したが、二〇〇〇人余が蓮花池東路、広安門、宣武門大街などで群衆に包囲されたり、殴打されたりしていた。彼らの多くは北京は初めてであり、道にも迷った。そこで王小京はこれらの迷子兵士の収容に出かけた。蓮花池東路で九〇名余の将兵を発見し、静かな建築工事現場に導き、そこで三〇余の小組に分けて、それぞれ党員をリーダーに決め、人民大会堂に向かわせた。広安門、復興門でも三〇〇人余を発見し、人民大会堂に向かわせた（『戒厳一日（上）』八〇～八三頁）。

この部隊は六里橋あたりから出発したものとみられる（なお、三日午前五時現在、師団のうち一〇〇〇名近くの将兵が未到着であった。そこで師団常務委員会は一〇組を組織して、迷子兵士の収容に当たることにした。六本の街路、二〇本の胡同を歩き、六八人を収容して帰った）。

参謀長王小京のもう一つの部隊は十数キロを歩いて三日深夜に人民大会堂にたどりついている。これは「苹果園でまるまる三日足止めされたことのある部隊」であり、当初は「濃厚な田舎言葉」を話していたが、その後兵士と疑われないように、「北京語」に切り替えている。これらの情報から、この軍隊は北京周辺の部隊であることが分かる。つまり通常はお国なまりで話すが、無理すれば北京語もできるわけで、北京に近い部隊のはずである（『戒厳一日（上）』七七頁）。

このようにして、二日昼から三日深夜にかけて人民大会堂への丸腰進駐が行われた。一部の部隊は私服を着て、巧みに人民大会堂に潜入し得たが、一部の兵士は道に迷ったり、兵士であることを見破られて、足止めを食ったり、軍の記録には描かれていないが、撤退したりしている。形式的には、この撤退という事実をとらえて「暴乱」と断定したことになる。

兵士たちが人民大会堂に集まる姿は広場の学生たちにも目撃されており、しばしばトラブルも起こった。三日午前一一時、一部の群衆に人民大会堂への突入の動きもあり、なかでは緊張した。夜七時にある師団は緊急会議を開いて、防衛対策を練っている。デモ隊が人民大会堂に押し寄せる姿とこれに対する師団長高宗武、参謀長郭明高、後勤部長劉樹志の部隊の対応は『戒厳一日（上）』（六四〜七〇頁）に描かれている。この師団が人民大会堂の主役であったろう（六五軍と推定される）。

5　五月三一日、新総書記を内定して武力鎮圧作戦開始

六月二日未明には人民大会堂へ向けて私服による出動（一万名規模）が命令されているのであるから、鎮圧の意思決定は六月一日までには行われていたことになるが、ではこの前後に何があったのか。

六月一日付『人民日報』は、五月二一日以来、陸続と北京に進駐した戒厳部隊の一部〔二七軍ほか〕は、首都空港、北京駅、電報大楼、中央電視台（中央テレビ局）など十余りの「重点警衛目標区」に進駐するとともに、「近くパトロールを始める」という五月三一日新華社電を報じている。これは「軍事管制」〔原文＝軍管〕ではなく「国家の重要部門の安全を武装警察部隊が確保するのに協力するためである」と説明された（『人民日報』六月一日付）。

戒厳令布告から一〇日間、鄧小平が最も意を用いたのは、各軍区司令部の支持をとりつけることと、党中枢の人事を決定することであった。

鄧小平はこの人事構想のために腐心していたが、五月三一日には李鵬、姚依林を呼び寄せて、総書記趙紫陽の後任として、江沢民を当てる意向を語っている（『重要文献』第3巻、XII・5）。鄧小平はこの人事構想について、李先念、陳雲の同意を得たとして、李鵬、姚依林に引導を渡している。つまり党内常

識からすれば、趙紫陽、胡啓立なきあと、総書記昇格の資格を持ちうるのは、李鵬、姚依林、喬石であり、戒厳令の立役者として李鵬が最短距離にいたが、鄧小平は李鵬に対する論功行賞をお預けとして、上海から江沢民を抜擢した。

したがって、鄧小平は趙紫陽にかわる新総書記の人事を確定し終えて、やおら天安門広場の学生鎮圧に乗り出した、ということになる。鄧小平の説得を李鵬、姚依林が受け入れたことによって「中南海の意思」は一つにまとまったものと見てよい。

鄧小平から見て、学生運動は動乱、暴乱である以上、ただ鎮圧あるのみであった。趙紫陽に代表される党内穏健派は学生運動に一定の正当性を認めており、しかもそれが自らの政治的基盤を強化するうえでプラスであったから、「対話」を提起したが、鄧小平は「党の指導の堅持」「社会主義体制の堅持」の建前からして、この段階では対話を原則的に拒否したわけである。

要約すると、五月三一日に総書記江沢民人事は事実上決定し、この新指導体制を前提として、六月一日に、予め決定されていた鎮圧計画が始動した。計画の大綱は、むろん戒厳令決定以後二週間（五月一七日〜三一日）の研究を経て、十分にできていたはずである。

6　天安門制圧作戦の出動兵力

さきに今回の武力鎮圧に際して動員された部隊が一二個軍プラス二部隊であろうとする表二・5（一六〇頁）を掲げたが、これらの部隊がすべて二日から四日にかけて出動したわけではない。この期間に出動した部隊は表二・11（二一二頁）のごとく約七万であると推定される。公表資料によると、六月三日夜一〇時、「数万の大軍」が相次いで三環路から市区に進入したと記録されている（『在戒厳的日子里』三八頁）。

出動の基本的構図は「東西が向かいあって進み、南北が呼応しあい、中心に向かって突撃する」（原文＝東西対進、南北呼応、向心突撃）であった。つまり、西線、東線両路の部隊は相対して進撃し、南線は三、四本のルートに分かれて前門に突撃する。北線は徳勝門、安定門ラインに進撃した（『在戒厳的日子里』四〇頁）。

西線が主力であったことを考慮すると、戦力の配分は西線約二万、東線約一万、南線約一・五万、北線約一万と推定してよいのではないか。後述のように、西線は三八軍二個師団、二七軍と六三軍は一個師団からなっていたと考えられる。各師団がそれぞれ半数ずつ出動したとすれば、四個師団で約二万人となる。

四　武装警察部隊の群衆排除作戦

戒厳部隊の道案内を務めたのは武装警察（以下「武警」と略称）部隊であるから、まず武警の行動を追うことから始めよう。

表二・9　武装警察北京総隊の配置

東線	第3支隊、第10支隊、武警総部直属支隊からなる。いくつもの阻止線を破って前進した。
南線	第7支隊、第11支隊の車隊からなる。雨のように降る投石のなかで、徒歩に変え行進した。第12支隊は九つの歩道橋の下を通ったが、その度に橋上から襲撃され、彼らは9.5キロ徒歩行進して集結地域に到着した。
西線	第1支隊、第2支隊からなる。迂回して第2集結地点〔月壇体育場〕に集まり、ついで西軍に徒歩で進撃した。
北線	第5支隊、第8支隊、北京総隊指揮学校の車隊からなる。馬甸橋〔昌平路と三中路との交差点〕で阻止され、前進が困難になった。

（注）武装警察は総隊（師級）、支隊（団級）、大隊（営級）、中隊（連級）からなる。
（資料）『歴史的碑文』北京・経済管理出版社、7頁。

1　東西南北から天安門広場を目指す

反革命暴乱鎮圧は東西南北の四方面から攻めている。全体の状況は武警北京総隊（総隊長＝張文琦、政治委員＝張世瑗）について明確に記述された資料がある（陳生庚主編『歴史的碑文』北京・経済管理出版社、一九八九年九月）。すなわち、六月三日夜一〇時四〇分、武警北京総隊各支隊は東南西北の四方向から城区に向かった。解放軍はすでに三環路までは包囲していたのであるから、この作戦の目的は二環路内を解放軍の制圧下に置くことであった。『歴史的碑文』によれば、武警北京総隊の配置は、表二・9のごとくであり、全体が東南西北の四方向に分かれて作戦を行ったことが分かる。

2　西線の群衆排除「鋸引き作戦」

武警北京総隊の活躍の全貌をより具体的に描いているのは、『平暴英雄譜』（北京・光明日報出版社、一九八九年九月）である。西線の支隊はいわば先回りして、群衆の最も多い西単の交通整理を図ろうとしたものだが、これについて同書は以下のように記している。

武警北京総隊第一支隊（五六〇名）は、六月三日夜一一時一五分、指定位置たる西単北大街南口に着いた。部隊は西単路口で万にも上る群衆に取り囲まれた。西線を進撃する部隊はこのとき西単の西側五キロの地点を東へ向かっていた。第一支隊長楊徳安は西単路口の西側二〇〇メートルのところにある民族文化宮に群衆を引きつけることによって戒厳軍の西単通過を保障する作戦を採った。第一支隊は銃は携帯しておらず、催涙ガス弾だけを用いて、民族文化宮に群衆を引きつけては押し返す「鋸引き作戦」を八回繰り返した。

四日午前一時には二時間近くの戦闘を通じて、負傷者が続出、催涙ガス弾を使い尽くした。群衆はさらに増えて三万人近くになった。一時一〇分、西単路口に戒厳部隊の先頭部隊が無事に近づき、通り過ぎていった。かくて第一支隊の任務は達成された。

この作戦で第一支隊五六〇名のうち三分の二が負傷し、そのうち半数は重傷であった。なかでも劉艶坡は負傷して人民医院に送られる途中、医院の門口で救急車を群衆に囲まれ、死亡した。第一支隊の衛生員王玉文は四日早朝白塔寺路口で群衆に車を囲まれ、路上にひきずり下ろされて一〇三箇所負傷し、終身障害者となった（『平暴英雄譜』一三九～一四三頁）。

王玉文は九月二二日「共和国衛士」の称号を受けたが、これは『解放軍報』一〇月七日付のトップ記事になっている。

また、このとき、武警北京総隊司令部内衛処副処長、少校王志強（武警防暴隊を組織し、北京総隊第一支隊の三五〇名を救出した）および武警北京総隊第五支隊第八中隊（西線の先頭にあって北京軍区首脳を護衛し、西線の進撃を切り開いた）の中隊長中尉姜超成も共和国衛士の称号を受けた。

『歴史的碑文』は第一支隊支隊長楊徳安らの活躍をこう描いている。

六月三日夜一一時一五分第一支隊支隊長楊徳安の率いる五〇〇名余の将兵、第二支隊副支隊長張占亭の率いる将兵が西単に到着し、万を数える群衆と接触したときのこと。武警側五〇〇名余、群衆側約一万、楊支隊長は知恵を働かせ、群衆を民族文化宮に引きつけて、西単口、復興門北大街口、礼士路〔復興門北大街口と燕京飯店の中間にある道路〕の群衆を牽制しようとした。民族文化宮には武警部隊の警衛中隊があり、本部との連絡に便利な点も考えてのことであった。こうして五〇〇名の武警支隊は群衆を民族文化宮に引きつけては西単に押し返すという「鋸引き作戦」を八回も繰り返した。武警支隊の武器は一五〇発の催涙ガスと七〇枚の楯、そして棍棒だけであった。三日夜一一時五四分、ついに防暴隊〔暴動鎮圧隊〕を先導とする西線の解放軍〔三八軍〕は民族文化宮、西単を通過し、天安門広場に向かった。そして四日午前一時三〇分ごろ天安門前の金水橋に着いた。西線第一梯隊はこうしてようやく広場にたどりついた。

ここで軍の発砲の事実が記述されている。解放軍が民族文化宮前を通るときに、「ダッ、ダッ、ダッ！」「パッ、パッ、パッ！」と銃声が聞こえたというものである（『歴史的碑文』二三、三二頁）。

3　最初の発砲はいつか

『人民日報』（六月四日付一面）は三日夜一〇時に軍事博物館一帯で銃声が響き、戒厳部隊が市内進入を始めたとしている。しかし、別の資料によれば、一〇時一五分の時点で戒厳部隊はまだ発砲していなかったという（『平暴英雄譜』一五一頁）。

ところで西線の鎮圧軍が夜一〇時一五分に軍事博物館に着いた直後に前方指揮部の緊急会議が開かれている。そして会議後、大量の発砲が行われているのである（二〇三頁以下の資料1）。

ここに二つの問題がある。一つは会議と発砲許可との関係である。もう一つは最初の発砲の時間である。

もし『平暴英雄譜』のいうように、緊急会議前には発砲は行われておらず、会議後に行われたのならば、発砲はこの会議によって決定された可能性が強い。では『人民日報』が一〇時ごろの銃声と書いている事実をどう読むべきか。中国人の時間観念はかなり曖昧である。一〇時ごろには前後三〇分程度の許容範囲があると見てよい。したがって、ここでは二つの可能性があると解釈しておきたい。

一つは、中隊長レベルの判断で自己防衛のための発砲が行われ、この事実を踏まえて会議が開かれ、発砲の方法などについて具体的な指示を行った可能性である。その指示内容とは、「正当防衛は必要なことであるが、絶対に密集した群衆、老人、子供や住居に発砲してはならず、密集した高層地区においては発砲には十分に注意し、みだりに人を傷つけてはならない」というものである（『捍衛』四二四頁）。なぜこのような指示が必要となったのか。「一部の空中に向けた銃弾が両側の高層アパートに飛び、一部の地面に向けた銃弾が群衆に飛び込んだ。一部の凶悪な暴徒は当然懲罰を受けるべきだが、一部の野次馬（原文＝囲観者）、無辜の者が誤って傷つけられる」（『捍衛』四二四頁）現象が生じたからである。

もう一つの可能性は、軍事博物館での会議において、発砲が必要との判断が下されたという解釈である。この命令を受けて、まず警告発砲が行われたが、発砲による死傷者の激増に対抗して、群衆の投石その他の抵抗もますます激化した。

表二・10　武装警察北京総隊の「共和国衛士」5名（2烈士、3勇士）

姓　名	死傷あるいは活躍した日時と場所	資料
李国瑞	4日午前4時半、阜成門立体交差橋に死体を吊さる	『解放軍報』7月19日
劉艶坡	4日早朝、人民医院門口で殺さる	『解放軍報』7月19日
王玉文	4日7時、白塔寺路口で救急車を襲われ重傷	『解放軍報』10月7日
王志強	3日夜～4日朝、第1支隊の350名を救出	『解放軍報』10月7日
姜超成	3日夜～4日朝、第5支隊第8中隊中隊長	『解放軍報』10月7日

いずれにしろ、部隊と群衆との衝突のエスカレーションの結果、西線の先頭部隊が天安門前の金水橋に到着するころには、完全な「水平射撃」に発展し、もはや警告のためといったものではなく、群衆の射殺を目的とした発砲に転化していた。

4　西線先頭の防暴隊員

武警北京総隊のなかで、最も華々しい活躍をしたのは、第八中隊（第五支隊所属）である。六月三日午後五時五〇分、北京西郊八大処（石景山区、武警の駐屯地）にいたこの中隊に突然出動命令が出て、彼らは五〇名の防暴隊員を組織し、ヘルメットをかぶり、楯と警棒、催涙ガス弾を携帯して北京軍区の駐屯地たる軍区大院〔五棵松〕に着いたのが八時三〇分であった。

北京軍区政治委員劉振華上将は「今晩われわれは天安門広場に進撃し、天安門広場を占領する。君たちの任務は大部隊のために道を開くことだ」と命令した。北京軍区司令員周衣冰中将は「君たちは軍区の前方指揮部の指揮に直接従い、今日必ず天安門広場に到達せよ」と命令した。「戒厳部隊の大部分は西線に集中しており」、第八中隊は責務の重大さを自覚しながら、九時一〇分に軍区大院を出発した。

この記述から三日夜に周衣冰、劉振華ら北京軍区首脳が軍区大院にいたことが分かる。そして北京軍区首脳は三八軍先頭部隊とともに西線を進撃したのであった。「武警第八中隊の任務は三八軍前方指揮部を軍事博物館まで護衛することであった」。

当初は軍区大院に置かれていた前方指揮部が軍事博物館に移動する予定になっていたものと推測される。この軍区前方指揮部のメンバーは不明であるが、その中核はむろん周衣冰、劉振華らであろう。

第八中隊は二台が前衛、二台が後衛と分かれて護衛しようとしたが、軍区大院を出てまもなく後衛の二台が故障で動けなくなった。そこで五〇名の防暴隊員のうち後衛の二三名は任務を果たせなくなった。

およそ九時五五分ごろ、五棵松路口に来たとき、焼けた軍用車とバスによって道路が塞がれ、群衆によって第八中隊のタイヤは空気を抜かれ、窓ガラスも破られた。運転手王勇剛も左顔に負傷した。そこで二七名の隊員は片手に楯を片手に警棒をもって、車から下りて、群衆のなかへ突撃した。防暴隊員たちは夜一〇時一五分に軍事博物館に着いた。このとき、すでに軍事博物館には少なからぬ部隊が集結しており、軍事博物館門口の東側近くでは数十台のバスが道路に並べられ、群衆との「鋸引き作戦」がすでに三〇分以上続いていた。群衆の投石によって、一部の将兵は負傷していたが、解放軍はまだ発砲はしなかった（『平暴英雄譜』一五一頁）。

この状況に直面して、三八軍前方指揮部は緊急会議〔前述〕を開いた。第八中隊が正面から群衆を排除し、解放軍の三〇〇名の先頭部隊が道路両側の障碍物を排除し、大部隊の前進を可能ならしめることを決定した。このとき第八中隊は初めて催涙ガス弾を用い〔一〇時一五分以降である〕、バスの東側から突撃した。以後、二七名の防暴隊員は楯を半円形に構成して防御し、三つの三角形に分かれて突撃し、再び半円形になって防御することを操り返しながら前進し、四日午前一時三〇分、西単路口に着いた。そして一時四八分に、五時間近くの戦闘ののちに天安門広場の金水橋前に着いた（『平暴英雄譜』一四八～一五五頁）。つまり西単路口の群衆整理にあたったために、あとで見るように三八軍の先頭部隊よりも一八分遅れて広場に到着したわけである。

5　武装警察北京総隊の殉職者

西線擁護の武警北京総隊に属するこの部隊は四月末以来、重要な政府機関、中央電視台（中央テレビ局）などを警備していたが（たとえば釣魚台国賓館）、六月三日には海淀区の武警北京総隊海淀分局から出動した。この部隊に関係する死者は二人である。

【李国瑞の場合】

李国瑞は武警北京総隊第二支隊第一大隊通信班戦士（内蒙古出身）である。六月三日、李国瑞は大隊長について遠郊の県で新兵を見舞いに行った。夜八時半に駐屯地に戻った。そのとき戒厳任務執行の命令に接して、直ちに自動車に乗った。夜一〇時ごろ、部隊は車公荘（車公荘大街と阜成門北大街の交差点）で阻まれ、三時間あまり立ち往生した。四日午前二時、群衆は軍用車に放火したので、部隊は徒歩で前進することになった。李国瑞は二人の同僚が軍用車に残されたのを知って、彼らの下車を助けようとしたが、李国瑞自身が群衆のなかに取り残された。あとは阜成門の立体交差橋の上で、群衆にとらえられ、一時間あまり殴打された。それから立体交差橋東側の一〇一バス停の欄干に横たえられ、ガソリンをかけて焼かれ、四日四時半ごろ死去した（『捍衛』三五四〜三五七頁）。

攀文峰（武警北京総隊第二支隊幹事）の回想記録「衛士の熱血が京都を染める——共和国衛士武警北京総隊某部李国瑞烈士」（『平暴英雄譜』一二四〜一三一頁。類似の記事として『南方日報』一九八九年八月一七日付）によれば、李国瑞らの部隊は西単へ先行して、戒厳部隊の通過のために、交通整理、群衆の排除の任務を命ぜられていた。

【劉艶坡の場合】

武警北京総隊第一支隊第一中隊の新兵劉艶坡は五月中旬釣魚台国賓館の機動任務につき、ゴルバチョフの帰国まで警備した。その後、中央電視台（中央テレビ局）の警備に回り、解放軍戦士と共同してカラーテレビ・センター（彩電中心、復興路）を十数日警備した。六月四日早朝、人民医院（阜成門内大街）前で七名の部隊負傷者を乗せた救急車が群衆に囲まれ、セメント瓦で殴られ、劉艶坡が死亡した（『解放軍報』一九八九年六月二一日、のち『捍衛』三五九～三六〇頁）。

王玉文、王志強、姜超成の三名が「共和国衛士」の称号を授与されたことは、一〇月七日付『解放軍報』に見える。

●資料1

西線で北京軍区首脳を護衛した武警第八中隊

【原題】百折不屈、一路邁進。【報告者】武警北京総隊第五支隊第八中隊。【出所】『平暴英雄譜』一四八～一五五頁。【関連文献】李林（副政治委員、中校）「進撃する防暴隊」『戒厳一日（上）』九二～九八頁。

＊

指導者各位、同志諸君・・

わが中隊は外国賓客のために軍事演習を行ったり、各種の突発的な事件に対処する機動部隊を担当しており、近年相次いで外国元首と軍事代表団のために九〇回余の軍事演習を行い、幾度も特殊任務を遂行してきた。今回の反革命暴乱平定においては、われわれは解放軍戒厳部隊のために道を切り開く任務を担当した。八大処（石景山苹果園）から天安門広場まで行程は約一七・五キロ、四三の大小の交差点を強行通過し、勝利のうちに任務を達成した。これについて北京の街角では、わが防暴隊は西ドイツでの訓練から帰ったばかりであるとか、ガリソン決死隊〔Garrison〕と同じく秘密兵器があるとか、ウワサされている。さらにある者はわが中隊は誰もが気功ができ、煉瓦片や空き瓶を投げても、手や指をちょっと動かすだけで、これらを弾き返し、しかもそれは投げた者に対してお返しするのだとさえウワサしている。実はわれわれは西ドイツへ行って訓練を受けたことはないし、一部の者が伝えたほど神秘的でもない。われわれはただ党と人民に対して限りない忠誠をもち、英雄的、頑強な作風に依拠して、勝利のうちに任務を達成したのである。これから私はわが中隊が反革命暴乱の平定において、戒厳部隊の天安門広場進撃のために、強行開路した戦闘状況を報告する。

六月三日午後五時五〇分、上級から突然命令が出て、わが中隊が五〇名の防暴隊員を組織してヘルメット、楯、警棒、催涙ガス弾をもって直ちに出発せよ、北京軍区から任務を受けよ、と要求された。われわれは直ちに体格がよく作風のしっかりした五〇名の将兵を選び、車両と器材とを準備し、臨戦動員を行い、支隊の李副政治委員〔李林中校であろう。『戒厳一日（上）』九二〜九八頁〕、丁参謀長が率いて、大至急で軍区駐屯地へ出発した。

軍区駐屯地へ赴く途中でわれわれは軍用車が一台一台と、そして部隊が一組一組と城区の外側に集結し、緊迫しつつある状況を目にした。われわれは情勢が厳しいこと、厳しい戦いがわれわれを待っていることを予感した。

夜八時三〇分、われわれは軍区駐屯地へ着いた。ここではかねてわが総隊〔武警北京総隊〕の王副処長が待ち構えており、われわれを直ちに軍区作戦室に連れて行った。作戦室の大部分は上将や中将の肩章をつけた首長たちであった。

かくも多くの将軍たちが直接われわれに命令するのに直面して、われわれは今回の任務が只事ではないことを感じた。

まもなく〔北京〕軍区政治委員劉振華上将が最初にわれわれに講話した。彼はこう語った。

「同志諸君、目前の情勢はたいへん厳しい。首都は学生運動から動乱に発展し、いまやすでに暴乱に発展している。彼らは軍用車を燃やし、武器を奪い、解放軍将兵を傷つけており、事件の性質がすでに変化している。今晩われわれは天安門広場に進撃して、天安門広場を占領し、党を防衛し、人民を防衛し、国家政権を防衛し、首都北京を防衛しなければならない。君たちの任務は先頭にあって大部隊のために開路し、党中央の意思決定を実現することである」。

軍区司令員周衣冰中将は、手を振って続けてこう語った。

「妨害する者がなければ進撃するが、誰かが妨害しても進撃する。君たちは軍区前方指揮部に直属し、今日は必ず天安門広場に到達しなければならない」。首長の動員命令を聞いて、われわれはすぐ肩の荷が重くなった。というのは解放軍戒厳部隊の大部分は西線に集中しており、われわれが切り開かなければならない道とは、大部隊が天安門広場へ到達するに際してかならず経由する道であり、暴乱分子が最も多く、バリケードが最も強固な道だからであった。今日この道を開けるかどうかは作戦指揮部と大部隊が時間通りに到着できるかどうかだけでなく、暴乱平定全体の全局にもかかわっているとわれわれは痛感した。皆は拳をにぎりしめ、互いに顔を見合わせた。今日は命がけだ。たとえ死んでも任務は断固として達成する、とその顔は語っていた！

夜九時一〇分、われわれは軍区大院から出発した。われわれがまず引き受けた任務は軍区前方指揮部を安全に軍事博物館まで護衛することであった。われわれは二台の車両を前面に前衛として配置し、二台を後方に後衛として、計四台を用いた。図らずも、軍区大院を出てすぐ、後方の車両が故障した。兵は神速を尊ぶ。軍区首長はこの車両を路肩に推して、部隊は引続き前進せよと命じた。こうしてわれわれ五〇人で組織した防暴隊は二七人だけが残った。言い換えれば五〇人で担うべき任務が二七人の肩にのしかかった。皆は腰のベルトを引締め、靴紐をしっかりと結び、各人の首には白いタオルを巻いて格闘の準備をした。

行進を始めた時点では妨げる群衆は多くなく、たまたま石ころや煉瓦を投げつけたり、車を阻もうと近づく程度であった。われわれはまず消灯して徐行し、突然点灯して加速するなどの方法で十いくつの交差点を突破した。

およそ九時五五分ごろ、われわれが五棵松交差点に着くと、状況は大いに異なっていた。ここでは交差点全体が数十台の焼かれた軍用車とバスでふさがれ、車両の周囲は人の山、人の海であり、車両の側だけに解放軍戦士が見え、彼らは車を押していた。

他方では暴徒たちが車を前進させまいと抵抗していた。周囲では万を越える群衆がワッと集まっていた。このとき、われわれの車は停車を余儀なくされ、車が停車すると直ちに群衆に取り囲まれた。理性を失った人々は暴徒の煽動のもとで、ある者は石ころで窓ガラスや車灯を壊し、ある者は鉄棒でガソリン・タンクやエンジンをつつき、一部の暴徒はタイヤの空気を抜こうとした。あっという間に、わが車両の窓ガラスはすべて壊され、運転手の王勇剛は左顔を負傷し、防暴隊員咸国坤も顔中が血だらけになった。

この状況に直面して皆は大いにあわてた。隊員たちにはそれぞれ特技があり、銃を持たせれば百発百中だし、拳で煉瓦を割ることができ、垂直の四階建ビルに九秒間でよじ上ることができる。老山の前線でベトナムの鬼どもが煉瓦や石ころでわれわれを攻撃するのならば、わが鉄拳で殴りつけ、血路を開くことができる。しかし現在は状況が違っており、われわれの足元は老山ではなく、群衆の密集した長安街である。われわれが直面したのは老山前線のように敵一色ではなく、騒乱の人込みのなかには暴徒もいるが、大多数は真相の不明な群衆である。善人と悪人が混在しており、皆は力があっても、これを用いることができなかった。

誤って群衆を傷つけるのを避けるために、われわれは暴徒がわれわれを恐れる心理をもつことを利用して、威嚇の方法を用いて突撃した。二七名の隊員は片手に楯をもち、片手に警棒をもち、突然車から飛び下り、声を揃えて「突撃！……」と吶喊した。

この声は群衆を震撼させる、朗々としたもので、万にも上る群衆の声を圧倒し、石ころと煉瓦で楯を撃つ音を圧倒した。暴徒たちは突然響いた声に驚いて、「速く逃げろ、防暴隊がやってきたぞ」と叫びながら逃げ出した。後方の者は叫び声を聞いて、何が起こったのかも知らずに、あわてて逃げ出した。われわれは機に乗じて突進した。事後に、ある人がわれわれをからかって言った。「［三国志の］張飛は長坂坡で大いに戦い、刀を横にして馬を立てて一声吼えると、三江の水は逆流した。君たちが五棵松で一声吼えると暴徒は驚いて逃げ出し、道が開けた」と。

軍区首長はこう賞賛した。「過去に君たちには、鉄の頭、鉄の腕、鉄の足という三鉄があると聞いていた。いま見たところ、もう一つの鉄を加えなければならない。鉄の喉だ」。

こうしてわれわれは開路戦闘における第一の難関を飛び越えた。五棵松から軍事博物館まで進撃する途中でわれわれはときどき下車して障害物を排除し、時には妨害する群衆を蹴散らし、ときには乗車して前進した。われわれが軍事博物館に到着したのは夜一〇時一五分であった。

軍事博物館に到着してわれわれは少なからざる部隊がすでにここに集結しているのを見た。われわれはまた軍事博物館門口の東側遠くないところに数十台のバスが暴徒によって大通りに横に並べられ、激烈な鋸引き作戦がすでに半時間あまり続いていることを知った。手に棍棒や石ころをもった千名以上の暴徒と真相を知らない群衆がバスの後ろに隠れて、解放軍戦士が近づくと頭に棒の雨を降らせた。ある戦士は殴られて血を流し、ある戦士はその場で昏倒し、一部の負傷兵は陸続とかつがれていった。

たとえこのような状況下でも、解放軍はまだ発砲しなかった「「まだ発砲しなかった」とは、その直後に「発砲した」と読まなければならない」。しかし暴徒たちは部隊が最大の克己心と忍耐心をもって当たったことを軟弱さと見なして、通行分離柵を壊し、車一杯のビール瓶や釘つきの棍棒を武器として、戒厳部隊が天安門広場に進撃するのを阻止しようとした。

この状況に直面して、軍区前方指揮部は緊急会議を開いて、各部隊の協調を図るとともに、会議でわれわれにいっそう明確にこう指示した。それはわれわれが責任をもって正面から暴徒を駆逐し、解放軍三〇〇名の先頭部隊が両側をコントロールして障害物を排除し、大部隊の進撃を保障することであった。こうしてわれわれは名実ともに「刀の尖端」となった。どうしたら大部隊のために道を開くことができ、どうしたら目の前の道路の障害物を排除できるのか。どうやら鉄の喉に頼るだけではダメであった。隊の指導者は強行通過を決定し、簡単にわれわれに二カ条の命令を下した。一つはいかなる同志も盲目的に冒進してはいけないこと、もう一つは死を誓って、一歩も退いてはならぬことであった。その後、われわれがバスから約五〇メートルのところに来たとき、われわれ突撃を準備した。指揮員が号令をかけると、われわれ二七名の防暴隊員は吶喊して矢のように突進してバスに近づいた。このとき、煉瓦、瓦、ガラス瓶などが雹霰のように車の裏側から飛んできて、わが十数人の同志は腿を負傷した。戦士関宏杰の腿は骨が現れた。忍びがたい状況下でわれわれは初めて催涙ガス弾を用いた。そして機に乗じてバスの東側から突撃した。暴徒たちはわれわれが彼らの側へ突撃できないと考えていたので、突然の突撃に際して蜂の巣をつつかれたように叫びながら四方に逃げ出した。われわれは迅速に障害物をくぐりぬけ、二七の楯を用いて速やかに一つの半円形を作り、隊員たちは楯の後ろにひそんだ。そして二十いくつのヘルメットだけが楯の上で微かに光った。

驚いた暴徒たちは遠くまで逃げてからようやく足を停めて、皆がこの奇怪な陣形に驚いた。彼らは手に棍棒や石ころをもち、ぼんやり眺めるだけで、誰も前に出ようとしなかった。確かに彼らはこれまでこうした陣形を見たことはなく、このような「秘密兵器」を見たことはなかった。実はこれは秘密兵器といったものではなく、われわれが普段から訓練している警棒と楯の組合せ技術にほかならなかった。

近年、わが国の改革開放情勢の発展につれて、流動人口が増え、国際的な各種の邪悪な勢力も浸透し、突発的な暴力事件も増えてきた。突発事件の発生に対処するため、武警部隊は機動部隊を組織し、機動部隊のなかでは警棒楯衛の専門訓練をやってきたのであった。警棒と楯を結合したこの戦術は、グループの合力をよりいっそう発揮して、犯罪分子を震えあがらせることができる。

群衆がポカンとしているとき、この半円形の隊形は瞬時に三つの三角形になり、二つの尖った形のごとく暴乱の人込みに突入した。暴徒たちは叫ぶ間もなく驚いて十数メートル後退する。その三つの三角はまたたく間に一つに集まり、もとの半円形の隊形になる。解放軍先頭部隊も勢いに乗じて障害となっている車を排除し、大部隊はこれについて前進した。前進するにつれて障害はますます増え、状況は複雑化した。復興門立体橋下には木樨地から退いてきた群衆と、もともとここにいた暴徒と真相の分からぬ群衆とが、海や山のように大勢いた。橋の東側には一二台のバスが燃やされ、大通りに横たえられ、煙がもうもう、炎も大きく、ときならずガソリン・タンクが爆発した。パンパンという爆発音に続いて巨大な火の玉が天に飛んだ。しかし前進の道がいかに困難であれ、党と国家の利益のためにかねて生死を度外視している防暴隊員を倒すことはできなかった。われわれは橋の上の群衆を駆逐し、燃えているバスの前にきたとき、指揮員が「突撃」と命令すると、戦士たちは火を吹いている車の間から、あるいは燃え盛る窓から、あるいは車の下からもぐって、一斉に暴徒におどりかかった。

このとき、皆はすでに四時間近く戦っており、一八の大交差点、一六の小交差点を攻略し、あらゆる者が負傷していた。二七の楯はプラスチック製の覗き窓がすべて壊れ、二七のヘルメットの緑のペンキもはげていた。運転手王永剛は楯を握って石ころを防ぎ、片手でハンドルを握って運転を続けた。戦士咸国坤は頭に負傷し、顔半分が饅頭のように腫れ上がった。同志たちは幾度も車上で休息するよう勧めたが、彼は耳を貸さず、戦友のために催涙ガス弾を運んだ。代理小隊長孫鴻武は戦友の楯が壊れたのを見て、自分から楯を戦友に与え、自らは警棒だけで戦闘した。このとき、われわれ防暴隊員の心には一つの信念だけがあった。天安門に到らざれば、誓ってやめず、であった。

数回の力比べを経て、暴徒たちはますます狡猾になり、手段はますます隠蔽され、残忍なものとなった。近いところや明るいところにいると損するので、ある者は街路樹に上り、棍棒や煉瓦を上から落とした。ある者は建物の屋上から盆栽を落とし、われわれの生命は重大な危険にさらされた。まさにこのとき、指揮車から遠くない民族文化宮で五〇〇余の武警将兵が三万人近くの群衆によって数時間包囲されており、なかには百人の負傷者もいるというニュースであった。戦友の生命は危機にさらされている。防暴隊員はこのニュースを聞くと、目を真っ赤にした。皆は暴徒の襲撃を顧みず、民族文化宮に突撃し、そこに囲まれていた戦友を救助した。

四日午前一時三〇分、われわれは西単交差点に着いたとき、そこは一面の火の海であった。大通りの通行分離柵、鉄欄干などは無茶苦茶にされ、上にはそれにガソリンをかけて燃やし、炎のバリケードとしていた。ある箇所には石炭屑がまかれ、ある箇所ではそのうえさらにガソリンがまかれ、火の海となっていた。大通りの両側では軍用車が燃えており、学生たちがハンストの際に用いた綿入れをのせて、牛乳一三〇ケースを満載したトラックもタイヤの空気を抜かれ、牛乳瓶は部隊襲撃に用いられ、ガラス片は至るところに散っていた。このとき、部隊の李副政治委員の声だけが聞こえた。「同志諸君、天安門広場まであと二キロだ。突撃こそ勝利だ！」と。即座に防暴隊員は興奮して「行こう、突撃だ！」と高らかに叫んだ。これは高ぶった情緒を無限の力に変えるものであった。二七名の将兵は一斉に火の海に飛び込み、暴徒たちの炎のバリケードを越えると、また迅速に防護隊形を作り、大部隊の進撃を待った。このとき、解放軍排除部隊も装甲車を動員した。まもなく障害を排除し、烈火を消しとめ、大部隊のために通路を切り開いた。

われわれが府右街交差点に来たとき、遠く新華門前に集まった暴徒が警衛中の解放軍将兵を包囲し攻撃した。われわれは迅速に催涙ガス弾を用いて府右街交差点の群衆を駆逐し、快足で新華門に向かった。このとき、誰かが「防暴警察が来たぞ」と高く叫ぶと、われわれはまだ着いていないのに新華門前の暴徒は驚いて四散した。新華門前で五十数日頑張っていた警衛戦士は感動して涙を流し、手を振って高らかに叫んだ。「武警に学べ！　武警に敬意！」。われわれも高らかに叫んだ。「解放軍万歳！」。

六月四日早暁一時四八分、これは忘れられない時刻である。われわれ二七名の防暴隊員は五時間近くの死闘を経て、ついに天安門広場に到達した。われわれが広場について間もなく、軍区大院を出発するときエンジンが停まって取り残された別の二四名の防暴隊員も他の戒厳部隊のために道を開きつつ、勝利のうちに広場に到着した。われわれは戒厳部隊の数路の大軍が、いくつもの障害を突破して、ついに天安門広場で勝利の部隊合流を行い、暴乱分子が五十数日占拠した天安門広場が再び人民の手に戻ったのを思って、疲労を忘れ、痛みを忘れ、感動して抱き合った。ある者は思わず金水橋前でトンボ返りをした。

軍区首長は一人一人とわれわれ防暴隊員と握手して、われわれが強い部隊であり、英雄部隊であると賞賛した。

五　解放軍の暴乱鎮圧作戦

1　各部隊の作戦配置

武警北京総隊の配置は、いずれも戒厳部隊の進路を開くものであるから、解放軍部隊もまた東西南北四方向から進撃したことが分かる。六月三日から四日にかけての出動部隊、兵員数とその配置は表二・11のごとくであると推定される。『在戒厳的日子里』は、出動部隊の主なルートが表二・12のごとくであると説明している（四〇〜五一頁）。これを図示すれば、図二・1のごとくであろう。

2　西線——主力の北京部隊

西線には鎮圧の主力部隊が配置されたが、西線の主な地名と距離は図二・2のごとくである。西線の主力は一般に二七軍と見られてきたが、実は三八軍であり、最も激しく発砲したのもこの三八軍であると推定される。けだし、北京の治安維持ならぬ防衛任務を担当するのは三八軍であり、若干の動揺は戒厳司令部から派遣された「工作組」によって克服し、北京軍区首脳の直接的司令のもとに鎮圧作戦に出動したのであった。

西線の第一梯隊（三八軍）は三日夜九時半に公主墳を出発し、四時間かけて進撃し、四日午前一時半に天安門前の金水橋に着いた。なお、これは三八軍A師団であり、B師団は四日午前二時六分に金水橋に着いた（『戒厳一日（上）』五七頁）。

西線の第二梯隊は二七軍と推測されるが、これを特定できる記録が得られない。

表二・11　「反革命暴乱」鎮圧への出動部隊（9個軍プラス2部隊、約7万）

配置部署	推定兵数	出動軍名	所属軍区
西線	約2万	38軍と27軍（石景山から）、63軍（豊台から）	北京軍区
北線	約1万	24軍（沙河空港から）	北京軍区
南線	約1.5万	15軍（南苑空港から）、54軍（大興県から）	済南軍区
東線	約1万	39軍と40軍（通県から）	瀋陽軍区
人民大会堂潜入組	約1万	65軍	北京軍区
その他	数千		北京衛戍区
その他	数千		天津警備区

（資料）兵数および出動軍名は筆者推定。

表二・12　出動部隊の主なルート

西線〔北京軍区〕	五棵松——復興門——天安門〔一部は石景山から出発。第1梯隊38軍、第2梯隊27軍、第3梯隊63軍の3梯隊編制からなる〕
東線〔瀋陽軍区〕	通県——建国門——天安門〔通県三間房空港から出発、39軍、40軍〕
南線〔済南軍区54軍と空挺15軍〕	a 六里橋——菜市口——正陽門〔54軍A師団は大興県から出発〕 b 大興——宣武門——正陽門〔54軍B師団の先頭団は3日夜8時30分に正陽門着。主力部隊は夜11時10分前門西大街東口着〕 c 木樨園——珠市口——人民大会堂〔天兵。南苑空港から第1梯隊、第2梯隊、第3梯隊の3梯隊編制で進撃〕
北線〔北京軍区〕	沙河——清河——徳勝門〔24軍は沙河空港から〕
その他	・人民大会堂潜入組は65軍 ・ほかに北京衛戍区、天津警備区も出動

（資料）主なルートは『在戒厳的日子里』40～51頁。

図二・1　東西南北から天安門広場への進撃

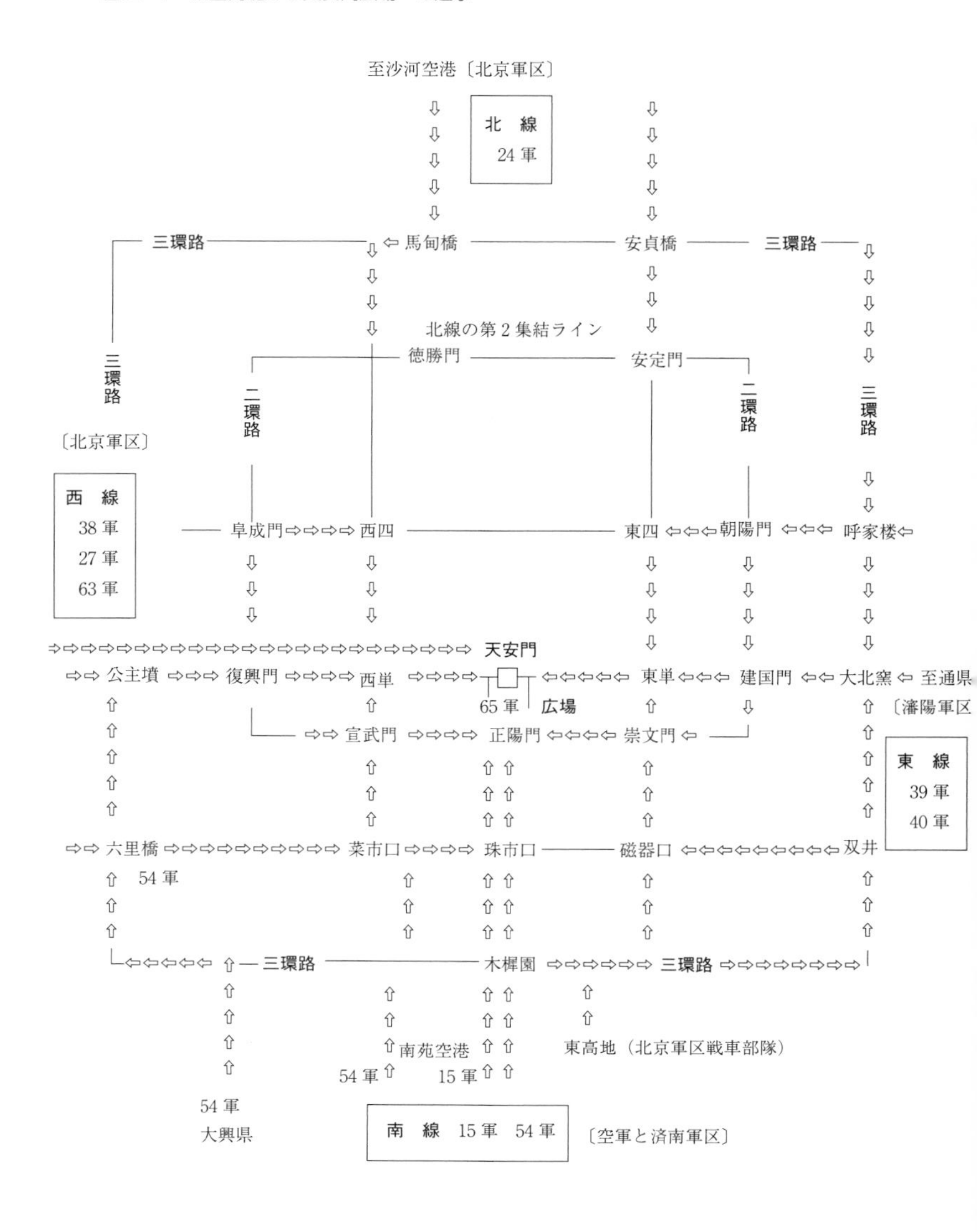

図二・2　西線の主な地名と距離（五棵松から天安門まで約 11 キロ）

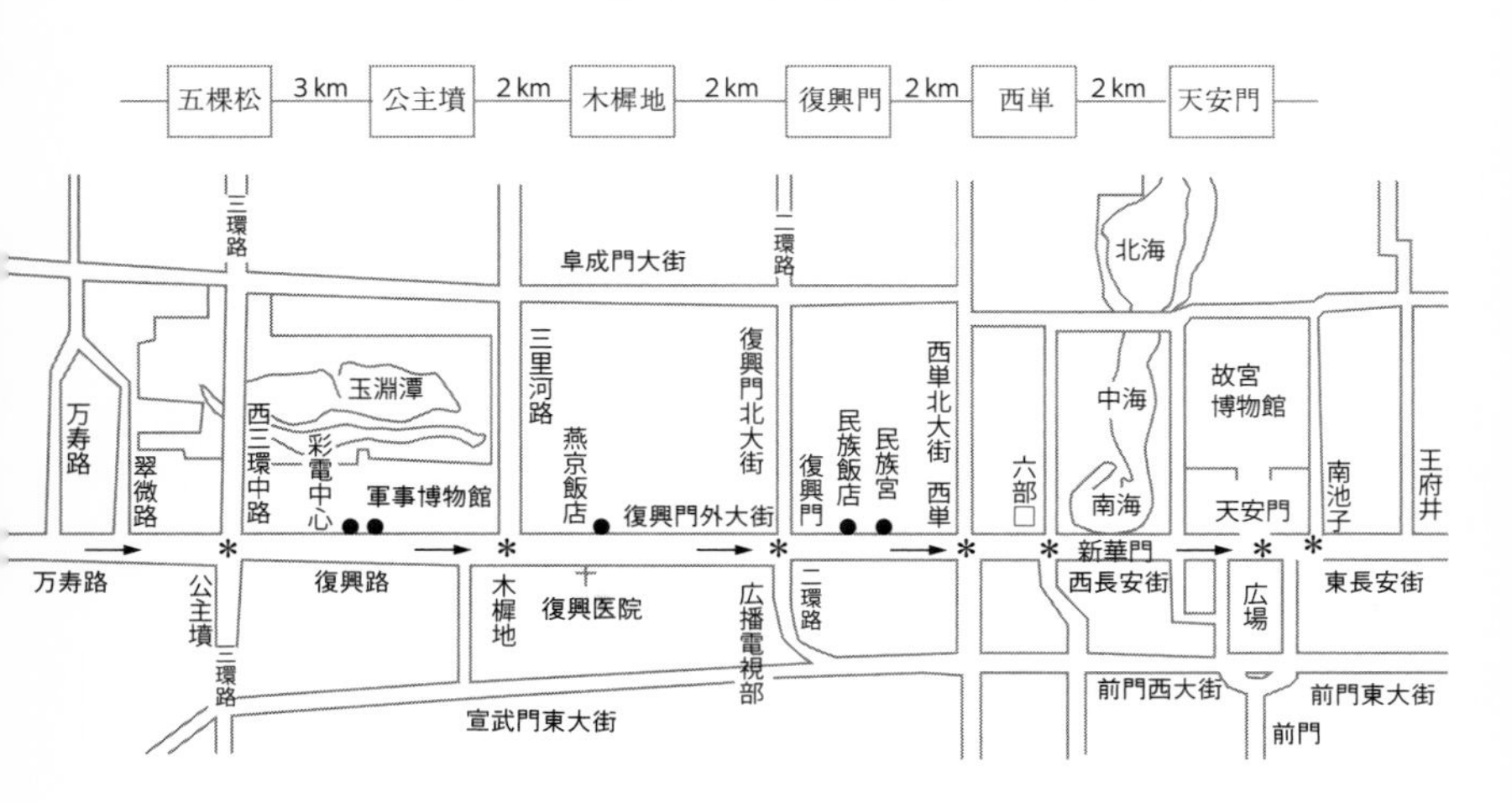

図二・3　「共和国衛士」たちはどこで死んだか

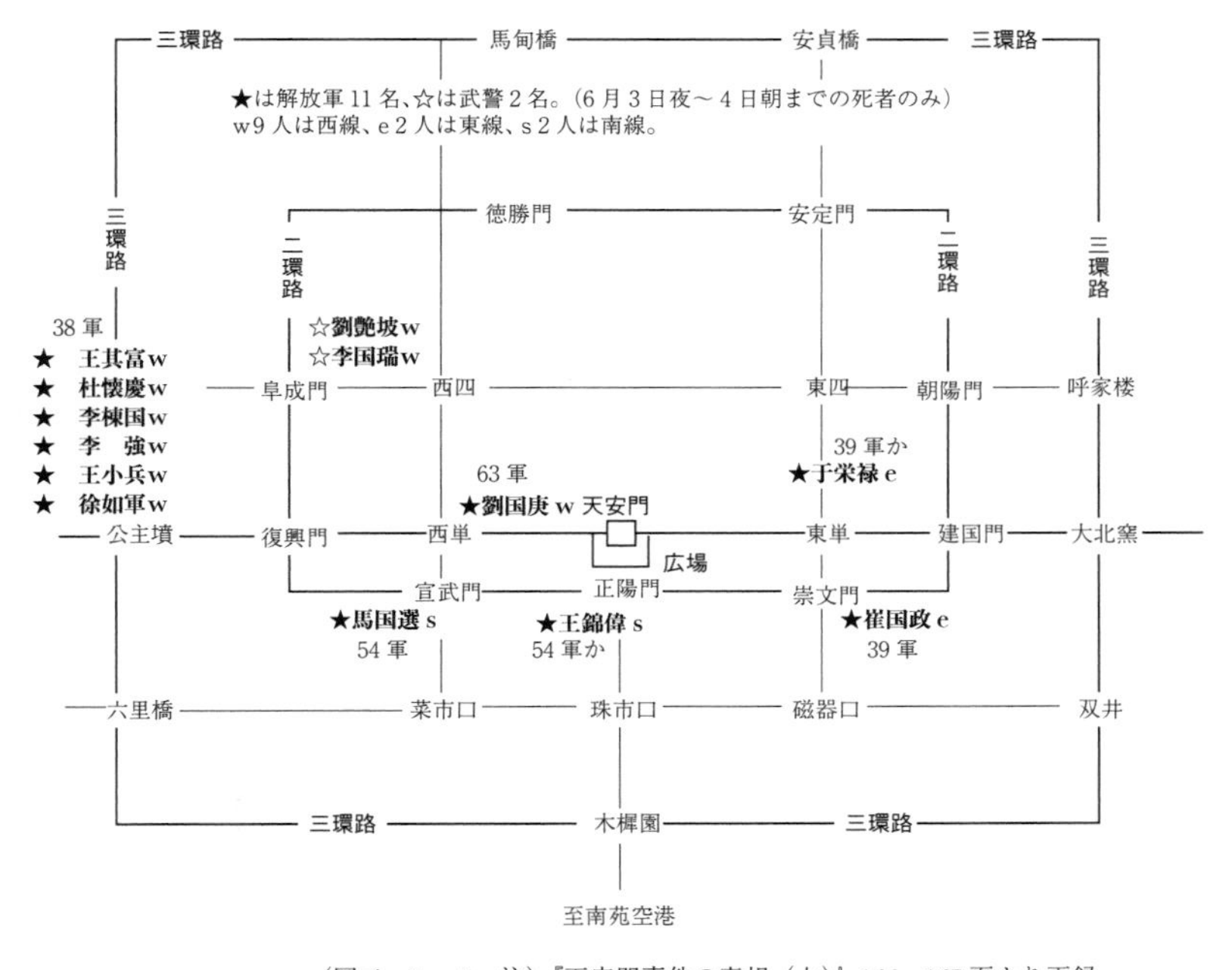

（図二・1 ～ 3、注）『天安門事件の真相（上）』166、167 頁より再録。

西線の第三梯隊は六三軍であると推定される。これは西線の最後尾にいた劉国庚の死亡状況および六三軍一八八師団政治委員邵松高少将の負傷状況（『平暴英雄譜』二四五頁）から分かる。劉国庚は四日午前三時すぎにいったん人民大会堂北側に到着したあと、仲間を探すために電報大楼まで引き返して、犠牲となった。

3　東線——瀋陽部隊

東線は瀋陽軍区所属の三九軍、四〇軍である。東線は装甲車両をもたなかったために、進撃は困難をきわめた。その後北京軍区戦車隊が援軍となり、四日午前四時五〇分にようやく戦車隊第一梯隊が天安門広場に着いた（『在戒厳的日子里』四六頁）。戦車隊第一梯隊の広場到着時間は四日午前五時一八分と書いたものもある（『解放軍報』七月二四日付）。なお戦車隊第二梯隊は朝陽区双井で四日午前六時四〇分行く手を阻まれ、約一三時間立ち往生し、五日午前一時四〇分にようやく天安門広場に到着した。東線は基本的に天安門広場の整頓〔原文＝清場〕には間に合わなかった形である。

三九軍の傅秉耀軍長らは三日午後五時五〇分に通県から四路に分かれて、東線を西に向かった。四路とは、①尖兵、②建国門防衛組、③広場整頓組、④北京駅経由組であろう。

①東線の尖兵たる三九軍の参謀長王栄賛少将が友軍（兄弟軍に対する言い方）たる北京軍区戦車部隊の応援を受けて、天安門東寄りの南池子に着いたのは六月四日午前五時すぎであった。このとき数個連隊は到着していたが、師団指揮部は到着していなかった。王栄賛の車は運転手が左顔を負傷したので、私服〔原文＝便装〕で徒歩で広場に向かい、広場指揮所属部隊に合流した（これは二日に私服で人民大

会堂に集まった兵士を指すものと思われる）。南池子付近では戒厳部隊は警告発砲〔原文＝鳴槍示警〕で押し寄せる群衆を追い払っていた。王棠賛が歴史博物館東北側に向かうと歩哨が群衆と見誤り警告した。そこで彼は歴史博物館東南側から天安門広場に入り、部隊と合流し、人民大会堂内の戒厳指揮部に到着状況を報告した（『戒厳一日（下）』九八～一〇〇頁）。

②東線三九軍のある師団（師団長張作礼大校）の任務は六月三日、朝陽門、建国門立体橋、二環以東・三環以西の道路を統制し、天安門広場の整頓工作に呼応することであった。四日午前一時ごろ、天安門広場に向かう装甲車（応援に駆けつけた北京軍区戦車隊所属のもの）が張作礼大校の某中隊のトラックを押し倒した（『戒厳一日（上）』二五五～二五八頁）。この事件によって、この師団と戦車隊の関係は険悪になったが、張作礼大校は大局を考慮して、部下に自制を求めた。なお、このトラックを押し倒した装甲車は〇〇三であったと考えられる。

三九軍傅秉耀軍長と別行動の連隊長艾虎生上校らは、④北京駅経由組である。八王墳――北京駅――崇文門（崔国政を失う）を経て四日午前七時四五分、歴史博物館東南側に着いた（『戒厳一日（上）』一七四頁）。

なお、北京南郊の東高地〔南苑空港の近く〕にある戦車部隊に出動命令が出たのは三日午後四時である。戦車・装甲車数十台からなる第一梯隊（閻参謀長）は四日午前三時五五分に定福荘に着いた。そこで発見したのは、歩兵を満載したまま、進撃を阻まれている東線三九軍の軍用車部隊であった。戦車部隊は障害物を一つ一つ破壊しながら、西へ向かった。大北窯立体橋（建国路と東三環中路との交差点）では群衆はバス数十台を鉄ロープで結んで火を放っていたが、戦車部隊はこれを突き破って進撃した

（『解放軍報』七月二四日、『京都血火』二二一〜二二四頁）。

4　南線——済南部隊と空挺部隊

南線aは、六里橋から出発した五四軍のA師団である。先頭団は葉挺独立団であり、猛烈な投石の中を発砲厳禁で天安門広場に到達した。

南線bの某部は三路に分かれて進撃した。五四軍のB師団は牛街、虎坊路で阻まれたが、最も速い速度で前門西大街を前進し、師団直属分隊と先頭団は三日午後八時半に正陽門に着き師団全体が午後一一時一〇分に前門西大街東口に着いた。これは重点目標警衛のための進軍であり、広場整頓の命令に基づく進軍ではあるまい。主力部隊は集結地前門を目指したが、直属分隊と先頭団のみが正陽門まで進んだのであろう。

南線cの南苑空港から人民大会堂を目指した部隊は天兵すなわちパラシュート部隊（空挺一五軍）である。四日午前一時二五分に人民大会堂東門外に集結した。

5　北線——後方備えの北京部隊

北から進撃した戒厳部隊についての記述は実に簡単である。『在戒厳的日子里』（五一頁）は単にこう記している。——某部（二四軍）の兵士は二路に分かれて、清河（徳勝門から約一〇キロ）と沿線のいくつもの障害を打破し、馬甸橋、安貞橋（いずれも北三環中路）の包囲を突破し、指定時間通りに徳勝門、安定門ラインに到達した。つまり二環路で進撃を停止したわけである。

6　殉職兵士の死亡地点

以上から明らかなように、北線および東線は基本的に天安門広場の整頓には参加していない。西線の部隊では死者を七人出している。翠微路で王其富ら六人が軍用車に閉じ込められたまま焼死している。劉国庚は天安門広場に着いたあと、同僚を迎えに戻って六部口で死んだ（二二五頁の表二・13）。東線の部隊の死者は崔国政および于栄禄である（二三七頁の表二・14）。なお、撮影隊の護衛をしていて蔵立杰が狙撃されたのは鎮圧以後の六月七日、建国門立体交差橋近くにおいてであるとされているが、この事件にはナゾが多い。

南線のうち、a部隊の死者は馬国選、b部隊の死者と推定されるのが王錦偉である（二四一頁の表二・15）。c天兵部隊は死者を出していない。警告発砲〔原文＝鳴槍示警〕しつつ進撃したからであろう。北線では死者はない。以上、六月三〜四日における軍の死者（武警を除く）は一一名（七日の蔵立杰を加えて一二名）である。

以下において、軍側の犠牲者の行動を中心に衝突の姿を描いてみよう。むろん、群衆側の犠牲者の行動も描きたいところであるが、当面は資料が得られない。図二・3（二一四頁）は一三名の「共和国衛士」たちがどこで死んだのかを地図に示したものである。これらの地点において激しい衝突があったものと考えることができよう。

六　西線――主力北京部隊の奮戦

1　第一梯隊三八軍、第二梯隊二七軍、第三梯隊六三軍

六月三日夜の西線は、第一梯隊、第二梯隊、第三梯隊からなっていた（『在戒厳的日子里』四二頁）。第一梯隊三八軍、第二梯隊二七軍、第三梯隊六三軍の三個梯隊であったと推定される（推定の根拠は後述）。通常の先頭なら、第一梯隊が道を切り開けば、あとは順調な行軍となるが、この軍事常識がまったく通用しなかった。第一梯隊が通り過ぎると、残された道はすぐに人流によって埋没した。それは快速艇が通りすぎたあとに、水路が直ちに波間に消えてしまう姿に酷似していた。こうして第二、第三梯隊は第一梯隊以上の困難な道を歩むことにさえなった（『在戒厳的日子里』四二頁）。群衆が第一梯隊への恨みを第二、第三梯隊にぶつけたからであろう。第三梯隊の最後尾に劉国庚がいて犠牲となったことは、群衆の海に埋没する軍隊の姿を象徴的に示している。

西線の第一梯隊を二七軍であると説明した記述は香港『文匯報』（六月一二日付「読者来信」）、「天安門広場における解放軍の役割」（*China in Crisis* 所収）などである。しかし、実は二七軍ではなく、三八軍であったと推定される。

某師団政治部主任李之雲大校によると（六月一六日記者会見、『戒厳一日（下）』四一七～四二八頁）、西線の先頭部隊は三日夜九時半に公主墳を出発し、四日朝一時半に金水橋（天安門前）に着いた。約一〇キロの距離であるから、通常なら四〇分で着けるはずだが、四時間を要したと説明している。李之雲の所属を三八軍と記述した公表文献はないが、元ＮＨＫ大崎雄二特派員が記者会見の際に確認している。

この部隊から出た死者は王其富ら六人で、いずれも北京軍区某集団軍所属であることが確認されている（北京軍区政治部組織部編『共和国衛士』六頁）。この某集団軍が三八軍であると推定する根拠は次の通りである。

①この部隊の過去の戦闘記録は三八軍のそれに符合している。

②三八軍の将校であることが確認されている王福義、李之雲の所属部隊と同一である。

③軍事博物館での重要会議に軍長が出席しておらず、軍長不在を示唆している（それゆえこの軍は張美遠副軍長が軍長代理として指揮したが、八九年建軍節では張美元は代理がとれて、軍長に昇格している）。

④三八軍は元来首都防衛を任務としており、首都危急の際に、三八軍が万一出動しなかったとするならば、結果的には三八軍全体が出動拒否を行ったと誤解される恐れがあり、当局としては絶対的にこれを投入する必要があったこと、などである。

三八軍はトラック、装甲車、戦車、指揮車、通信車など数百両からなる機械化部隊であった。三八軍の先導としては前述のように、防暴警察部隊をしたがえ、催涙ガスを装備していた。西線部隊は公主墳↓木樨地↓復興大街↓西単との交差点などで学生、市民側と激しく衝突した。学生、市民側は車を並べて炎のバリケードを作り、立ち止まった三八軍に対して投石の雨を降らせ、これに対して三八軍は発砲を繰り返した（『重要文献』第3巻、一一四〜一一七頁）。

2　三八軍の対群衆突破作戦

この部隊の足取りをやや詳しく説明したものとしては、政治委員、王福義少将の「鉄流が天安門に東進する」（二二九頁以下の資料2）、魏厚敏・李全茂ほか「共和国は彼らを忘れるはずがない――某集団軍（三八軍）が天安門広場整頓〔原文＝清場〕の任務を執行した事跡を記す」がある（『解放軍報』七月一二日付、のち『捍衛』所収二九九頁以下）。

まず後者によれば、六月三日夜、この集団軍（三八軍）は命を受けて天安門広場へ進撃した。A、B両師団の並列進撃とした。A師団参謀長は馮兆挙である。B師団四連隊は豊台西倉庫から出発した。この部隊は車両の両側に幹部・戦士が並び、人間で車両を守る形で行軍した。復興門立体橋上で群衆はバス、トラック、トロリー車を並べて部隊をさえぎり、ガソリンをかけて車を燃やした。このため某機械化師団（戦車と装甲車からなる）、自動車化歩兵師団〔原文＝摩歩師団〕、砲兵旅団からなる先頭分隊は後続部隊のために進路を切り開かざるをえなかった。木樨地を経て天安門まで一〇キロの道は、石の雨のなかを、燃える自動車数十台を排除して進んだ。

この集団軍（三八軍）のなかから一一〇〇名の負傷者が出て、うち一五九名は重傷、六名が死亡した。一〇〇台余の車両および装甲車が焼かれ、車両の九割以上が窓ガラスを割られた。この集団軍（三八軍）は四日午前一時三〇分に天安門広場に到着した。一時四〇分、広場東側の金水橋にガソリンと火炎瓶をもって突っ込んできたバスを止め、郭海峰（天安門防衛指揮部秘書長）らを逮捕した。四時すぎ某団第五中隊長張東旭の率いる八名が「民主の女神」像を引き倒した。四時半広場の整頓を開始し、五時半、整頓の任務を完了した。

この集団軍（三八軍）には、次のような部隊も参加しており、本格的な戦闘部隊であったことが分かる。某工兵連隊第一中隊パワーシャベル機（原文＝装載機）、某戦車連隊第一中隊、某連隊第七中隊、某通信大隊、某高射砲連隊第三中隊、某自動車化歩兵師団、某砲兵旅団、某砲兵大隊、などである（『捍衛』二九九～三〇六頁）。

天安門広場へ向かうこの部隊の行動をもっと詳細に描いているのは、王福義少将の記録である（資料2、『戒厳一日（上）』八四頁以下）。

六月三日午後五時北京西郊の某軍作戦室（これは三八軍の基地であろう）では一時間前に軍区会議に出かけた張副軍長（『在戒厳的日子里』二七頁によれば張美遠）の帰還を待っていた（軍長が抗命で不在のため副軍長が出かけたと見てよい）。張副軍長は時間の節約のために、〔北京〕軍区命令を電話で伝達してきた。「×個（三個か）の集団軍編制で、三八集団軍が先導となり、西から東へ天安門広場へ進撃する〔他の集団軍は第二梯隊の二七軍、第三梯隊の六三軍と見られる〕。もし障害に遇ったら強行して排除し、時間通りに到着するよう努めよ（原文＝如遇障害則強行排除、務必按時到達）」「三八軍は当日夜一〇時までに軍事博物館以東の路段（復興路）で集結編隊を完成し、四路縦隊として乗車して東進せよ」。

これが戒厳部隊指揮部からの三八軍に対する命令内容である。「障害の強行排除」「時間厳守」の二つが命令の骨子であろう。この命令を実行するために、張副軍長は三八軍が一キロ以内に密集収縮するよう指示した。

政治委員王福義少将は〔北京〕軍区命令と張副軍長の考え方を劉参謀長と司令部に伝え、A、B両歩兵師団が並んで行進し、戦車師団、砲兵旅団、工兵連隊があとに続くものとした。全体の先頭には約六〇〇人の〔解放軍〕防暴隊、排障隊が進路を切り開き、両側は各自の防暴隊が車を護衛し、人と車が相互に援護して前進するものとした。全戦術は集団密集隊形〔原文＝集団密集隊形〕で、人海戦術に対処〔原文＝対付人海戦術〕しようとするもの、原始的な防衛手段で投石、棍棒などの攻撃に対処しようとするものであった。かつて解放戦争に際して三八軍は天津を主力をもって攻撃〔原文＝主攻〕したが、二つの師団を並行させて成功した。こうすれば二つの師団は先を争って任務を完成しようとするからである。集結進軍の命令は無線を通じて速やかに下達された。政治委員王福義は電話でA師団長とB師団の政治委員に、任務の達成と流血回避の「両難の境地」を伝えた。夜八時ごろ集団軍指揮所の車隊が出発した。王福義の車が公主墳に着き、東口にハンドルをきるや万をもって数える群衆が目に入り、まもなく雨のような投石が始まり、二一三車は窓ガラスを六枚割られた。このときA師団車隊が左後ろからやってきたので、反撃を命じた。投石された石を群衆の側に投石した。三八軍指揮車は軍事博物館付近で先に到着していたA師団車隊と合流した。

このとき王福義が最も懸念していたのは、B師団が時間通り公主墳に到着できるかどうかであった。B師団の四連隊は豊台西倉庫に駐屯しており、五月二二日に一一六名の流血事件を起こしていたからである。豊台路→五棵松→万寿路→公主墳などの主要路口に多くの障害物が予想された。このときA師団は基本的に軍事博物館以東に集結していたが、B師団が到着しないので、翼側が弱点となっていた。群衆は前後左右から投石するので、A師団防暴隊は反撃していた。

三八軍指揮所は事前に分担をこう決定していた。張副軍長と李之雲主任〔政治部〕は前方指揮部を率いて部隊前面で防暴、障害排除を組織する。政治委員王福義と劉参謀長は先頭師団の真ん中にいて統一指揮を実施し、上級との連絡に当たる。楊部長〔総後勤部〕は後方指揮部を率いて部隊を接応し、供給を組織し、負傷者を救う。

九時を過ぎたばかりのとき、〔北京〕軍区首長〔周衣冰、劉振華らであろう〕が指揮組を率いて三八集団軍前方指揮部にやってきた。前方指揮部は無線で、B師団は到着したか、軍区首長は出発を催促していると連絡してきた。九時二〇分、トランシーバーは突然砲兵旅団、B師団がすでに先頭位置に到着していると伝えてきた。こうして九時半に、すなわち予定より三〇分早く、東へ向かって行軍を開始した。出発してまもなく車隊はすぐ停止した。このとき政治部のある幹事が前方から駆けてきて、軍事博物館で会議を開くので、陳副政治委員と政治委員王福義に前方に来るよう張副軍長が求めていると告げた（この会議と発砲との関係については前述）。

木樨地路口で、群衆はバス、トラック、トロリーバスなどを用いてバリケードを作った。それにガソリンをかけて放火したので、炎のバリケードが進撃を阻んだ。扱いのやっかいなのはトロリーバスであった。車体が長く、真ん中が蛇腹になっているからである。

木樨地を過ぎると、高層建物から、ときならず不意の射撃があった。軍区首長は一貫して政治委員王福義らとともにいて、状況を観察しつつ、指揮をとった。

復興門立体橋でバスを並べた炎のバリケードにぶつかった。これを排除している際に、立体橋南側から同軍の一八台の装甲車がやってきて、合流した。西単路口でも十数台の燃えている自動車のバリケードがあった。張副軍長が装甲車に命じて排除しようとしたが、一台では動かず、装甲車二台で体当たりしてようやく移動させることができた。

表二・13　西線の死者７名（北京軍区所属）

姓　名	所　属	出身	生年	階級
*王其富	本部無線班班長	安徽省嘉山県	1968年3月	下士
*杜懐慶	第５大隊第２中隊第３班戦士	河北省清河県	1967年9月	下士
*李棟国	第５大隊第２中隊第４班戦士	安徽省嘉山県	1967年7月	下士
*李　強	第５大隊第２中隊第１班戦士	陝西省西安市	1969年4月	上等兵
*王小兵	第５大隊第２中隊第４班戦士	陝西省西安市	1969年7月	上等兵
*徐如軍	第５大隊第３中隊有線班班長	安徽省嘉山県	1967年6月	下士
劉国庚	63 軍通信団４中隊小隊長	山東省萊陽市	1964年	少尉

*印は復興路の翠微路口で焼死した６名。

新華門前でも群衆が投石したが、一隊の警衛戦士が新華門から出てきて三八集団軍の到着を歓迎してくれた。四日午前一時三〇分、彼らは金水橋一帯に着いた。公主墳から天安門まで七キロにすぎないのに、まるまる四時間かかった。のちの集計によると、五〇〇〇名の将兵が攻撃され、一〇〇〇名余が負傷し、多くの車両が破壊された（『戒厳一日（上）』八四〜九四頁）。

3　西線の殉職者

西線の犠牲者の氏名等は表二・13の通りである。

復興路の翠微路口で焼死した六名の死亡状況は以下のごとくである。

六月三日夜九時、戒厳部隊某部第五大隊（北京軍区某集団軍砲兵旅団第五大隊――『共和国衛士』六頁）の王其富ら一〇名は軍区工程兵部倉庫から「防暴器材」（楯や棍棒など）を運ぶ任務を命じられた。彼らは同倉庫へ行き、車に積んで直ちに帰る途中、定恵寺東側（五棵松路と万寿路の中間）で群衆に襲われ、これを突破して集団軍後方指揮部のところまで戻った。その後、この「防暴器材」を先頭部隊まで届ける任務を受けて、復興路の翠微路口にさしかかった四日午前一時ごろ群衆から投石や灯油火災瓶の襲撃を受け、車は横転した。火炎瓶がガソリン・タンクに引火して車が炎上した。四名は車外に出たが、王其富ら六名は車に閉じ込められ焼死した（北京軍区政治部組織部

編『共和国衛士』九〜一二、一七頁、『経済日報』一九八九年六月二五日、のち『捍衛』三二五〜三三〇頁に所収)。

西線に属する劉国庚の場合はどうか。

劉国庚は戒厳部隊某部通信団四中隊小隊長(北京軍区六三集団軍通信団四中隊小隊長——『共和国衛士』一頁)、少尉、山東省萊陽市城関鎮出身、一九六四年生まれ、一九八三年一二月入隊、一九八七年七月重慶通信学院を卒業した。五月一九日一二時、劉国庚の属する部隊は(太原から)北京へ向かった。これは劉国庚にとって初めての北京行であった。二〇日午前、彼らは行軍の軍用車上で国務院の戒厳令布告を聞いた(出発は戒厳令布告の前であった)。劉国庚の部隊は五月二〇日郊外の良郷付近の道路で群衆に囲まれ、以後数日間車上で寝起きし、その後休息した。

六月三日夜一〇時三〇分、劉国庚の部隊は第二次集結地を出発し、天安門広場へ向かう命令を受けた。劉国庚と全中隊二六名の官兵の乗った軍用車は復興路、西長安街から天安門広場へ向かった最後の一両〔すなわち西線の第三梯隊〕であり、四名のヘルメット着用兵士が後尾の警戒に当たった。

この部隊は民族文化宮、六部口付近で群衆の抵抗に遇ったのち、四日早朝四時ごろ天安門広場に着いた。十数キロの行軍なのに六時間かかり、しかも多くの者が負傷した。しかも、通信団は四台の「解放」型トラックに分乗したが、うち三台は未到着、その車上には八二名の将兵のほか、三台の通信機、弾薬が積まれていた。そこで劉国庚は運転手攀立華とともに、長安街を戻った。実は八二名は車両を放棄して天安門広場に向かっていたのだが、混乱のなかで行き違いとなり、劉国庚は四時すぎ電報大楼付近まで戻ったところで群衆に殴打され、倒れたところにガソリンをかけられ、焼かれた(北京軍区政治

部組織部編『共和国衛士』三～五頁、『解放軍報』八九年六月二三日付、のち『捍衛』三二四～三三二頁に所収)。

この記述から知られるように、劉国庚はシンガリを務めたがゆえに、部隊を追いかける群衆によって同僚を見失い、発砲されて怒る群衆のなかに飛び込んで殺害されたものである。四日午前四時ごろは群衆の怒りが頂点に達していたであろう。なお、劉国庚の所属部隊番号は五二九三五部隊であることが『共和国衛士』二二〇頁から推定できる。この部隊の偵察中隊党支部は八九年建党記念日に先進党組織として表彰されている(『解放軍報』八九年七月一日付)。

以上の七人が北京軍区所属であること、北京軍区所属の者の死者はこれだけであることは北京軍区政治部組織部編の『共和国衛士』がこの七人だけについて記述していることからして明らかである。前者の六人が三八軍所属である。他の一人が六三軍に属している。劉国庚は体暇で萊陽市城関鎮の自宅に帰っており、一九日午前八時すぎに太原に帰隊して正午発の行軍に加わっている。出身地から判断すると、済南軍区萊陽駐屯二六軍所属のように考えられがちだが、実は太原駐屯の六三軍であることが『共和国衛士』八八頁から分かる。

4 発砲の状況

西線の従軍カメラマン李靖(『解放軍画報』)の記録(『戒厳一日(上)』一七五～一八一頁)によって発砲の経緯をもう少し見ておこう。

部隊は三日昼には丸腰で警戒目標へ行進し午後五時退却した。夜に再度広場進撃の命令を受けた。軍事博物館から木樨地まで二時間余、「天に向けて警告発砲」〔原文＝朝天鳴槍示警〕せざるをえなかった。「戦士たちは発砲して少数の暴徒を射殺した」〔原文＝開槍撃斃了少数暴徒〕（一七九頁）。

このカメラマンは四日午前一時半に天安門に着いており、西線の先頭部隊（三八軍）に従軍していたことが分かる。「暴徒を射殺」と明記した珍しい事例である。一般には「対空発砲〔原文＝対空鳴槍〕」「鳴槍示警」とされており、警告のためとされている。

南から西線に合流した王連隊（王連隊長、張暁明参謀長、方祥礼参謀長）の場合は、次のごとくである。

六月三日夜八時四五分、某連隊（数百人、所属軍不明）に出動命令が出て、九時、完全武装で、かつて馮玉祥将軍が閲兵した大グランドに整列した。この連隊は三営門→木樨園→公主墳と経由し、九時三〇分に公主墳到着目標、その後西線の部隊に加わり、天安門広場に行けとの命令であった。しかし、東高地、三営門、南苑路口はすべて数万の群衆によって封鎖されていた。そこで部隊は営門から南へ向かい、細い道を経て京石公路〔北京・石家荘〕に出た。夜一〇時三五分、部隊は西三環に出て、一一時二三分公主墳に着き、師団前方指揮部の田参謀長と連絡をとり、天安門広場に向かった。前方からは「パッパッ」という銃声が聞こえてきた。復興門に行くと、群衆の投石が激しく、数十人の防暴隊では防ぎきれなかった。そこで部隊に警告発砲〔原文＝鳴槍示警〕を命じた。「ダッダッダッ！　ダッダッダッ！」と前方の車両の幹部が対空発砲〔原文＝対空開槍〕した。部隊は二時間余の艱苦の行軍を経て、六月四日午前二時ごろ天安門広場に着いた〔西線第一梯隊の末尾あるいは第二梯隊と同時刻であろう〕。点検してみると、一人も死傷せず、銃一丁失わず、車両は窓ガラスを一枚割られただけであった（『戒厳一日（下）』五四〜五七頁）。

●資料2

西線の主力部隊三八軍

【原題】鉄流が天安門に東進する。【筆者】三八軍政治委員王福義少将。【出所】『戒厳一日（上）』八四～九一頁。【関連文献】劉福祥・栗蕲春・魏厚敏・季全茂「共和国は忘れるはずがない」『解放軍報』八九年七月一二日付、のち『捍衛』二九九～三〇六頁、『京都血火』二一二～二一九頁。李林（中校、副政治委員）「進撃する防暴隊」『捍衛』九二～九八頁。【注】三八軍は主力西線の先鋒にあって最も激しく発砲したが、発砲の事実はまったく記されていない。

＊

もしかしたら心情とかかわりがあるのかもしれないが、六月三日午後五時、北京西郊の空気はことのほか沈鬱だった。作戦室ではわが集団軍〔三八軍〕の数人の指導者が不安げに張副軍長〔張美元〕の帰りを待っていた。彼は一時間前に軍区の会議に呼ばれて行き、任務を受領して帰ることになっていた。

事態の発展は確かに人の意志では動かせないものである。われわれは毎日私服の偵察員の報告に接して、真相の分からない群衆が軍隊の入城を阻止するムードが極点まで高まっていることを知っていた。集団軍の指導部はかつて〝高自聯〟常務委員会の中心人物たる郭海峰、王丹らの代表と話をして、広場を撤退して授業に戻るようにしたことがある。大局がこうだったので、われわれの局部的な努力はむろん実らなかった。疑いなく天安門広場という毒素を除去して、迅速に全面的に動乱を制止するには、かなりの代価を払わずとも軽く成功すると考えることは、明らかに楽観的にすぎるものであった。事ここに至っては、養兵は千日、用兵は一時であり、矢は弦に張られたのであり、発射しないわけにはいかなかった。極めて特殊な情勢のもとでの集団軍の責任者として、私は肩の荷の重さを深く感じていた。

電話のベルがあわただしく鳴った。時間をかちとるために、張副軍長は任務を受領したのち、電話でわれわれに命令を転送したのであった。軍区は次のように命じている。

×個の集団軍編制で、わが集団軍が先導し、西から東へ、天安門広場へ進撃する。もし障害に遭ったら排除を強行して、務めて時間通りに到達せよ。とともにわが集団軍は当日夜一〇時までに軍事博物館東側の道路に編隊の集結を終えて、四列縦隊で軍用車で東へ進撃せよ。

この命令に基づいて張副軍長は集団軍全体が一キロ以内に密集収縮し、人と車が集中し、首尾が一つになり、鉄拳を形成するようにと指示した。

私は直ちに軍区命令と張副軍長の考え方を集団軍の他の指導者たちに伝達した。簡単な研究を経て、劉参謀長と司令部がA、B二つの歩兵師団が一緒に頭を揃えて並進し、戦車師団、砲兵旅団、工兵連隊があとから続く方針を提起した。車隊全体の先頭には約六〇〇人の防暴隊、障害物排除隊をおき、両側は各自の防暴隊で車を守り、人と車が援護しあいつつ前進するものとする。戦術全体は集団密集隊形をもって、人海戦術に対処し、原始的な防衛手段をもって投石や棍棒などの攻撃に対処し、強大な威勢をもって反革命の気炎に対処するものであった。

このやり方は着実であり、しかもわが集団軍の特長を発揮するうえで有利だと私は考えた。わが部隊には自己の伝統的作風があり、革命英雄主義の精神と栄誉感がたいへん強く、内部の力比べも十分であった。解放戦争期にわが軍が天津を主攻撃したのは、両師団が肩を並べて突撃したものであり、速やかに市内に進撃できた。今回またこうやれば、両師団は先を競って前進し、強行進撃の任務を迅速に完成するであろう。私は直ちにこのやり方に賛成し、張副軍長も戻ってから賛成した。

集結進撃〔原文＝開進〕の命令は無線で迅速に下達された。率直に言えば、私の声もうわずっていた。私はこの部隊で生活すること四〇年、部隊の気質をよく知っており、決定的な場合には、刀の山に上り、火の海に飛び込むことさえ恐れなかった。しかし今回執行する任務は尋常なものではなかった。群衆と悪人が混在しており、たとえ腕前があったとしても、発揮できない。われわれは断固として任務を達成しなければならないが、同時に流血をできるだけ避けなければならないという両難の境地に置かれた。先頃は、戒厳部隊は群衆と学生から「逆戒厳」されたが、これは世界のあらゆる国で絶無のことであろう。いまや、党中央、国務院、中央軍事委は北京の問題を解決する決意をした。党と国家の運命にかかわる秋（とき）に際して、躊躇も無鉄砲も断じて許されない。

あれこれ考えた挙句、私はA師団長とB師団政治委員に個別に電話して、この任務が困難かつ重大な意義をもつものであることを強調して、あらゆる困難を克服せよ、代価を惜しんではならぬ、と彼らに要求した。

士気を鼓舞するために、各級指導者は務めて前方に行って、率先垂範すること、同時に軍官は階級に応じた徽章をつけて、正々堂々と部隊を率いて、任務を達成するよう重ねて申し渡した。

夜八時ごろ、集団軍指揮所の車隊が出発した。駐屯地の将兵、群衆はわれわれを目で見送ったが、表情は非常に厳粛であった。なにか考えがあっても、うまく口に出せないので、ただ黙々と手を振ってわれわれを見送った。

大通りに出ると、通りの両側はすでに、多くの真相の分からぬ群衆によって囲まれていることに私は気づいた。われわれの車が公主墳に着いて東口に夕ーンしたとき、万をもって数える群衆が公路と歩道にむらがり、われわれに近づいてきた。ある者は鉄棒や鉄パイプを持ち、公路の真ん中に立ちはだかり、ある者は拳骨をふるって車に襲いかかった。

「兵隊は出て行け！」ある者は棍棒で車の窓をたたいてわれわれとの対話を求めた。わが軍の指揮所の十数台の車は群衆の中に取り残され、危険な状況に陥った。

まもなく「働きかける」者がわれわれを説得できないのを知って、相次いで後退した。続いて、雨のような石ころや煉瓦片が四方八方から飛んできて、車隊にガチンガチン当たり、大部分の車両は窓ガラスが壊れた。私の乗っていた二一三車〔ジープ〕も八枚のガラスのうち六枚が割られた。運転手と同乗した二人の機関幹部も石ころで負傷した。一つの石ころが後ろの窓から飛び込んできて、私の腿を傷つけた。

たいへん危険なときに、A師団砲連隊の車隊が左後ろから追いついた。私は砲連隊に反撃を組織するよう命じた。投げつけられた石ころを暴徒に投げ返させた。軍指揮部はまもなく軍事博物館付近まで進んで、先に到着していたA師団車隊と合流した。

このとき、私が最も懸念していたのは、B師団が時間通りに追いつけるかどうかであった。彼らの四個中隊は豊台区西倉庫に駐屯しており、五月二二日に強行進駐した際に、万をもって数える群衆に阻まれ、一一六名が負傷していた。いま時間通りに編隊に追いつくためには、豊台路、五棵松、万寿路、公主墳などの十字路を経由しなければならないが、どれほどのバリケードがあるのだろうか。私はトランシーバー〔原文＝報話機〕で、参謀長にこう催促した。「B師団はまだ到着しないのか？」参謀長は「まだです」と答えたが、B師団はすでに偵察中隊を五棵松交差点まで派遣していた。

このとき、A師団は基本的には軍事博物館東側に集結していたが、B師団が未到着のために、側面が弱体であり、群衆は前後左右から石ころや煉瓦片を投げつけていた。A師団防暴隊は勇敢に反撃して、群衆を車隊から一〇〇メートルほど追い返して、周辺を固めた。軍指揮所は事前に、張副軍長〔張美元〕、李主任〔李之雲〕が前方指揮部を率いて部隊前面に出て防暴と障害物排除を行うこと、私〔王福義〕と劉参謀長が先頭師団の真ん中に居て統一指揮と上級との連絡に当たること、楊部長〔後勤部〕が後方指揮部を率いて兵站を組織し、負傷者を救出すること、という分担を決定していた。

時間は時々刻々と過ぎて、復興路には街灯が灯り、銀の鎖のようにつながって、それは今回の行動の目的地までずっと伸びていた。平常ならば、北京人は一家中が集まってテレビを見る時間であった。あるいは若者ならば、木陰でアベックを組み、天安門広場へぶらついていたであろう。しかし今は何千何万もの群衆が魔につかれたように、街路に蝟集して、あるいは騒ぎを見物し、あるいはスローガンを叫び石ころを投げていた。このときにあっては、群衆のなかにたとえ善良な者がいたとしても、彼らの行動は最初の願いとはあまりにも隔たったものとなった。

九時を過ぎたとき、軍区首長〔周衣冰、劉振華〕が指揮組を率いて集団軍前方指揮部に追いついた。集団軍前方指揮部は無線でわれわれと連絡をとり、B師団が着いたかどうか催促し、軍区首長が出発を促していると言ってよこした。私も非常にあわてた。B師団が到着しないならば、突撃勢力はどうしても弱いものとならざるをえない。

時計が九時二〇分を指したときに、トランシーバーから砲兵旅団、B師団がすでに先頭位置に着いたと突然知らせてきた。私は興奮して車上の者に言った。「これでよし」と。軍工兵連隊、戦車師団、高射砲連隊もかねて集結位置に到着していた。部隊は予定より三〇分早く、すなわち九時半に出発して、堂々と東へ進撃した。

出発してまもなく、車隊はまた停まった。このとき、政治部のある幹事が前から駆けてきて、報告して言うには、張副軍長が軍事博物館で会議を開くので、軍区の陳副政治委員が私にも前方に来るようにとのことであった。早足で駆けつける途中で見たのは、遠くの一面の火の海であった。軍区の斉連運副司令員、陳培民副政治委員、劉存康副主任、そして機関の同志たちはたいへん焦慮していた。

陳副政治委員は私を見るなりこう言った。「老王、早く部隊を組織して、あらゆる方法を考えてバリケードを排除し、主力部隊と車両が順調に通過できるようにされたい」。私は即答してこう言った。「私が前に行って、組織しよう」と。

最前列に行って、私は積極的に指揮を組織している師団の数人の幹部と迅速に意見を交換して、措置を完全ならしめ、断固たる行動を決心した。

東側を見ると、街路のあらゆる通行分離柵は道路に倒され、コンクリート・ポール、鉄柵などが無茶苦茶に置かれていた。最前列の通行分離柵にはガソリンがかけられ、炎のバリケードとなり、もうもうと煙を出していた。群衆は炎のバリケードの後ろに居て、鉄筋や棍棒を振るい、狂ったように罵倒し、両側の木陰の歩道からは煉瓦や空き瓶、コンクリート片などが投げられ、部隊の障害物排除を妨げていた。

各師団指導部は迅速に防暴隊を組織して、石ころで反撃し、暴徒と群衆を追い返した。排除隊は一切を顧みず突撃し、燃えている通行分離柵や鉄柵を素手で移して、車隊のために道を切り開いた。後ろの車隊から「動乱を断固として制止せよ」「動乱を平定しなければ、断じて撤兵せぬ」と耳をつんざくようなスローガンが聞こえてきた。ある部隊は集団軍軍歌を高らかに歌った。「鋼鉄の部隊よ、鋼鉄の英雄よ、鋼鉄の意志よ、綱鉄の心よ……」。その勢威は魂を揺さぶるごとくであった。

部隊は一歩一歩と困難のなかを前進した。私の衣服も汗びっしょりになった。多くの将兵が投げつけられた石ころで鮮血が流れたが、誰もが意気軒昂であった。張副軍長が軍事博物館から戻り、李主任とともに前面で障害排除を指揮し続けた。

木樨地交差点で暴徒はバス、トラック、トロリーバスなどを交差させて三列の障害物を設けていた。

部隊がやってくるのを見るや、迅速にガソリンをかけて、車に点火した。もうもうたる煙が上がり、炎は数丈の高さに達した。車隊は燃えて骨組みだけになり、ガソリン・タンクは随所で爆発する危険があった。防暴隊員はわが身を顧みずに火のなかに飛び込み、暴徒に反撃し、排除隊を援護した。ある者は衣服が燃え、地上を転げ回って消して、這い上がってまた押した。A師団参謀長馮兆挙は壊れた窓から車に入り込み、ハンドルを回して、皆にあと押しさせ、道路端に移した。もう一台のバスをおすときに、ある若い戦士は機知を用いて突進し、ガソリン・タンクの蓋を開けて、爆発を防いだ……。

　最も扱いにくかったのは、トロリーバスであった。車体が長いことはいうまでもなく、二つに分かれていて、真ん中が軟らかい。道路端に動かそうとしても、容易に動かない。その後、ある幹部が真ん中を横に押して二つの車箱を一まとめにして、車隊のために道を切り開いた。

　わが軍の師団前方指揮部の指導部は最前線に立って指揮し、ある者は車を押すのを手助けした。自分の部隊がかくも勇敢なのを見て、私の心も非常に誇らしかった。わが部隊は一九二八年に彭徳懐総司令について平江蜂起で突撃して以後、井岡山を防衛し、遵義城を二度攻略し、直羅鎮で激戦し、遼西で会戦し、天津を攻略し、いくつもの困難な戦いを戦ってきた。抗米援朝戦争では「万歳軍」の異名をとった。このファイトに依拠すれば、前方にいかに多くの困難があろうとも、われわれの恐れを知らぬ鉄拳を阻むものはない！

　木樨地を過ぎると、沿路では無数の者が進路を阻み、両側の高層アパートからはときならず射撃された。各級の宣伝車は繰り返し戒厳部隊指揮部の「緊急通告」を放送し、地上から、車上から一斉に「暴徒を懲罰する！　もし阻むならば、断固として反撃する」などのスローガンを高らかに叫び、山を動かし、海をひっくり返すような威勢を示して暴徒をしてたじたじとさせた。

　軍区首長は一貫してわれわれとともにいて、状況を観察しつつ、指揮を組織した。訓練部の王部長はメガホンをもって「速く！　速く！」と叫びながら、戦士を自ら指揮して障害を排除した。軍区首長はわれわれの前で、広範な将兵に大きな鼓舞と教育を行い、任務を達成する信念を固めてくれた。A師団のある連隊の政治処主任はメガホンを壊してしまい、地声でスローガンを叫び感動させた。事後にある人が驚いてわれわれにこう尋ねた。

「あの晩、あなた方の部隊は興奮剤を飲んだのか。オーオーと凄い剣幕だった」。

復興門立体交差橋で、またもやバスなどを用いた炎のバリケードにぶつかった。このとき、部隊は非常に疲れていたが、皆で体を支え合って通行分離柵を動かした。われわれがちょうど排除を組織しているときに立体交差橋南側からゴーゴーとモーター音が聞こえてきた。まもなくわが軍の一八台の装甲車が次々に橋の上に到着した。それは軍区とわが軍の参謀が一人ずつ、そしてA師団のある連隊の副連隊長が率いて、南郊〔東高地の戦車隊〕から駆けつけてわが主力軍と合流したのであった。将兵たちは喜んで飛び上がり、熱烈に拍手して歓呼した。

軍区の斉副司令員、陳副政治委員は装甲車がやってくるのを見てたいへん喜び、自らわが軍の案内参謀に対して「あなた方は前方で兵士のために道を開かれたい。速度は速すぎてはならないし、歩兵を失ってもならない！　前進！」と説明した。

装甲車はぐんぐんと前進し、人と車が互いに援護しあい、前進速度は大いに速まった。

西単十字路に、十数台の燃える自動車が置かれ、街路全体が煙と炎に包まれ、封鎖され、熱くて近づけなかった。張副軍長は装甲車に対して炎のバリケード排除を命じた。初め一台の装甲車では動かなかったので、もう一台動員した。二台が同時に馬力をかけたところ、左側のバスが十字路の東北角にぶつかり、道を開いた。部隊は破竹の勢いで猛烈に新華門前へ突進した。

新華門前では暴徒が狂ったように叫んでおり、石ころや空き瓶を投げて、警衛戦士を襲撃し、部隊の前進を阻んだ。A師団偵察大隊は前へ進み、迅速に首謀者を制圧し、群衆を蹴散らした。ある隊の警衛戦士は新華門から駆けだして、銃を高く掲げて歓呼して、わが集団軍の到着を歓迎してくれた。わが軍の将兵も興奮して、高らかにスローガンを叫び、部隊合流による激烈な熱情が新華門前に横溢した。

遠くに、天安門広場の光が見えた。その燦々とした明るい光に、部隊は堰を切った奔流のように、装甲車が道を切り開き、万余の将兵が叫び声をあげて、千にも上る車両が疾走し、早暁の一時三〇分に天安門前に突進した。迅速に金水橋を占領し、ついで兵を東長安街と西長安街に分けて、万をもって数える群衆の攻撃に対抗し、天安門広場をしっかりと人民の懐に取り戻した。軍区首長は西路の第一梯隊が勝利のうちに広場に到達したことを直ちに上級に報告した。首長たちはひっきりなしに「君たちは真に伝統ある部隊に恥じない」と賞賛してくれた。

私の心にも熱いものがこみあげてきた。公主墳から天安門まで、実際の距曜はわずか七キロ前後だが、われわれはまるまる四時間かかった。これはどんな四時間であったことか！　沿路で「石の雨」を冒して、燃える自動車を排除すること数十台におよび、各種の障害物を排除すること数百箇所に及んだ。その後の集計によれば、五〇〇〇名余の将兵が攻撃され、一〇〇〇名余が負傷した。多くの車両は程度の差こそあれ、破壊された。しかしわれわれは結局は突進し、頑強に突進した。共和国の心臓、全国全世界の嘱目する天安門を前にして、そして党中央を目の前にして、われわれは涙と血を交えて答案を書き終えた。感激も束の間、整頓〔原文＝清場〕はいまにも始まろうとしていた（谷弁華整理）。

七　東線——瀋陽部隊の苦戦

東線の武力鎮圧前後の状況を二人の死者の足取りを通じて、追ってみよう。

1　于栄禄の場合

戒厳部隊某部某集団軍（三九軍）新聞幹事于栄禄は五月二九日、命を奉じて駐屯地（テントから瀋陽なまりが聞こえ、また妻龐清旻は瀋陽市機床三廠設計科助理工程師であることから、瀋陽部隊所属であることが分かる）から北京郊外の通県三間房空港に着いた（空路か鉄路か不明）。三日午前、彼は解放軍報社に最

表二・14　東線の死者2名

姓　名	所　属	出身	生年	階級
于栄禄	某部某集団軍新聞幹事〔39軍〕	遼寧省瀋陽市	1957年	少校
崔国政	某団砲兵大隊榴弾砲第2中隊〔39軍〕	吉林省輝南県	1968年	下士

後の原稿「戒厳部隊某部官兵風采録」を送った（記者死後の六月七日に掲載）。午後、当部隊は「入城して戒厳任務を執行せよ」との命令を受け、彼は天安門広場へ進撃する前衛団車隊に乗った。この車隊は幾度も進路を阻まれ、群衆の襲撃に遇った。三日夜七時半、部隊は八王墳（建国路と西大望路の交差点）で阻まれ、南へ迂回した。四日二時ごろ車隊は南磨房でまたもや阻まれた。于栄禄は軍用車を下りて、徒歩で単独で天安門広場に向かった。そこで消息が途絶え、一週間後に北京協和医院（東単北大街）に収容されていた遺体のなかから部隊が于栄禄の遺体を確認した。

なお于栄禄は一九五七年瀋陽生まれ、一九七六年入隊、一九八〇年中国共産党に入党した。部隊では小隊長（排長）、副政治指導員、宣伝幹事、係長（股長）、政治教導員、新聞幹事などのポストを経た。軍の階級は少校である（『捍衛』三四六〜三四八頁）。

2　崔国政の場合

戒厳部隊〔三九軍〕某連隊砲兵大隊榴弾砲第二中隊戦士、吉林省輝南県の人、一九六八年生まれ。

六月三日夜、崔国政は戒厳任務について、四日午前三時すぎ、軍用車が崇文門外大街と崇文門西大街の交差点で阻まれた。前の二台は道を変えて前進したが、崔国政の車は後尾に炊事車を牽引していたために、向きを変えるときにガードレールにひっかかった。そこへ投石され、ガソリン火炎瓶が投げられた。そこで中隊長、指導員は車を捨てて逃げた。一二名は天橋（横断橋）まで逃げた。天橋から去るときに、崔国政は群衆に殴打され、昏倒したところで天橋上から下に投げられた。そこへガソリンをかけられ、焼かれ、遺体を天橋に吊るされた。彼の銃には実弾が込められていたが、発砲はしなかった（『捍衛』三三〇〜三三九頁）。

なお、崔国政は幹事張喜波中尉の部隊に属しており（『戒厳一日（上）』一六九頁）、この部隊は連隊長艾虎生上校の部隊に属していた（『戒厳一日（上）』一五九頁）。そして連隊長艾虎生上校は三九軍軍長傅秉耀少将の軍に属していた（『戒厳一日（上）』一五五頁以下）。また「共和国衛士」の称号を受けた安衛平参謀もこの部隊である（『戒厳一日（上）』一五七頁）〔この部隊は一五日前に秦皇島を通過しているところから、藩陽軍区所属の部隊であり、三九軍であることが分かる〕。

3　四〇軍の進軍

なお、東線のうち四〇軍は二環路周辺で止まったために、死者は出していない。四〇軍について二つの記録を掲げておく。

四日七時三〇分、東直門に到着。東北線の四〇軍軍長呉家民少将の部隊に対して六月三日午後三時三五分に出動命令が出たが、七時三〇分まで四時間近く、先頭団に同行させた先遣指揮組と連絡がとれなかった。この軍は軍区前方指揮部の命令により、先頭団（命令受領後二〇分で出発）と主力部隊（最後の部隊も命令以後八〇分以内に出発した）からなり、三路に分けて行進していた。七時三〇分に届いた先頭部隊からの連絡によると、中間で分断され、ある大隊だけが東直門橋六〇メートルに着いた。他の部隊は東壩河東側京順路（北京――順義）と空港路東側で包囲されていた。

六月三日午後一一時一〇分、私服を着た伝令〔某指導機関副部長〕が重要指示を伝えた。「今晩のうちに必ず指定位置〔東直門、東四〇条立体橋〕に到着せよ。必要なら果断な処置をとってよい」〔原文＝必要時可以果断処置〕。このとき〔瀋陽〕軍区前方指揮部からも指示が届き、「万寿路の戒厳部隊〔三八軍を指す〕は警告発砲〔原文＝鳴槍示警〕で群衆を駆逐し、迅速に進軍した」と通報してきた。そこで四〇軍軍長呉家民はこう決定した。①対空発砲〔原文＝対空鳴槍〕によって群衆を駆逐し、四日四時までに指定位置に到着すること。②指定位置に到着した部隊は後続部隊を接応すること。③集団軍参謀長楊福臣、政治部主任籍顕文が突破行動を組織すること。④対空発砲の前に宣伝車から宣伝を行うこと、である。こうして太陽宮、三元橋を経て、東直門に到達した（『戒厳一日（下）』九一〜九五頁）。

八　南線——済南部隊と空挺部隊の進撃

1　発砲厳禁の五四軍A師団

六月三日午後三時一〇分、大興県東南の集結地から出発した五四軍A師団は七時四八分に豊台区六里橋一帯に着いた。この部隊の副政治委員張坤少将が五四軍所属であることは『平暴英雄譜』二四五、二四九頁に明記されている。これはたいへん珍しいが、発砲厳禁のゆえに大きな犠牲を払ったことで、解放軍の一つの模範であり、それゆえに所属部隊コードを削除しなかったものと考えられる。六里橋に着いた時点ですでに四時間半行軍している。九時五〇分、徒歩で天安門広場に向かえという命令が出た。

張坤らは六里橋、広安門、菜市口、虎坊橋、南新華街を経て、天安門広場へ行軍した。この部隊の前衛は「葉挺独立団」の後身であり、それに後続したのはもう一つの「紅軍団」であった。彼らは六列縦隊で行進した。

午後一〇時半、広安門の鉄道と公路の交差地点で群衆は列車を停めて行進を阻んだ。さらに群衆は旧式歩兵銃や空気銃を加えた投石作戦を行って抵抗した。隊列が広安門護城河に至った際に、群衆は第二のピケを張っていた。五〇人余が倒れ、兵士たちは連隊長徐乃飛と政治委員に対して弾丸を求めた。しかし連隊長と政治委員は「命令を執行せよ、発砲は禁止！」〔原文＝執行命令、不準開槍！〕と指示した。部隊が広安門内大街に入るとバリケードはますます厳重になり、胡同を通るごとに投石の雨に遇った。部隊が南新華街に至ったとき、北京大学、中国政法大学、北京師範大学などの旗を振る者が煽動し、攻撃はいっそう激しくなった。張坤の警護要員、工作要員も散り散りになり、偵察兵が二名残るだけとなった。張坤は事態がすでに反革命暴乱に発展していることを知らずにこう命令した。「一切の代価を惜しまず、速やかに天安門広場へ進撃せよ」。和平門全聚徳烤鴨店に近づいたとき、大石が左腿に当たり、地面に倒れた。

気がついたときは北京市救急センターにかつぎこまれていた。

この部隊は死亡者一名、重傷二四六名、軽傷一五〇〇人、失踪一五〇人〔のちに原隊に戻る〕という巨大な被害を受けたが、一発も発砲することなしに六月四日午前零時一九分に天安門広場西南側の集結地域に着いた〔『戒厳一日（下）』一六五〜一七二頁〕。

なお病床における張坤の言として「出発前に上級は発砲禁止〔原文＝不準開槍〕を明確に命令した。

表二・15　南線の死者2名

姓　名	所　属	出身	生年	階級
馬国選	某砲兵連隊第6中隊小隊長代理	河南省禹州市	1967年	上士
王錦偉	某連隊後勤処参謀	河南省太康県	1962年	中尉

そこで部隊は弾丸を統一保管した。むろん弾丸箱を開けて取り出すことは容易であったが、通信連絡が絶たれたので、上級の発砲可という新たな命令を受けることができず、誰も弾丸箱を開けようとしなかった」とある（『戒厳一日（下）』二九四頁）。

【南線の殉職者＝馬国選】

馬国選は戒厳部隊某砲兵連隊（五四軍A師団）第六中隊小隊長代理（河南省出身）であった。「某砲兵連隊」を単に「某部」とのみボカして書いた記述もある。予備党員、二二歳、河南省禹州市の人。

六月三日夜、馬国選の部隊は六里橋から天安門広場へ行く命令を受けた。広安門の鉄道と道路の交差する地点で、部隊は群衆が用意した列車によって通路を阻まれた。馬国選は車両の連結箇所から弾薬箱を押し出し、列車を乗り越えた。かれは投石によって負傷したが、依然前進した。菜市口付近にきたとき、群衆の攻撃はますます激しくなり、一戦友が倒れた。馬国選はこれを助けようとした際に、頭を殴られ、昏倒した。彼は四名の大衆によって救出され、宣武医院（広安門内大街と長椿街の交差したところ）に運ばれたが、五日死去した（『捍衛』三三九〜三四一頁）。

この連隊が広安門橋のたもとで群衆側から投石された際の状況はこう説明されている。

「顔じゅう血だらけにした兵士が膝まづいて連隊長、政治委員に声涙ともに下る調子で訴えた。「発砲させて下さい。命令して下さい。彼らはあまりにも酷すぎる。さもないと、われわれはみんなやられてしまう」。

これと同時に兵士たちはドサリ、ドサリと倒れていった。連隊長、政治委員は暴徒を恨まないわけではなかったが、黒山の群衆を前にして、「我慢せよ、快速で前進せよ。われわれは殺られることはない」と激励して前進した。この連隊が指定地点に到着したとき、連隊長から戦士に到るまで一〇〇%がやられており、八五%が負傷し、重傷者が一四九人であった」（劉宛騏、『南方日報』八月一六日付、なお『捍衛』三四〇頁によると、彼は宣武医院前で死んだ）。

この連隊は少なくともここでは発砲を控えたわけである。その背景は張坤の説明に詳しい。なお、右目を失った「共和国衛士」余愛軍もこの隊列の兵士である。

2　五四軍B連隊の進撃

大興県で待機していたこの集団軍の師団長黄棟甲大校は六月三日午前、私服で宣武区を偵察した。宣武門飯店、実験小学、三四〇一工場などを検分して帰るや集団軍軍長（五四軍）からB連隊の先頭として市内に進駐するよう命ぜられた。木樨園一帯は群衆に遮断されているので、馬家堡――太平街ルートを通って宣武門に近づいた。宣武区武装部の王参謀、天橋弁事処主任王洪恵らに助けられながら、四日早朝、師団全員が天安門広場に到着し、広場の整頓〔原文＝清場〕に参加した（『戒厳一日（上）』一九〇〜一九三頁）。

師団長黄棟甲と別のCルートをとった副師団長劉順開上校は北京・石家荘公路を走り、木樨園→虎坊路を経て、天安門広場に向かった（『戒厳一日（下）』一八一〜一八四頁）。

【殉職者＝王錦偉】

戒厳部隊某連隊後勤処参謀王錦偉（河南省出身）は、駐屯地から集結地点（大興県）まで三昼夜かけて移動している。六月三日夜、部隊は広場西南側前門西大街に到達せよとの命を受けて右安門→太平街→虎坊路→南新華街→天安門前門西大街と行進した。部隊が出発してまもなく数千の群衆に囲まれたので、団の首長は徒歩行進を命じて、王錦偉と協理員政治工作担当者が四〇名の戦士を指揮して、後勤物資と弾薬を守るよう命じた。六月四日午前一時すぎ、彼は弾薬を部隊前方に送る命令を受け取った。宣武区右安門南側まで軍用車がさしかかったとき、群衆に阻まれた。彼は弾薬の略奪を防ぐために、自動小銃を二度発砲した。その後太平街→虎坊路→新華街を進んだ。四時三〇分、南新華街八二号門前路あたりで突然街灯が消えた。前方左側から発射された弾丸が王錦偉に命中し、医院に運ぶ間もなく死亡した（『捍衛』三四三～三四五頁）。

王錦偉を射た銃弾が誰によって撃たれたものかについて『戒厳一日（上）』四三一頁は群衆からの発砲によるとしている。その銃はいましがた奪われたものとより具体的に記述しているのが『平暴英雄譜』六一頁である。なお、王錦偉は「太行山区にある辺鄙な軍営にいた」と彼の所属部隊を示唆している。

3　一五軍パラシュート部隊

李永超「天兵（パラシュート部隊）が天安門広場に進撃する――北京に赴き戒厳任務を執行した広州

軍区空軍某部隊を記す」（『南方日報』一九八九年八月一日付）、劉建軍「断固として迅速に高自聯指揮部を破壊し、共和国防衛に新たな功績を立てた——首都戒厳部隊某集団軍偵察大隊偵察第一中隊の事跡を紹介する」（『南方日報』一九八九年八月一八日付）、劉建軍「〝高自聯〟指揮部を壊滅させた紀実」（『戒厳一日（下）』二一六〜二一九頁）、木石「〝高自聯〟指揮部を壊滅させた紀実」（『捍衛』三九五〜三九七頁）、某部偵察大隊第一中隊「〝高自聯〟指揮部を断固として迅速に壊滅させる」（『平暴英雄譜』九八〜一〇五頁）などから、この部隊の行動を知りうる。死者なし。

天兵の第一梯隊。これは群衆を引きつける陽動作戦を結果的に担うことになり、広場到着は最も遅れ、被害も最大であった。朱双喜上士の連隊八八〇名は六月三日午後五時二〇分、南苑空港を出発し、二五キロを急行軍し、一六回進軍を阻まれ、五一一名が負傷して、四日午前二時、天壇公園東門に着いた。四日午前三時二〇分、残りは一時間しかなく、予定集結地点正義路南口まで着けるかどうかを危惧しつつ、急いだ。四時五分、六万の市民が約半分に減ったところで、四名の将校が対空一斉射撃〔原文＝一斉対空射撃〕を行い、機に乗じて、天壇東側から出発して崇外大街に沿って正義路南口に予定時間通りに集結した（『戒厳一日（上）』二〇九〜二一二頁）。ここから南線の集結目標地点は前門であったことが分かる。

天兵の第二梯隊。空軍一五軍副軍長左印生大校の日記には、威嚇射撃をしつつ、進撃したことが、こう書かれている。

群衆に対して「〝銃剣を構え、対空発砲し、威嚇する〟〔原文＝端槍上刺刀、対空鳴槍、産生威懾力量〕方法を用いた。こうして四日午前一時二五分に約六〇〇人が人民大会堂に着いた（『戒厳一日（上）』一八五～一八九頁)。

天兵の第三梯隊。武運平旅長、樊主任が率いる第三梯隊は四日午前一時一七分、空挺一五軍のトップを切って人民大会堂に着いた(『戒厳一日(下)』二一一頁、『南方日報』八月一日付)。

結局、空挺一五軍は第三、第二、第一の逆の順序で人民大会堂に入った。この天兵の一部が人民英雄記念碑の高自聯指揮部粉砕で活躍したことは、第一一章で触れる。

4 装甲車部隊

【装甲車〇〇三号】

これは「燃える装甲車」としてテレビ画面に写し出され、多くの視聴者に強い印象を与えたものである。六月三日夜戒厳任務を担う装甲車パトロール隊は「東高地」(北京南郊外の装甲車駐屯地。南苑空港の近く)から天安門広場に進撃する命令を受けた。この装甲車縦隊の正副隊長は佟喜剛、解双喜であった。佟喜剛は四六歳、某機械化師の副師長、解双喜は四八歳、北京軍区装甲兵部副部長である。彼らは事前に数種の行動案を作り、起こりうべき数十種の処理方法を検討していた。投石によって負傷した場合に、包帯を巻きやすいように、八〇〇人の隊員はすべて丸坊主に刈上げていた。

出発前に佟喜剛は各装甲車の指揮員と逐一握手して「命令執行は軍人の天職なり。死んでも金水橋に到着すべし」と繰り返した。進撃は二路(右路と左路)に分かれて天安門広場に向かった。二人の大佐の乗った指揮車は「右路車隊」について崇文門の陸橋まで来たが、たいへんな人込みとバリケードであった。十字路には三台のバスが並べてあり、車上には人が満員であった。指揮車の前にいた装甲車が停止させられ、群衆がそれを取り囲み、投石した。佟喜剛は運転手に命じてアクセルをふかさせ、障碍物にぶつかってこれを動かし、隙間を作って前進した。装甲車は障碍物と群衆を避けるために「之の字」形で通り抜けた。このとき後続車が追いつけなかったので、〇〇三号は東単を回り、長安街に来た。二〇、三〇メートルおきに設けられた障碍物を抜けながら、夜一一時すぎ〔一説に一二時すぎ〕〇〇三は金水橋に着いた。広場到着の装甲車第一号であった。

装甲車はたちまち〔香港記者団によれば四日朝一時〕群衆に囲まれ、二十数本の鉄棒が装甲車の荷重輪と誘導輪にさし込まれ、装甲車は停止したまま動けなくなった。解双喜が潜望鏡から見たところ、燃えている段ボール箱が排気筒に詰め込まれ、一部の者が装甲車をたたいている。このときガソリンを染み込ませた綿入れに火をつけて通気筒に投げ込まれた。燃えたガソリンがアンテナ線を伝わって流れ込み、通信士の服装が燃え始めた。こうして飛び出した解双喜も佟喜剛も群衆に殴打された。重傷を負った解双喜と佟喜剛は人民英雄記念碑東側に設けられていた屋外の救急センターにかつぎこまれ、その後別々に民間の病院に送られた。六日朝北京軍区総医院に送られた〔『解放軍報』二面、のち『捍衛』三六一〜三六五頁に所収。当事者たる佟喜剛ら乗員の証言は「浴血金水橋」『戒厳一日（上）』一〇三〜一一二頁にある〕。

金水橋への到着時刻について、劉国華、張梅珍は三日夜一一時と記しているが、佟喜剛は四日零時二〇分としている。このズレは当時の混乱ぶりを物語っているものと考えられる。なお、佟喜剛は装甲車パトロール隊の右路車隊の先頭にいて、突出したものである。

この〇〇三号について香港記者団はこう報告している。

四日朝一時ごろ〔佟喜剛の記述よりも四〇分遅い〕〇〇三の装甲車が天安門城楼のところで動けなくな

った。当時、西路の軍隊はまだ到着していなかったので、群衆は装甲車の周囲を取り囲み、装甲車の上に乗って鉄の蓋をこじ開けようとする者もおり、さらに市民は軍衣、布団を持ってきて装甲車の上に被せて燃やした。間もなく装甲車の後ろから三人の兵士が逃げ出してきたので、怒った群衆が取り囲んで殴った。最後に兵士は学生に救出されたが、救急車に送られていくときも、群衆は追いかけて「やっつけろ」と叫んでいた。ある市民は「この装甲車は七、八人轢き殺したのだから、車を動かしていた兵士を逃がしてはならない」と言った（『重要文献』第2巻、一二八頁）。

【装甲車三二二号】

三日夜一〇時三〇分、助理工程師李勃上尉はパトロール隊の装甲車三二二号に乗った。一〇時五〇分に始動し、東高地→劉家窯→天壇公園東口→磁器口南端→和平門十字路を経て、夜一一時三二分に正陽門東側から天安門広場に入った。広場には他の部隊は到着していなかったので、広場の周囲を二回転したあと、崇文門→宣武門へ迎えに行き、また広場に戻り、人民大会堂西側に停車した。そこで群衆に囲まれ、広場の高自聯指揮部へ行って、指揮部の〇〇八号指導者と交渉し、三二二号の安全を確保した（『戒厳一日（下）』一一〇～一一六頁）。李勃は七月二七日に「共和国衛士」の称号を受けている（『解放軍報』七月二八日付）。北京軍区所属であることは、この『解放軍報』記事から分かる。

【装甲車三三九号】

四日零時一五分前門に車体番号三三九号装甲車が出現。全速力で広場の脇〔東を、南から北へ、西単へ〕を走り抜け、長安街を走る。市民が作った障害物を踏み越え、西単の方向に走り去る（「三三九号装甲車的控訴」『人民日報』七月一六日付）。

●資料3

発砲厳禁の模範部隊五四軍

【原題】血染めの行軍。【筆者】五四軍政治委員張塑（印刷の都合上、異体字の代わりに正字を使い張坤と表記）。【出所】『戒厳一日（下）』一六五〜一七一頁。【関連文献】『戒厳一日（下）』二九三〜二九五頁の張坤証言。振漢・永勝・文朝・宝亮「紅軍団の新世代に恥じない」『解放軍報』八九年七月七日付（のち『京都血火』二〇六〜二一二頁に所収、『捍衛』三〇七〜三一四頁に所収）。

＊

六月三日一五時一〇分、私（張坤）は命を奉じて部隊を率いて〔北京市南郊〕大興県東南の集結地を出発し、一九時四八分に豊台区六里橋一帯の予定されていた戒厳区域に到着した。二一時五〇分、上級〔戒厳部隊指揮部〕はわが部隊に対して徒歩で迅速に天安門広場に向かって進撃するよう命じた。私は師団長鐘声琴大校、政治委員王玉発上校とともに、直ちに部隊を率いて六里橋、広安門、菜市口、虎坊橋、南新華街のルートで天安門広場に向かった。先頭を歩く前衛を担当したのは「葉挺独立連隊」であり、数十年の革命戦争において「鉄軍」の美名を享受してきた。それに続いたのは、もう一つの「紅軍団」〔紅軍時代からの連隊〕であり、この連隊は〔国民党の包囲討伐に対する〕反包囲討伐で活躍した部隊であった。他の連隊もみな民族解放、共和国の誕生において不朽の貢献をしているものばかりであった。部隊は六列縦隊で威風堂々と快速進撃した。

二二時半、部隊が広安門鉄道と道路の立体交差点に来たとき、一列の列車が交差点上に止まり、部隊が前進する行く手をさえぎった〔群衆が列車を動かして、通行を阻止しようとしたもの〕。私は戦士たちとともに列車の下の道路をくぐりぬけた。部隊が線路を越えるとき、暴徒たちは列車の窓から煉瓦を落とし、棍棒や鉄棒で殴り、銃や空気銃で打ち、ガードレールを落としたので、その場で数十名の将兵が倒れた。私のヘルメットもパチンと割れ、背中には煉瓦が落とされた。戦士呉金虎は鉄道をくぐったときに暴徒から腿を撃たれ、鮮血がほとばしった。このとき部隊は隊形が乱れ、前進を阻まれた。指揮員たちは口々に私にこう尋ねた。「どうしますか？」と。見ると眼前には黒山のような人だかりで、暴徒は群衆のなかに紛れている。もし反撃するならば、誤って群衆を傷つけることは避けられない。そこで私は部隊に対して「隊列を整え、隊伍を揃えて、前進を続けよ。将兵たちは負傷者を助け合って、前進を続けよ！」と命令した。

　隊列が広安門護城河に着いた。ここは道路が狭く、万にも上る真相を知らぬ群衆が蝟集していた。護城河橋の街道の両側ではちょうど建築物を壊していたので、暴徒たちはここに第二の抵抗線を設けた。部隊がここに来ると、煉瓦、石ころなどが雹や霰のように降ってきて、あっという間に少なからざる将兵が血を流して地面に倒れた。先頭の前衛連隊では五〇人余が倒れ、戦士たちはこらえきれず、連隊長徐乃飛と政治委員の前にひざまづいて、銃弾を要求した。この連隊長はベトナムに対する自衛反撃作戦において二名のベトナム捕虜を生け捕りにし、「偵察英雄」の称号を受けたことがある人物だが、今回の任務はこれまでの作戦任務とは異なることをよく知っていた。群衆と敵とが混在しており、一時に区別することは難しい。彼と政治委員は涙を浮かべて戦士を一人一人助けながら、きっぱりとこう述べた。「命令を執行せよ。発砲は許されない！」と。このとき、「平和敢死隊」と書いた鉢巻きを巻いた輩が群衆のなかから「兵隊は発砲しないぞ。やっちまえ！」と叫んだ。真相の分からぬ群衆と暴徒はいよいよ近づいて殴りかかった。この英雄的な鉄軍は、劉老荘〈江蘇省の鎮名〉の群衆が日寇の鉄蹄に蹂躙されるのを守るために、一中隊のうち八七人もが倒れた経験をもっている。今日彼らはむしろ自己の血を流すことになろうとも、誤って群衆を傷つけてはならないと決意していた。彼らは自己の戦友を助け、最大の克己心を保ち、群衆のなかから一筋の道を探り当て、頑強に前進を続けたのであった……。

　私は従軍すること四〇年だが、かくも悲壮な行軍は初めてであり、かくも複雑な厳しい事態は経験したことがなかった。私は指揮所について行進してきたが、いまや靴は脱げ、両肘と背中に負傷していた。とりわけ自分の子女のような戦士たちが体中傷だらけになり、血糊一杯になっているのを見るのは、非常に心が痛み、非常に憤怒せざるをえなかった！　私が「反撃せよ！」と命令しさえすれば、われわれの前進を妨げるものがないことは、私はよく知っていた。しかし、それをしてはならぬ！　眼前にかくも多くの群衆がいる。白髪の老人もいれば、幼児を抱えた婦女もいて、暴徒に押されて前列にいる。ひとたび発砲すれば、誤って傷つけることは避けられない。彼らは今はまだわれわれを理解しておらず、はなはだしきは罵倒し、われわれに煉瓦を投げつけているが、結局はわれわれの父母兄弟姉妹ではないか！　誠心誠意で人民に服務することこそわれわれの根本宗旨でなければならない。数十年来、この宗旨に従ってわが部隊は国民を守り、災害から守るためにどれほど多くの若い生命を犠牲にしてきたことか！　わが父母よ、兄弟姉妹たちよ！　あなた方はなぜデマを信じて、自分の子弟兵たちを信ぜず、理解しないのか？　このとき私の両足はガラス片と石ころで傷つき、腫れ上がり、一歩歩くごとに血の印がつくほどであった。私が痛いと一言いいさえすれば、どの戦士であれいささかもためらわずに自分の靴を脱いで私に履かせてくれるのを私は知っていた。しかしこの危急の秋（とき）に当たり、自分は一つの旗であること、私の後ろには数千名の戦士がついているから、止まることはできないし、いわんや倒れることはできないと思った。私は全身の痛さをこらえて、それほど老いてはいない喉をふりしぼって、「首都を熱愛し、首都人民を熱愛し、首都学生を熱愛する」スローガンを高らかに叫ぶと、多くの戦士たちは顔から血を流し、口から血を流しながら、私について叫んだ。首都の父母や兄弟姉妹たちが、これは自分の子弟兵たちの真心からの、鮮血の呼びかけで理解を喚起し、覚醒を呼びかけたものであることを感じてくれたかどうか私は知らない。しかし、群衆がいくらか後退し、若干の群衆が拍手してくれたのに気づいた。投げつけられる煉瓦も少なくなり、部隊は勢いに乗って狭い通路を通り過ぎた。

　肉体的な苦痛は、将兵たちは呑み込んだが、彼らにとって最もつらかったのは群衆から誤解されたことであった。部隊は広安門を通り、広安門内大街を通り、沿路に設けられたいくつものバリケードを避けて、障害物の両側の狭い箇所を通るほかなかった。横町口を通るごとに必ず一陣の石の雨に襲われ、我慢のならない罵声を浴びせられた。「お前たちの銃口は誰に向けられているのか？」「お前たちは人でなしだ！」「皇帝の飼い犬め！」　戦士たちは血気にはやる若者たちであった。私の前を歩く一七、一八歳の戦士はこらえきれずに、暴徒たちの投げた煉瓦……。私はあわてて叱りつけた。「君は何をするのか？　群衆を誤って傷つけたらどうするのか？　隊列に戻れ！」　戦士は顔を赤くして隊列に戻った。街灯の光を借りて戦士の幼顔をのぞきこむと目には涙があふれ、顔や手は傷だらけ、血だらけであった。この赤ん坊兵士たちも郷里では父母の前で甘えているだろうに。かくも侮辱され殴打されたうえで、反撃するなと誰が説得できようか？　しかし兵士たちが軍服を着ているからには、人民の軍隊の宗旨と紀律を彼らに要求しないわけにはいかない。私には彼らの心理が分かるので、数歩急いで戦士の肩を軽くたたいた。戦士が私を振り向くと、水晶のような涙があふれて、顔中の鮮血に混じって流れた……。

部隊が南新華街を通ったとき、いっそう激しい攻撃に遭った。ここは広場に近いためかもしれないが、暴徒たちは一か八か勝負に出た。「北京大学」「中国政法大学」「北京師範大学」などの旗をもった者が万にも上る群衆を煽動し、数十台の自動車や分離柵などを用いて密集したバリケードを作った。私の身辺のボディ・ガードも工作人員もすでに散り散りになり、わずか二名の偵察兵が残っただけであった。

私と一緒に部隊を率いて前進してきた鐘声琴大校はここで柵を越えようとして左腿の関節に重傷を負って、骨が現れた。街道両側の建物からは、ときならず盆栽や壊れた自転車、鉄鍋、石ころなどが投げられ、私の前を歩く戦士の頭に落ち、地面に倒れ、傍らの戦友がこれをかついで前進を続けた。

このとき、私は裸足の両足で霰のような石ころ、煉瓦の襲撃と群衆の包囲のなかをすでに一〇キロ行進しており、全身多くの箇所に負傷し、体力の消耗がはなはだしかった。このときわれわれは首都で反革命暴乱に発展していたことはまだ知らなかったが、上級が予定の戒厳地域から天安門へ迅速に進撃せよとの命令を受けたことと途中で遭遇した状況から分析して情勢は非常に重大だと感じていた。できるだけ速く部隊を率いて天安門広場に到着しなければならないという信念だけで私は動いていた。私は部隊にこう命じた。「一切の代価を惜しまず、天安門広場へ大至急進撃せよ！　部隊は行軍速度を速めよ」と。もうすぐ和平門の全聚徳烤鴨店に着くとき、大きな石ころが飛んできて、私の左腿に当たった（のちに知ったのだが、左腿が骨折していた）。激痛のために速度が遅くなり、隊列のあとに取り残された。

通行分離柵を越えるときに、左腿が効かず、地面に倒れたが、痛くて動けない。このとき一部の者が襲いかかった。私の身辺にいた二名のボディ・ガードは四、五人の暴徒に囲まれ、蹴飛ばされた。私は恍惚のなかで一人の婦人が「殴らないで、殴らないで、もうすぐ死んでしまうわよ。早く病院に運ばなくちゃ」と言うのを聞いたが、それからあとのことは何も覚えていない。私は従軍して四〇年になり、凶暴な土匪と作戦したり、外国の敵と戦ったり、かねて個人の生死を度外視し、幾度も戦功を立ててきたが、首都で倒れようとは、天安門広場へあと一息の和平門で倒れようとは夢にも思わなかった！

〔以下省略。失神した張坤は馬占琴によって、まず「北京市救急中心（センター）」へ担ぎこまれ、四日午後三〇五医院へ移された。張坤の部隊は死亡一名＝馬国選、重傷二四六名、軽傷一五〇〇人という大きな犠牲を払ったが、一発も発砲することなく、六月四日午前零時一九分に天安門広場西南側の集結地点に到着した。〕

九　北線――二環路で待機した北京部隊

さきに見たように、北線を担った北京軍区の部隊は二路に分かれて進んだが、二環路の徳勝門、安定門ラインで進撃を停止して待機し、天安門広場の整頓〔原文＝清場〕には参加しなかった。そのうち東直門に到着した部隊の行動を追ってみよう。

1　東直門立体交差橋を占領

六月三日午後三時三五分、沙河空港の某軍〔二四軍〕に対して秘密電話で「緊急命令」が出た。五〇分、東直門へ向けて出発した。軍長（周玉書中央委員候補、のち武警司令員に昇格）は処長劉新力上校ら三人に対して海運倉に指揮所を設けるよう命じた。劉新力上校らの北京二一二ジープがA連隊に追いついたのは三元橋近くであった。ここでA連隊、C連隊が群衆に包囲されたために、劉新力は八回にわたって、ここを行ったり来たりして連絡に当たった。そして四日午前三時二〇分に東直門立体交差橋を占領した（『戒厳一日（上）』二二四〜二二三頁）。

2　三元橋で足止め

北線の二四軍連隊長張振生上校に対して沙河空港から市内への出動命令が出たのは六月三日午後四時四五分であった。一三分後の四時五八分に連隊の四一台の車隊は西へ疾走した。京順路（北京——順義）と西八間房の交差点で兄弟部隊が群衆に包囲されているのを発見し、通常はトラックの通行を禁止されている国際空港路（首都空港路）に入った。三元橋から八〇〇メートルのときに、一台のバスが進路を横切り、ついで三、四〇〇〇人がおしかけてきた（『戒厳一日（上）』二三三〜二三七頁）。

3　和平街北口に到着

北線の某集団軍（二四軍）五個連隊、一個旅団は六月三日夜八時ころ太陽宮に指揮所を設けた。四日三時一〇分、群衆の包囲を対空発砲〔原文＝対空鳴槍〕で突破し、和平街北口についた（『戒厳一日（上）』二五一〜二五四頁）。

4　徳勝門へ到着

北線の二四軍副軍長劉書明大校、副政治委員張伝苗少将の部隊は、六月三日夜沙河空港を出発してまもなく、清河鎮で群衆に包囲された。京昌公路（北京――昌平）は馬甸橋から清河鎮までバスやトラックで封鎖されていた。集団軍車隊は一〇キロ後退して、細い道に入り、ひたすら前進し、四日午前零時五分に指定位置に着いた。夜明けにはいくつかの連隊が続々と馬甸橋、双井橋、安貞橋、和平街北口などの指定位置に着いた。そこで戒厳指揮部は徳勝門へ行くよう指示した。上級からの指示は「対空発砲してよい」〔原文＝可以対空鳴槍〕であった。われわれは空へ向けて発砲し、群衆を駆逐して、四日午前九時二四分、二個連隊が徳勝門に着いた（『戒厳一日（下）』一五四～一五八頁）。

一〇　人民への発砲の経緯と責任

1　「三八軍の経験」

これまでの分析から、

①戒厳部隊司令部が天安門広場の整頓〔原文＝清場〕を目的として広場進駐を命じた際に発砲厳禁を指示していたこと、

②最初の発砲は西線で軍事博物館での会議前後に三八軍によって行われたこと、

③この情報は直ちに他の部隊にも伝えられ、いわば「三八軍の発砲経験」を援用する形で次々に発砲に

踏み切ったこと、

④しかしこの発砲解禁の情報に接することなく行軍を続けた部隊（五四軍）が存在したこと、などが明らかになったであろう。

発砲問題について香港誌の魯人論文（『鏡報』九〇年第一期）は興味深い記事を掲げている。

六月三日夜六時ごろ、鄧小平の批准を得て、楊尚昆が中共中央および中共中央軍事委員会の名において戒厳部隊に対して強行入城の命令を出した。その大意は「北京で今日反革命暴乱が発生した。各戒厳部隊は今晩城区に進軍し、採用できる一切の手段を採用して、断固として反革命暴乱を平定せよ」であった。この命令には指定位置への到達時間は定められていたが、発砲の可否については言及されていなかった。

軍内事情を知る者によれば、六月三日夜六時ごろ解放軍三総部の責任者（総参謀長遅浩田、総政治部主任楊白冰を含む）は入城する各部隊責任者に任務を与えた際に、発砲の可否を問われた。これに対して「発砲はありえない」〔原文＝不会開槍〕と答えた。

某集団軍高級幹部の漏らしたところによれば、同軍は群衆に阻まれて前進できないなかで、無線によって発砲の可否を問い質した。当初は明確な回答は得られなかった。しばらくして「×××軍が発砲したところ、群衆は散り始めた。効果は素晴らしい。各部隊は状況に応じて果断の処置をとるべし。ただし規定時間内に到着せよ」との指示があった。この指示以後、他の部隊も発砲するようになった。

各戒厳部隊は入城に際して、弾薬の保管状況が異なっていた。ある部隊は班長まで渡したが、ある部隊は小隊長以上の軍官に渡した。戒厳指揮部が「×××軍の経験」を紹介して以後、各部隊はほとんどが発砲したが、発砲の程度は障害の大きさと正比例している。当時の伝聞とは違って、発砲の激しかったのは二七軍ではなく、三八軍であった。というのは三八軍は西線入城の任務を担い、抵抗が最も激しかったからであった。

この内幕消息は私がこれまでに分析した内容と基本的に符号している。ただし、三日午後六時ごろに出動命令を与えたとしているのは、時間が遅すぎる。戒厳部隊指揮部は三日午後二時三〇分に緊急出動命令を出し、それらは三～五時に各部隊に届いている。各路指揮部はこの命令に基づいて、第一次集結地（北京郊外）から第二次集結地（三環路周辺）へ、そして最終目標への到達手順を決定した。たとえば西線の主力部隊は三日午後一〇時ごろ公主墳に集結し、天安門広場北側の金水橋を目指した。

六月三日午後の出動命令は軍事委員会主席鄧小平の発意により、楊尚昆が軍事委員会の名において発出したとする『鏡報』の報道はその通りであろう。戒厳部隊指揮部は鄧小平、楊尚昆のほか、軍事委員会メンバーおよび出動軍区首脳からなっていたと考えられる。すなわち劉華清上将（軍事委員会副秘書長、のち副主席に昇格）、楊白冰上将（総政治部主任、のち秘書長に昇格）、遅浩田上将（総参謀長）、趙南起上将（総後勤部部長）、周衣冰中将（北京軍区司令員）、劉振華上将（北京軍区政治委員）、曹芃生少将（済南軍区副政治委員）、固輝中将（済南軍区副司令員）、朱敦法中将（瀋陽軍区副司令員）、李文卿中将（瀋陽軍区副政治委員）などだが、彼らもこれを支持したものと見られる。

天安門広場到着の目標時刻はおそらく四日午前零時までにというものであったと思われる。この命令を執行するうえでやむなく三八軍が、おそらくは北京軍区の首脳周衣冰、劉振華らと協議のもとに警告発砲を決定した。これは戒厳部隊指揮部に事後報告され、以後他の部隊も「三八軍の経験」に習ったというのが発砲問題の真相であろう。

2 発砲の責任は誰にあるか

ここで発砲自体の直接的責任問題はきわめて曖昧になる。鄧小平、楊尚昆は軍事委員会の首脳として鎮圧を命じたが、発砲の可否については言及しなかった。そこで三八軍がまず発砲し、戒厳指揮部は「三八軍の経験」を紹介する形で、各部隊に「対空発砲」「警告発砲」を示唆した。各部隊は早速「対空発砲」「警告発砲」を行った。しかし、「空へ撃てば、アパートに命中し、地面へ撃てば、流れ弾が群衆に当たる」(『捍衛』四二三〜四二四頁、なお同趣旨の説明として、森田実「中国人民解放軍幹部との会見記」『週刊時事』八九年一二月一六日号)ような状況がしばしば発生した。むろん西線の軍属カメラマンがはっきり書いているように、軍側が「暴徒を射殺」したケースも少なくないはずである。金水橋周辺での発砲が水平撃ちであった事実は、テレビでさえ報道された。こうして大量の死者が発生した。

結局デモ隊が百万に達した時点で鄧小平らは戒厳令発動に踏み切り、武力鎮圧の方向を決定したことがそもそもの問題である。流血を避けようとするならば、趙紫陽らの対話路線以外にはありえなかった。しかし、鄧小平、楊尚昆らは敢えて対話を拒否し、流血への道を選んだ。

なぜか。学生・市民側との対話が権力内部の穏健派に有利であるのと同じ程度において、保守強硬派に不利であることがその理由であろう。彼らは民主化運動との妥協が共産党独裁の崩壊につながると危機感を抱いた。保守強硬派は妥協を、政治改革を拒否することによって、中国人民を敵に回しただけでなく、世界中の世論を敵に回すことになった。ここで発砲命令の直接的責任はおそらく北京軍区首脳と三八軍指揮部にあるが、彼らが発砲を余儀なくされるような事態に追い込んだ政治責任は、明らかに鄧小平、楊尚昆、李鵬ら保守強硬派にあり、流血の悲劇の最終責任、政治的責任が彼らにあることは言をまたない。彼らは直接的に発砲を命じたわけではないとしても、そうした事態をもたらしたことについて決定的な政治的責任があるといわなければならない。

3　三八軍善玉、二七軍悪玉説

最初の発砲を決定し、しかも最も激しく発砲したのが三八軍であったという分析は、おそらく意外な結果であろう。事件直後の観測では三八軍は学生運動の味方であり、二七軍が流血の下手人であると見られていた。この情報が広範に伝えられたことにはいくつかの理由がある。

前述のように、三八軍軍長の抗命問題は学生側に広く伝えられた。学生側はまた三八軍で軍事訓練を受けた経験などから一定のパイプをもっており、盛んに説得工作を試み、それは一定の成果を挙げさえした。学生側はこの事実を過大評価し、三八軍に対する期待あるいは幻想を膨らませすぎた。

学生にとって「味方の三八軍」「敵の二七軍」というイメージが広がったのは、おそらく戒厳令布告から五月末までの段階での両軍と学生運動との関係に由来している。

軍長の抗命問題および接触した部隊の柔軟な交渉態度からして、学生たちは三八軍に大きな期待をかけていた。これに対して二七軍は三八軍の行動を牽制すべく出動したのであるから、当然学生側から疑いの目で見られていた。五月末までの重点警衛目標に進駐した部隊の主力がおそらく二七軍であることは連隊長李旦生中校ほかの「首都重要警衛目標に向かって進撃する」（『戒厳一日（上）』一～一九頁）から分かる。彼らが通県から出発して、永定門駅、北京駅、彩電中心、広播大厦などの警衛に向かったことはすでに指摘した。こうして五月末までの学生側との接触において、三八軍＝善玉、二七軍＝悪玉のイメージが定着した。そして実際の鎮圧が開始された六月初の時点では、学生運動はすでに内部から崩壊しており、鎮圧の実態を見極め、有効な反撃を組織しうるほどの能力はまったく欠いていた。

以上要するに、首都防衛の任務に当たる三八軍は真っ先に動員され、それだけに学生側の説得対象となり、一部で動揺が見られた。これに対して戒厳部隊指揮部は工作組を派遣し、動揺を抑え、鎮圧任務を遂行させた。

仮に、三八軍を鎮圧作戦から外したとするならば、それは結果的には三八軍の組織的抗命を事実として認めたことになろう。これでは軍令の権威は吹き飛ぶことになる。北京軍区の首脳を三八軍指揮部に監視役としてつけることによって、三八軍を中核とする鎮圧体制を執行したのは、ある意味で当然の措置であったと考えられる。軍令と工作組の締めつけのもとで、三八軍は少なくとも軍あるいは師レベルでの組織的抗命はなかったことになる。

一一　天安門広場――六月三日深夜～四日早朝

1　装甲車三三一号が広場に到着（六月三日午後一一時三二分）

北京軍区戦車隊パトロール隊の装甲車三三一号は、六月三日夜一〇時五〇分、八名の将兵を乗せて車内の通話機が故障したまま、(東高地から) 出発した。木樨園→劉家窯を経て、天壇公園東口の道路で、激しい投石を受けた。磁器口南端では白いシャツの青年が硫酸らしい液体の小瓶を投げつけた。さらにアンモニア水の小瓶もヘルメットに当たった。和平門十字路南口に着くと、前方に十数台のバスがバリケードに使われていた。しかし右側は駐車場だったので、迂回して無事に六月三日午後一一時三二分、正陽円東側から天安門広場に着いた。

その後崇文門、宣武門へ後続部隊を迎えに行ったが、見当たらないので、人民大会堂西側に停車した。ところが装甲車は早速群衆に取り巻かれ、焼討ちされそうになったので、学生側と交渉したところ、広場の高自聯指揮部へ連行された。学生から○○八と呼ばれていた指導者が応接し、兵士と車の安全を保障してくれた。四日一時すぎ、戒厳指揮部の二人の首長が三二二号の乗組員を接見してくれ、まもなく三二二号はパトロール隊の隊列に入った (『戒厳一日 (下)』一一〇～一一六頁)。

2 広場への一番乗りの五四軍 (六月四日午前零時一九分)

広場への一番乗りは、南線の某部某紅軍団であり、その前身は葉挺独立団である。長征においては、この部隊は中央紅軍の先鋒団として、烏江の天険を突破し、大渡河を強行渡河し、瀘定橋を奪取し、蠟子口を奇襲した。抗日戦争では平型関で戦い、劉老荘で戦った。解放戦争では遼西会戦、平津戦役、海南島解放に参加した軍団である。

この部隊は張坤少将についての記録からして五四軍であることが明らかである。彼らは三日夜に六里橋を徒歩で出発し、二三時五三分に正陽門西側に着き、四日午前○時一九分に広場到着を報告している

図二・4　天安門広場の配置

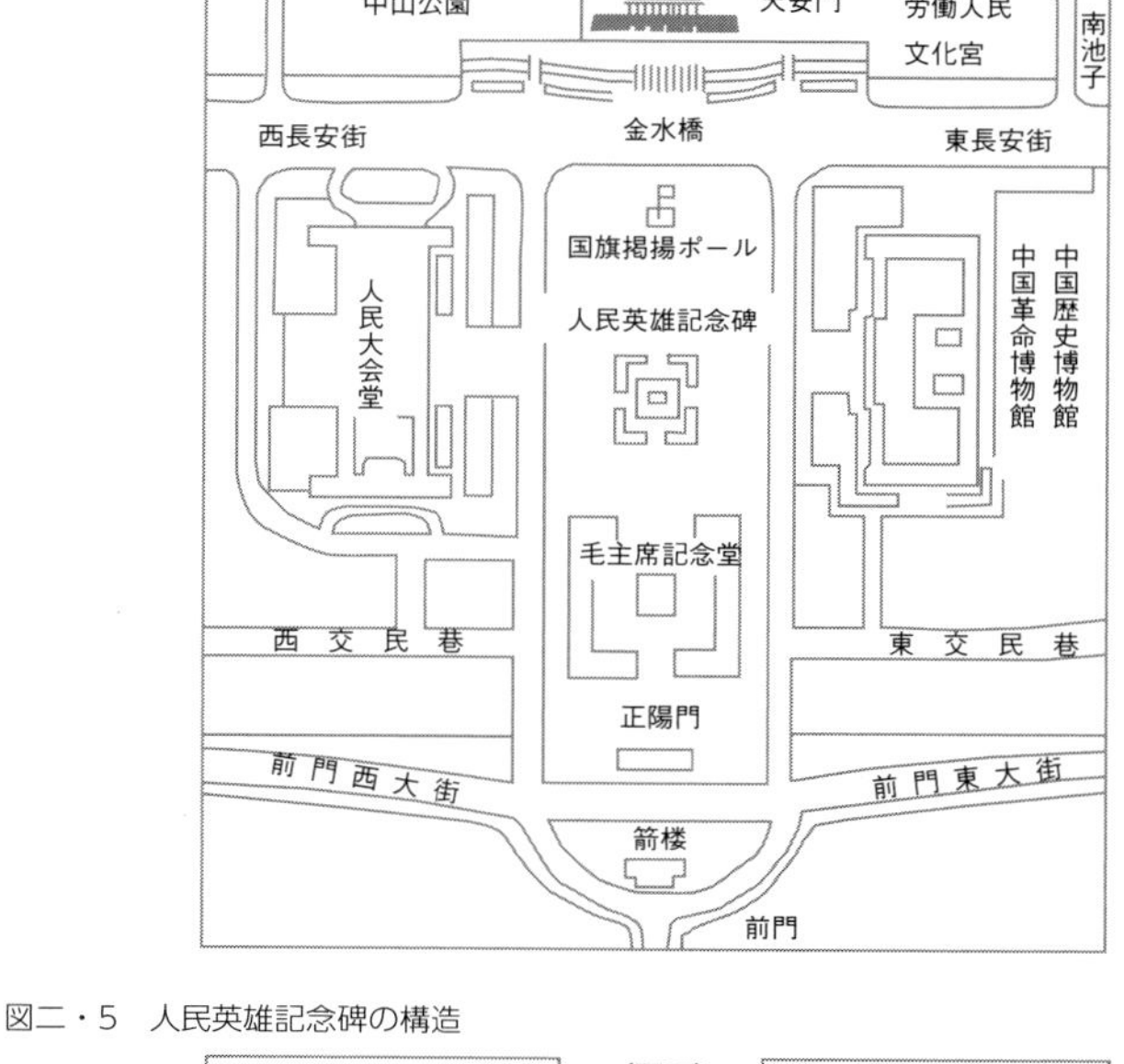

図二・5　人民英雄記念碑の構造

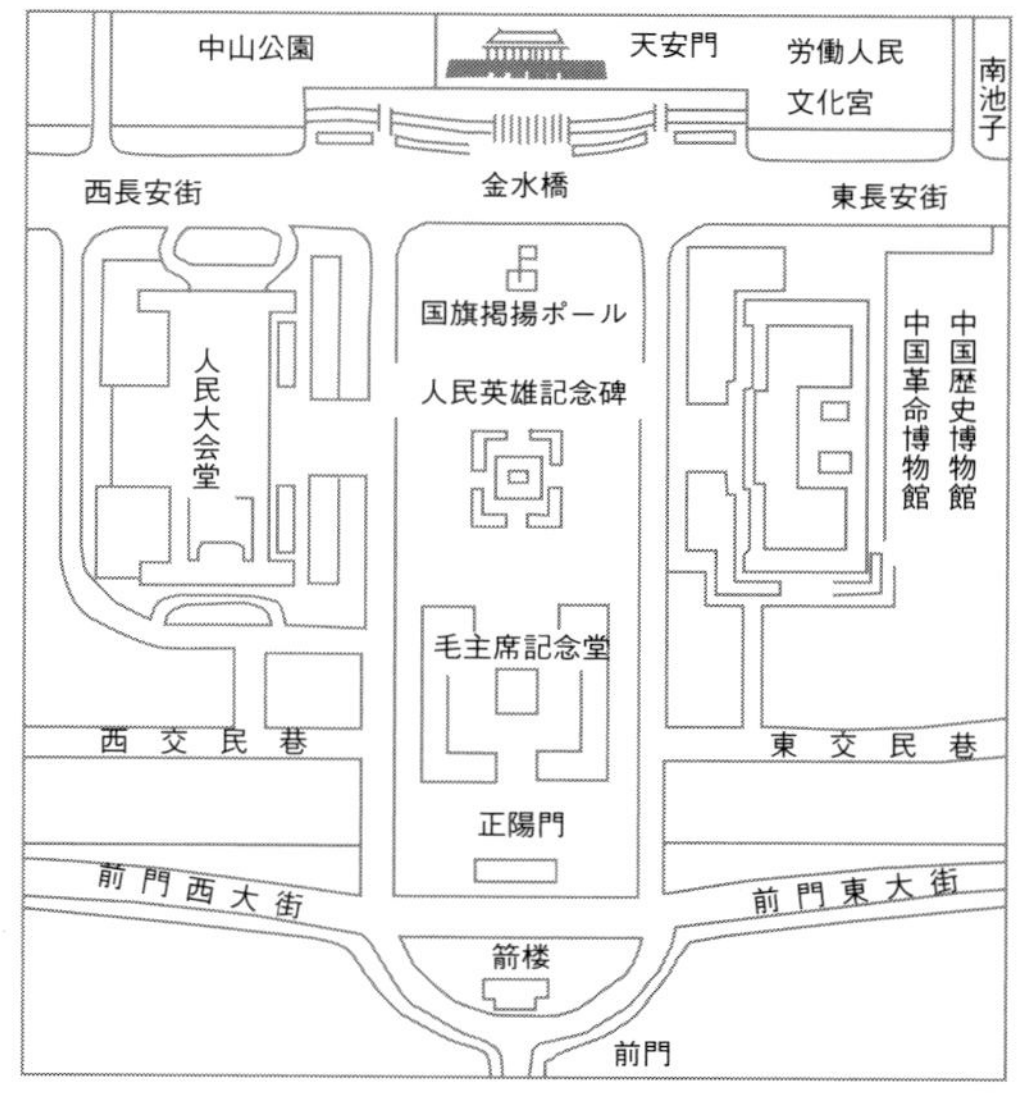

（『解放軍報』七月七日付、のち解放軍総政治部宣伝部『捍衛社会主義共和国』三一四頁に所収）。

この部隊は大きな被害（死者一名、重傷二四六名、軽傷一五〇〇名、行方不明一五〇名――『戒厳一日（下）』一七二頁）を受けながらも、発砲をまったく行うことなく進撃した。実はこの部隊は出発に際して、発砲の可否を問い合わせたところ「発砲不可」の回答を得た。その後、通信班が壊滅したために戒厳部隊指揮部との連絡が途絶えた。こうして「発砲可」の指示を受けることなく、無抵抗でひたすら行進したのであった。

そしておそらくはそれゆえに、解放軍の鑑とされ行軍記録の嚆矢として『解放軍報』（七月七日付）に掲載されたのであった。

3　人民大会堂での出来事（六月四日零時～一時）

総後勤部助理員傅水生中校の日記によると、六月四日午前零時ころ、部隊の関係首長が相次いで人民大会堂に到着した（三八軍の先頭にいた周衣冰、劉振華らと思われる）。その後政府関係指導者も到着した〔陳希同らか〕。一緒に整頓〔原文＝清場〕計画を練った。一時ころ、二名の将校（五四軍であろう）が血だらけになって部隊到着を報告した。「なぜ警告発砲〔原文＝鳴槍〕しなかったのか？」と司令部が聞く。「発砲禁止という命令だけを受けた」〔原文＝只接到不準開槍的命令〕と答える。その後某集団軍軍長も指定位置に到着と報告した。

4　特殊任務を帯びたパラシュート部隊の到着（六月四日午前一時一七分）

天安門広場西側の人民大会堂に入り、広場到着「一番乗り」と戒厳部隊指揮部周衣冰中将（北京軍区司令員）から賞賛されたのは、南線の空軍某部隊の「天兵」すなわちパラシュート部隊の第三梯隊である。時間は六月四日午前一時一七分である。彼ら数千名の将兵は前日の三日午後四時一〇分に空軍の南苑空港を出発し、軍用車による行軍がデモ隊に阻まれたために、徒歩行軍に切り替えて、九時間七分を要してたどりついた（『南方日報』八九年八月一日付）。

五四軍よりも五八分遅れた天兵が一番乗りだとされているが、これは天兵たちには後述のような特殊任務が予定されていたために、司令部から激励されたのではあるまいか。

なお、天兵の第二梯隊は副軍長左印生大校（のち武警副司令員に昇格）に指揮されて四日午前一時二五分に広場南側に到着している。天兵第一梯隊は結果的に群衆を引きつける役割を果たして到着は最後になった。

5　西線の主力部隊三八軍の到着（六月四日午前一時三〇分）

「六　西線」で記したように、主力部隊たる戒厳部隊某部（三八集団軍）先頭分隊は、六月四日午前一時三〇分に天安門前の金水橋南側に着いた。そのとき人民大会堂上にある戒厳部隊のスピーカーは「緊急通告」を放送していた。先頭部隊の最初の仕事は金水橋に「現地指揮部」を設けることであり、そのために水平撃ちを含めて群衆を乱暴にけ散らした。発砲は当初は対空発砲に限定されていたが、発砲に対する群衆の抵抗、投石に対抗して、三八軍の発砲もエスカレートし、この段階ではすでに水平撃ちになっていた事実については多くの目撃者がある。

先着部隊はついで東長安街にいた約一万の群衆を南池子周辺まで追い払い、歴史博物館北側と労働人民文化宮の間に兵士の壁を設け、東長安街と広場北東側の遮断を図った。こうして、広場には約三〇〇〇〜五〇〇〇の学生が「民主の女神」像と人民英雄記念碑周辺に残った。

6 郭海峰らのバス突撃未遂（六月四日午前二時）

午前二時ころ、郭海峰（天安門広場防衛指揮部）らのゲリラ行動が発生した。長安街を東から西へ向けて一台のバスが疾走してきて、戒厳部隊の「現地指揮部」のある金水橋前で急停車し、西から来て待機中の三八軍部隊および装甲車に突撃しようとした。バスの中にはガソリン二缶と火炎瓶十数本があり、郭海峰ら六人が逮捕された。かくて「天安門焼討ち」とのちに非難される玉砕作戦は未遂に終わった。

7 侯徳健らと戒厳部隊将校との無血撤退交渉（六月四日午前三時三〇分頃）

三八軍某連隊政治委員季新国上校は侯徳健との交渉経過を記録している（「整頓前の交渉」『戒厳一日（上）』二六三〜二六八頁）。これによると午前三時三〇分ころ、ハンストを止めたばかりの侯徳健（シンガーソング・ライター）、周舵（四通集団公司綜合企画部長）が協和医院外科医宋松に付き添われて広場東北角で戒厳部隊某連隊政治委員季新国大佐、顧本喜中佐と会見した。彼らは流血を避けるために、平和的撤退を話し合い、広場東南口が空いていることを確かめている（季新国証言は『重要文献』第3巻、XIV・7、侯徳健証言は同上XIV・9）。

なおこの侯徳健証言は当局との何らかの取引によって「隠れ家」（オーストラリア大使館）を出てからのものである。しかし、侯徳健の六月一二日付の記録（香港『経済日報』八九年八月二四日付、のち『血沃中華（続）』八九年一〇月、二一七〜二二三頁）も基本的に同じ趣旨からなっている。

8　女神像の破壊（六月四日午前四時一一〜二〇分）

中隊長張東旭（中尉）らは四日午前二時六分広場西側に着いた〔これは三八軍のB師団であろう〕。午前四時ごろ連隊政治処主任王剣と教導員馮書静が張東旭らにこの任務を命じた。四時一一分、張東旭は八名の精鋭からなる小組を組織し、女神像に向かった。夏衛国ら五人が女神像を押し倒そうとした。夏衛国、楊殿洪、張洪義、霍文平が二メートルの高さの台座に上り、押したが倒れない。張吉年、劉慶方も台座に上り、警戒に当たった王家明、趙建軍も台座の木板を壊し、ようやく倒した（『戒厳一日（上）』二五九〜二六二頁）。

なお、女神像を倒した時間をこれよりも早く書いた記録がある。三時五分、某団第五中隊長張東旭ら八名は突撃隊を作り「民主の女神」に挑み、三時二六分これを破壊した（魏厚敏・季全茂「〝女神〟像破壊の実録」『捍衛』三九八〜三九九頁、任宗清、魏厚敏「天安門広場整頓目撃記」『人民日報』八月一一日付）。四時一一分と三時二六分とおよそ一時間違う。軍属カメラマン余波は女神が倒れた時間を四時二〇分ごろとしている。これはカメラを構えて決定的瞬間を撮影しようとした者の記録であり、信憑性が高いであろう（『戒厳一日（下）』二二八頁）。

9　制圧態勢の完了と停電（六月四日午前四時一〇分）

四日午前四時、広場の制圧態勢は整った。広場の北側金水橋一帯はすでに三八軍を中心とする西線部隊によって固められており、この戦線は広場東側の革命博物館・歴史博物館と広場西側の人民大会堂にまで伸びていた。広場西南側から東側にかけて五四軍が集結していた。人民大会堂内部には六五軍約一万が二日夜から待機していた。そして精鋭パラシュート部隊（一五軍第三梯隊、第二梯隊）も人民大会堂東門に整列していた。広場のラウドスピーカーは整頓〔原文＝清場〕に関する緊急通告を繰り返し放送していた。

広場整頓作戦の内容は人民英雄記念碑に座り込んだ学生たち約五〇〇〇人（後述のマンローによれば、三〇〇〇～五〇〇〇人）を排除することを目的とした。

掃蕩作戦の現場指揮は三八軍の偵察参謀趙勇明少校（のちに共和国衛士）であった（『戒厳一日（下）』二一六頁）。その掃蕩作戦は広場を包囲したあと、人民英雄記念碑に蝟集して座り込みを堅持している学生たちを広場東南角に追いたて、広場から排除することに絞られた。それには、①まず記念碑第三層東南隅の高自聯指揮部に打撃を与えて、記念碑の最上部を占拠し、上から座り込み学生たちを追いたて、②広場北側金水橋から装甲車を前面におしたて歩兵が徐々に記念碑に迫るとともに、東西に配置した隊列が同様に記念碑に迫って、三方から包囲を狭め、③最後に兵の配置を空白にしてある広場の東南角に学生たちを誘導する――こういう作戦であった。人民英雄記念碑を攻略する突撃部隊に選ばれたのは、パラシュート部隊として広場一番乗りの手柄を立てた一五軍の第三梯隊の一部であり、人民英雄記念碑から追われたデモ隊を東南角に誘導する任務を引き受けたのが同じパラシュート部隊の第二梯隊であっ

た（『戒厳一日（下）』二〇八〜二一五頁）。

このころ広場両側の道路では、北から南へ戦車が陸続と移動している。四時一〇分（一説では四時一五分）に広場の街灯が突然一斉に消えた。停電作戦の目的は二つ、学生の撤退を促すため、そして整頓の予備信号としてであったと説明されている。

戒厳部隊指揮部は四日午前四時三〇分に整頓開始の放送を行い、各部隊に出動命令を出した。

10　点灯、掃蕩作戦の開始（六月四日午前四時三〇分）

香港記者グループは、実際には四時三〇分よりも一〇分遅れた四時四〇分（一説に三八分）、紅色の信号弾が上がり、それを合図に広場の街灯が灯り、これがシグナルとされたと書いている。その箇所を引用しておこう、

「四時四〇分、赤い色の信号弾が打ち上げられ、広場にあるすべての照明が点灯された。正式な「排除」活動が始まった、と言える。広場北側にずらりと並んだ装甲車の隊列が広場の南側に向かって走り出した。装甲車は学生たちが寝泊まりしていたテントを踏み潰し、民主の女神像を押し倒して進んだ……これと同時に、鉄カブトをかぶり、迷彩服を着、自動小銃を持った兵士の隊列が人民大会堂から出現したが〔パラシュート部隊第三梯隊の一部〕、歴史博物館にも同じように鉄カブト、迷彩服、自動小銃で身を固めたおよそ二〇〇人余の兵上がいた〔パラシュート部隊第二梯隊〕。この隊列〔第三梯隊〕はたちまち人民英雄記念碑前に突進し、空に向かって発砲するとともに、学生を殴打して東側と西側から記念碑の第三段目の台座に駆け上がった。学生がまだ撤退するか否か決めかねている間、記念碑の南側では

学生が旗を振りながら撤退を開始した。時間は四時四五分であった。この時、学生の指導者封従徳が学生たちに、撤退を決定するよう放送した。学生が撤退を決めた時、軍隊は記念碑にあるスピーカーを撃ち壊し、記念碑前のテントと横断幕を壊した。同時に、装甲車が北面の前線に座り込んでいる学生の前まで全速力で走ってきた。西面と北面から銃を持った兵士が大勢どっと現れ、素早い足取りで学生を威嚇し、銃床あるいは拾った木の棒などで学生を殴って追い立てた（『重要文献』第3巻、VIII・7）。

11　迷彩服の天兵の突撃（六月四日午前四時三〇分）

人民大会堂「一番乗り」の某集団軍偵察大隊偵察第一中隊（中隊長劉建軍上尉。この中隊の所属する連隊は一九八八年六月に対ベトナム戦争から帰還したばかりであった。劉建軍「〝高自聯〟指揮部を壊滅させた紀実」『戒厳一日（下）』二一六～二一九頁）に対しても四時三〇分に出動命令が出た（これは集団軍の兄弟単位の他の三個中隊との共同作戦である）。迷彩服を着た偵察第一中隊は人民大会堂東門から飛び出すや、人民英雄記念碑の北側すなわち正面から記念碑に突撃した。他の二個中隊は南側から記念碑に迫った。

突撃目標は記念碑第二戒壇の東南角に設けられていた北京高校〔大学〕自治聯合会〔原文＝高自聯〕の指揮部である。第二小隊突撃班が北側から第一戒壇際まで突進したが、第一戒壇の欄干が高すぎたので、人梯子を作ってよじ登り、第二戒壇へ突進した。そのとき、中隊長劉建軍、副中隊長趙軍国の率いる第一小隊も東北側から第二戒壇に駆け登った。

ついで第一分隊長許団輝、第三分隊長孫濤、第五分隊長朱躍青が記念碑第一須弥壇（碑身の支え部分）

の東北側、東南側高さ三メートル余のところにくくりつけた三つの大スピーカーを射撃して故障させ、放送を中止させた。第四分隊長朱永軍は、北側街灯にくくりつけられた四つの小スピーカーを外した。ついで高自聯指揮部のテントおよび放送室を破壊した。この間約三〇分であった（『南方日報』八月一八日付）、『戒厳一日（下）』二二六頁によれば、劉建軍は上尉、代理中隊長である）。

なお、この偵察第一中隊は一九六名からなり、数人の優秀な射撃手が大隊指揮員、中隊指揮員の命令による警告発砲を許されていただけであり、他の兵士は弾丸さえ装塡していなかった由である。およそ五〇〇〇名の学生や市民の海へ一九六名が突撃するのであり、誤って味方を撃つ危険性があったわけである（木石「〝高自聯〟指揮部を壊滅させた紀実」『捍衛』三九六頁）。

12　人民英雄記念碑に向かう装甲車の隊列（六月四日午前五時）

五時、広場の北側から前列に武警隊、ついで歩兵隊、最後に装甲車からなる横並びで記念碑へ向かった。その隊列の前進スピードとほとんど同じ速度で学生たちのピケ線が東南へ動いた。ここで装甲車を用いたのは「一つには威嚇のため、一つには障害物の排除のため」と説明されている（『人民日報』八月一一日付）。学生たちは五時ころから整然と撤退を始め、五時三〇分、ほとんどすべての学生が広場を離れた。つまり広場の整頓作戦は金水橋（北側）、人民大会堂（西側）、歴史博物館（東側）の三方向から将兵が人民英雄記念碑に向かった（『捍衛』二〇八頁）。学生たちは三方からしぼり出されるような形で無血撤退したごとくである。

13 アメリカ人の証言

アメリカでは事件後に三つの注目すべき報道が行われた。一つはＡＢＣテレビが六月二七日夜一〇時からの番組（キャスターは Ted Roppel）で、ビデオ・フィルムを点検した限りでは「いわゆる大虐殺の事実はなかった」と報道したことである。もう一つは、ロビン・マンローの証言である。マンローは一九八〇年代に数年間アムネスティで働き、アムネスティの中国報告を執筆した体験をもつ人権擁護問題の専門家である。現在はアメリカの人権擁護組織「アジア・ウォッチ」の調査部長である。彼は六月三日夜一一時から四日朝の撤退完了までの過程を実に冷静に観察したが、一人の死者も実見していない。彼の証言を少し引用しておこう。

「四時半までには、広々とした広場には少しの人々しか残っていなかった。およそ三〇〇〇人の学生が人民英雄記念碑の台座に前と同じく蝟集しているだけであった。

侯徳健と他の三人のハンスト者が類似の演説を行って、学生たちが広場から撤退するよう説得した。それでも学生たちは居残った。広場の北のどこからか、エンジンの音が遠くから聞こえた。戦車がエンジンを始動したのであった。

沈黙が続いた。三〇秒ほど誰も動かなかった。それからゆっくりと人々は立ち上がり、歩き始めた。彼らはおよそ一〇列の縦隊を組み、各分遣隊はそれぞれの所属大学旗に従った。多くの者が目に涙を浮かべ、震えていたが、皆は誇りに満ちており、屈伏したようには見えなかった。

もう五時だった。私が北側を見ると、「民主の女神」はもうそこにはなかった。私は北側へ走ったが、突然、ゆっくりと人民英雄記念碑に向かう装甲車の列にぶつかった。その後ろには鉄カブトをかぶった兵士たちの群が続いていた。戦車と装甲車群はすべてのものを踏みつぶして前進した。

人民英雄記念碑の側に戻ると、学生たちが記念碑から歴史博物館まで伸びるピケ線を張っているのに私は気づいた。私はピケ線の中に入り、ピケ線とともに退却した。それは戦車や装甲車の前進する速度とちょうど同じ速度で退却していた。

私が左側を見ると、人民英雄記念碑の台座の最上の部分〔第二戒壇〕はすでに兵士で固められていた。台座の二階〔第一戒壇〕にはまだかなりの学生が残っていたが、ゆっくりと台座から下りようとしていた。

そこにはパニックを示すようなものはなく、なにか虐殺が起こったことを示すような微かな兆候さえもなかった。夜が明けようとしていたとき、学生の隊列はついに毛主席記念堂の南側まで退却し、そこから広場の南東に出て行った」(『重要文献』第3巻、XIV・11)。

最後に、ロンドン『タイムス』の北京支局長ニコラス・クリストフも広場での虐殺はなかったと書いていることを付け加えておきたい(『ニューヨーク・タイムズ・マガジン』一九八九年一一月一二日号)。

14 香港記者団の証言

撤退過程を総力を挙げて分析した香港記者団はこう書いている。

「記念碑南側と東側の学生は最も早く撤退しており、比較的安全に撤退している。記念碑北側と西側の学生は〔中略〕なおそこに留まって」いた(『重要文献』第3巻、XIII・7、一三一頁)。

「北側と西側の学生」について侯徳健らの撤退交渉を受け入れた季新国大佐はこう証言した。

「記念碑の北側に撤退しようとしない少数の学生が残ったので、部隊は止むを得ず、実力で彼らを追い払わざるを得なかった」。また顧本喜中佐はこう語った。

「装甲車が発進してくる前に、〔中略〕一つひとつのテントを中に人がいないかどうか検査して回った。一人の兵士が、テントの中にいた三〇歳位のびっこの男を見つけ出し、彼に杖を与えて立ち去らせているのを目撃した。また、別のテントに一人の女学生が気を失っているのが発見され、兵士たちが彼女を担ぎ出して行った」(『重要文献』第3巻、XIV・7、一五六〜一五七頁)。

ここで確認しておく必要があるのは、六四名の香港記者が総力を挙げて検証した結果、「北側と西側の学生」の問題しか発見できなかったことである。この学生たちが撤退しようとせず、部隊は「実力で彼らを追い払」っている。銃で殴る程度のことはあったことを季新国が認めているわけだ。しかし、排除は五時半には終わっており、この間発砲の音は記念碑周辺では聞かれていない。したがって、「北側と西側の学生」も射殺された、あるいは礫殺された形跡はない。

15　天安門広場東南角の銃声

六月四日午前五時二〇分ごろ大部分の学生は広場を撤退し、約二〇〇〇名の学生が広場東南角にまだ残っていた。このとき、四階の窓から銃声が聞こえ、兵士敖連鎖が右手を撃たれ、戒厳部隊はこれに対して対空発砲警告した。数秒後に銃声は止んだ(『戒厳一日(下)』二三〇〜二三一頁)。

●資料4

人民英雄記念碑に突撃した迷彩服の空挺一五軍

【原題】「高自聯」指揮部を叩き壊す。【筆者】戒厳部隊某集団軍〔一五軍〕偵察大隊偵察第一中隊代理中隊長・劉建軍上尉（『南方日報』八九年八月一八日付によれば、戒厳部隊某部副大隊長。戦時編制においては「代理中隊長」が「副大隊長」に格上げになるのであろうか）。【出所】『戒厳一日（下）』二一六～二一九頁、なおこのテキストは『南方日報』にある前書きと後書きの部分が省略されている。紙幅の都合で短いものを選んだ。関連文献として傅剣仁・馮朗峰・畢永軍「〝高自聯〟指揮部叩き壊し記」『人民日報』八九年七月二四日付（のち『京都血火』一九五～二〇〇頁に所収）、木石「〝高自聯〟指揮部を壊滅させた紀実」『解放軍報』八九年七月一六日付がある。

＊

六月四日未明の一時三〇分、わが中隊は天安門広場の非合法組織〝高自聯〟指揮部を叩き壊す任務を受領した。

六月四日午前四時二五分、わが中隊は命令を奉じて出発した。行動に参加したなかには、他の三個中隊があり、現場指揮は偵察参謀趙勇明同志〔三八軍少校、共和国衛士〕が担当した〔四個中隊で計二〇五名がこの作戦に参加したと傅剣仁らの文にある〕。当時兄弟部隊はすでに東長安街、西長安街から天安門広場に強行突撃しており、北側金水橋一帯と東、西、西南側に集結し、包囲の態勢を形成し、広場のラウドスピーカーは北京市人民政府と戒厳部隊指揮部の「清場」〔整頓〕についての緊急通告を繰り返し放送していた。強大な政治攻勢と軍事圧力のもとで、大量の群衆は逐次去りつつあった。われわれが人民大会堂東大門から出ると、広場の街灯は消灯されたが、これは清場がまもなく開始される信号であった。消灯されると、多くの野次鳥は迅速に立ち去った。しかしごく少数の策略家たちは弱いくせして狡猾で一部の者を煽動して部隊の清場を阻止しようとしていた。〝高自聯〟のスピーカーはひっきりなしにわめき、〝高自聯〟のリーダーを自称する女が、しゃがれ声で「われわれは武器を手にとって政府と決戦しよう」とわめいていた。彼らは大会堂東側路上の通行分離柵やごみ箱を用いてバリケードを作り、記念碑北側、西側、西南側で物を燃していた。数千名の学生は旗や横断幕を掲げて、記念碑周辺に蝟集していた。この情景を見て、われわれはこの任務の執行が相当に困難かつ複雑だと感じ、勇気と知恵が必要なだけでなく、政治的判断も必要だと感じた。

われわれは出発位置を占領したあと、二個中隊が記念碑南側に向かって行動し、一個中隊が正面に向かい、わが中隊は記念碑北側に出撃した。前進するなかでわが中隊がぶつかった第一の障害は一部のものが雑物を燃した火の壁であった。この火の壁は南北六〇、七〇メートルに及び、火柱の高さは二、三メートルであった。もし回り道をすれば行動の時間を無駄にすることになる。できるだけ早く〝高自聯〟指揮部を叩き壊すために、われわれは交替して援護し、偵察兵の障害物越えの本領を発揮して、火勢の弱いところを選んで、勇ましく飛び越えた。

火の壁をくぐり抜けるや、われわれは一線推進の散兵隊形を改めて、快速前進した。このとき、個々の身分の不明な者が部隊の行動を妨害した。男一人と女一人がわれわれに近づいて、歩きながらひどい言葉でわれわれを罵倒した。副中隊長趙軍国が大声で叫んだ。「へらず口をきくな。伏せろ！」。両人は剣幕に驚き、地面に伏せるほかなかった。記念碑外周のテントに近づくと、われわれは予定の方針通りに組に分かれてテント内を捜索した。テントに残されていたのは鉄棒、棍棒、若干のボロ布などであった。われわれは捜索しながら前進し、速やかに記念碑北側と東側に到着した。このとき、東南側の群衆からたくさんの石ころやサイダー瓶が投げられ、われわれのヘルメットに当たり、カチン、カチン響いた。そのあたりには人が多かったので、われわれは克己忍耐の態度をとり、引続き前進した。

目標に早めに接近して、記念碑台座を見ると黒山の人だかりであった。一部の者は旗を振り、絶えず反動的スローガンを叫んでいた。われわれは直ちに政治攻勢をかけて、皆で声を揃えて「戒厳は合法だ！」「直ちに広場を離れよ！」と高く叫んだ。〔中隊政治〕指導員李相武はメガホンで一部の青年学生に大声で叫んだ。

「天安門広場は荘厳神聖なところである。国家はかくも多くの費用を用いて君たちを養成したのに、しっかりと勉強せずに、広場で無茶苦茶をやっている。君たちに良心はないのか？　君たちは祖国に申し訳ないと思わないのか?」

第五分隊長朱躍青〔『戒厳一日(下)』は朱躍と誤記〕も続いて「君たちがこんなことをやるのは、まったく愛国的ではなく、国を誤るものだ」と話した。われわれの正面からの宣伝のもとに、ある者は動揺し始めたが、一部の頑固分子はピケを張って、彼らを立ち去らせまいとし、悪どくこう述べた。

「立ち去る者は誰でも裏切り者だから、処刑する!」。

このとき二人の外国人が〝高自聯〟指揮部の中心でマイクに向かってしゃべり、〝高自聯〟リーダーと劉暁波、侯徳健などもスピーカーを通じてヒステリックに気勢を上げていた〔実は劉暁波や侯徳健は学生に対して、撤退を説得していた〕。この状況に基づいてわが中隊の幹部は協議して、記念碑台座第二戒壇の東南角に設けられた〝高自聯〟指揮部を直ちに叩き壊すことを決定した。

〔中隊政治〕指導員李相武は第二小隊突撃分隊を率いて北側から上へ突撃した。突撃分隊が上がろうとしたとき、一部の者は立ち上がって罵倒し、妨害した。将兵たちは大声でこう叫んだ。「うずくまれ、動くな!」。われわれの恫喝のもとで、彼らはうずくまらざるをえなかった。われわれは機に乗じて第一層〔広場レベル〕の群衆を力一杯かきわけて、第一戒壇(第二層)の欄干に近づいた。ある輩が銃を奪おうとしたので、戦士は強制的手段を用いて彼を追い払った。突撃分隊は迅速に第一戒壇欄干下に着いたが、欄干はやや高く飛び越えられない。そこで彼らは人梯子を作り、よじ登った。第六分隊長・党員曽小華、副分隊長曲継光が迅速にうずくまり、他の戦士は彼の肩を踏んで欄干を飛び越え、第二戒壇(第三層)に突撃した。このとき私〔劉建軍〕と副中隊長趙軍国の率いる第一小隊突撃分隊も東北側から登ってきた。

〝高自聯〟指揮センターを占領したとき、彼らはラウドスピーカーでわめいていたので、私〔劉建軍〕はスピーカーを壊すよう命令した。第一分隊長許団輝、第三分隊長孫濤、第五分隊長朱躍青〔『戒厳一日(下)』は朱躍としている〕は迅速に正確な射撃を行い、東北側、東南側の三つの大スピーカーを黙らせた。第四小隊長朱永軍は北側の街灯にくくりつけられた四つの小スピーカーを見て、群衆に突進して、迅速によじ上り、これを外した。第三小隊の戦士、運転手陳志軍はあっという間に三台の発電機を停めた。続いて戦士陳志軍、韓誼東、高洪波が迅速に〝高自聯〟指揮部の放送室に突撃し、放送器材をすべて鹵獲した。このとき記念碑第二戒壇〔第三層〕西側に登ってきた兄弟中隊〔一五軍〕も記念碑西北側、西南側のスピーカーを壊した。〝高自聯〟指揮部の宣伝道具はこうして破壊され、その場の群衆は指揮センターを失い、混乱に陥った。一部の凶悪なリーダーは機に乗じて逃げ出した。

われわれは他の三中隊と合流するや、直ちに〝高自聯〟指揮部のテントを逐一捜索した。テントに入ると、内部は各種の箱で隔てられた多くの小部屋になっており、各部屋に看板があり、宣伝部、財政部、衛生部、印刷処、供給処、秘書処などの非合法機構があった。われわれは〝高自聯〟指揮センターから指揮部記録ノート三冊を探し出した。その一部の内容は彼らによってひきちぎられていたが、それでもかれらが動乱を製造し、暴乱を策動した日録は読み取れ、内容は極端に反動的なものであった。そのほかに、配付が間に合わなかった「北京市市民に告げる書」「戒厳部隊将兵に告げる書」などのデッチ上げビラが四箱あった。大量のさすまた、鉄棒、棍棒、竹竿、火炎瓶、何箱もの石ころ、何缶ものガソリンなどを押収した。彼らに奪われた軍用八六一無線機一台、ヘルメット、軍服、水筒、武装ベルトなど軍警用物資も押収した。これらは〝高自聯〟が愛国、民主、反腐敗のベールのもとで反党、反社会主義活動を行ってきた醜い姿を十分に暴露している。

一二　天安門事件における死者

1　柴玲の証言

テレビ画面に写った燃えあがる装甲車や銃弾発射時の残光、銃声から推察して、天安門広場の整頓〔原文＝清場〕過程において、大量の「虐殺」が生じたものと、多くの日本人（いや世界の人々）はイメージしたであろう。虐殺情報の発生源は学生側からのものが多い。

たとえば天安門広場防衛指揮部総指揮・柴玲（九〇年四月パリに亡命）は、六月一一日の香港テレビ放送（六月八日午後四時録音）のなかで、次のように証言している。

〔四日早朝の〕二、三時ごろ人民英雄記念碑下の放送ステーションは記念碑上の放送ステーションに撤退せざるをえなくなった。

〔侯徳健、周舵らは〕軍側へ交渉に行き、われわれは広場を撤退するが、学生たちの安全かつ平和的な撤退を希望すると要求した。このとき指揮部は広範な学生たちの意見を徴したのち、すべての学生の撤退を決定した。しかし、このとき、下手人たちは約束を守らず、学生たちが撤退する際に、ヘルメットをかぶった兵士が、突撃銃をもった兵士が、記念碑の第二戒壇まで突撃してきた。

彼らは記念碑に発砲した。

事後に知ったのだが、一部の学生は疲れて眠り込んでいたときに、戦車で轢かれて肉団子となった。ある者は学生が二〇〇人あまり死んだといい、ある者はすでに四〇〇〇人あまりが死んだという。具体的な数字はいま私も知らない。

われわれはスクラムを組んで毛主席記念堂を避けて広場南へ向かった（香港『文匯報』八九年六月一一日付）。

柴玲はここで「事後の情報」として伝聞体で語っていることに注目されたい。彼女の証言は目撃した事実と伝聞とを明確に区別して語っており、広場での虐殺説はすべて「伝聞」である。彼女は六月四日午前五時ごろ、座り込んでいた人民英雄記念碑から五列にスクラムを組んで整然と撤退する最初の隊列の先頭部分にいて、その四時間後の午前九時ごろ、北京大学付近に引きあげてきたデモ隊の写真に柴玲夫妻が確認できる（『重要文献』第3巻、一〇七頁）。

柴玲が伝聞として語っている「疲れて眠り込んでいたときに、戦車に轢かれて肉団子となった」説と類似の記述が、日本人のカメラマン今枝弘一の「血塗られた天安門広場撮影日記」（『新潮45』八九年八月号）に見られる。

「私は目の前に迫った戒厳軍兵士に注意を奪われてしまって、戦車に民主の女神が踏み潰されるところは残念ながら見ていない。だが、民主の女神近くにいた学生たちが逃げる時間的余裕はまったくなかったと断言できる。記念碑の方へ逃げてくる学生たちの姿を私はまったく見ていないのだ。私が見たのは大小さまざまな形のテントが踏み潰されている光景であり、戦車と戦車の間からは約三〇メートル前方でゆっくりと倒壊するテントと、その側らで人間らしきものがテントの布に包まれて踏み潰される光景がはっきりと目撃できた」。

今枝弘一のこの証言は彼の撮影した優れた写真が多くの雑誌・刊行物に掲載されたことによって、多くの人々によって引用されることになった。しかし、「民主の女神が踏み潰されるところは残念ながら見ていない」彼が「女神近くにいた学生たちが逃げる時間的余裕はまったくなかったと断言できる」かどうかは疑問である。女神像が倒されたのは午前四時一一～二〇分であり、装甲車が出動したのは四時三〇分以降である。この間少なくとも一〇分以上ある。

「人間らしきものがテントの布に包まれて踏み潰される光景がはっきりと目撃できた」という証言はどうであろうか。彼の撮影した記念碑に迫り来る装甲車群の写真では、「人間らしきもの」は装甲車の進行方向前方にあり、「踏み潰した」という証拠能力はない。「人間らしきもの」が「人間」だとすれば、死体ではなく生体でなければならない。むしろ「人間らしきもの」はあくまで「らしきもの」にすぎず、他の関連証言とつきあわせてみると、「テントの布に包まれた」「人間らしき」形をした物塊と見ることができる。かれがシャッターを押したあとに、「はっきりと目撃」したものは、おそらくその「人間らしき」形をした物塊が「踏み潰される光景」であったろう。

2　ウルケシの証言

もう一人の天安門広場のヒーロー、ウルケシ（北京師範大学学生）は、国外に逃亡し、香港亜洲テレビへの談話（六月二七日）でこう語っている。

皆さんに告げるべきだが、私は結局どれだけ死亡負傷したのか、具体的な数字は言いようがない。しかし少なくとも皆さんに言えるのは、天安門広場であの夜死んだのは少なくとも千をもって数える数字であることだ。

今回の血生臭い鎮圧のなかで、北京では私が思うに万をもって数える数字であることは、いささかも過大ではなく、これはやや控えめな推計だと思う（台北『聯合報』六月二八日付）。

やはり抽象的な言い方であることに注目されたい。ウルケシの直接の教師である劉暁波（北京師範大学講師）の証言によれば、ウルケシは広場の整頓が開始されるはるか以前、心臓発作を起こして倒れてしまい、「血生臭い鎮圧」を自らの目で目撃し得ていない。

劉暁波の証言を引いておこう。

「私は歴史に対して責任を負わなければならない。したがって、あの時に私が目撃した事実を話しておく必要がある」「演説しながら彼〔ウルケシ〕は喘ぎはじめた。多分心筋梗塞の発作がおきたのだろう。これ以後は彼を見かけなかったし、彼の声も聞いていない」「私は戒厳部隊が群衆に向けて発砲するのは見ていない。彼らが発砲したのは、空に向けてか、スピーカーに向けてだけだった。また、私は一人の死者も見なかったし、まして天安門広場で流血が河をなしたなぞということは見ていない」（『重要文献』第3巻、XIV・10）。

3　清華大学学生の虐殺証言

「広場における虐殺」の報道記録を点検してみると、その原点に清華大学学生の証言があることに気付く（香港『文匯報』六月五日付、北京六月四日電、趙汗清整理）。香港『文匯報』記者が整理し、同紙に掲載されたこの記事が広場における「虐殺」の確証として、以後、各種報道に転載、引用されていっているのである。人民英雄記念碑に最後まで踏み止まったというこの学生は、次のように語っている。

〔人民英雄記念碑〕の第三層（第二戒壇）から撤退する際に、自動小銃の音がした。ある兵士は跪座して掃射したが、これらの銃弾は頭上を掠めた。地面に伏せて掃射した兵士もあり、銃弾は学生たちの胸や頭に命中した。これを見てわれわれは再び記念碑の台座に退却するほかなかった。退却すると自動小銃は発砲をやめた。しかし、記念碑上の軍人がまた退却させたので、退却しようとすると、再び自動小銃の掃射が行われた。

このとき、労働者や市民敢死隊の人々は武器となる瓶や棍棒を手にとって軍隊と戦った。このとき、高自聯が広場の外へ撤退する命令を出した。まだ五時にはなっていなかった。

この「虐殺証言」を裏付ける資料は、いまのところ発見できない。しかし、これを否定する『人民日報』掲載の以下の証言はある。

【清華大学工程物理系大学院生・鄒明の証言】

六月四日未明零時五一分、大量の部隊が前門東側から進撃してきて、記念碑東側に集結した〔南線の五四軍であろう〕。一時半、若干の部隊が西長安街から進軍してきた〔三八軍である〕。このとき私は国旗掲揚ポール付近にいた。

まもなく私は前門に来たが、部隊がやってきたので、私は記念碑東側に戻った。私は人民大会堂東門から少なからぬ兵士が出てきて、記念碑周囲を取り囲むのを見た。高自聯の放送は、侯徳健らが部隊のある連隊政治委員と接触し、学生と群衆が平和裡に撤退することに部隊が同意したと述べていた。しかし一部の学生は撤退に賛成しなかった。

私はこのとき記念碑東側の欄干に立っていたが、十数名の兵士がやってくるのを見た。彼らは東側から学生の集結地にやってきて、記念碑北面に来ると一列に並び、学生に道を空けろと言い、それから戒壇に上った。軍官のような男が自動小銃で記念碑上の高自聯スピーカーを射撃した。数人の兵士が第二戒壇東南角の高自聯放送ステーションのテントにやってきた。まもなく私は撤退する学生の隊列について広場の東南角に向かって動いた。歩きながら振り返ると、一人の兵士が自動小銃で高自聯の別のスピーカーを射撃しているのが見えた。このとき一部の学生は兵士を罵倒したが、兵士たちは学生に発砲することはなかった。私は五時すぎに天安門広場を出た。

【清華大学熱エネルギー系学生・戴東海の証言】

私は六月三日夜一一時に天安門広場にやってきた。一二時すぎに轟々たる音がして、一台の装甲車が前門から歴史博物館に沿って走ってきた。このとき、一部の者は天安門広場の柵を倒して道路にバリケードを作った。私は東観礼台近くで一台の装甲車に火がついたのを見た〔〇〇三号であろう〕。まもなく一部の者が兵士〔佟喜剛、解双喜であろう〕を助けて歴史博物館付近の救急センターへ運んで来るのを見た。後ろから棍棒を持った者が追いかけていた。その後私は記念碑の第一戒壇の石段で、高自聯指揮部が各人に配った催涙ガス防止用のガーゼ・マスクとソーダ水を受け取った。

早朝四時ごろ、広場の街灯が突然消えて、まもなく再び点灯した。その後私は撤退する隊列について東南角から広場を出たが、周囲で死亡した学生や群衆は見なかった。私は九時に大学に戻った。

【清華大学化学工業系学生・劉衛の証言】

六月三日午前一〇時に私は天安門広場にやってきたが、夜になって高自聯の放送ステーションと政府放送ステーションから、夜広場を整頓〔原文＝清場〕するという話を聞いた。

六月四日午前三時ごろ、高自聯放送ステーションの提起した要請に基づいて、われわれは記念碑周囲に集まった。私は東側にいた。四時ごろ、高自聯放送で侯徳健、劉暁波らが皆に撤退か広場堅持かの意見を求めたところ、撤退の声が大きかったので、ついに撤退を決定したことを知った。私は部隊が高自聯指揮部を壊すのを見たが、天にむけて警告発砲していた。われわれが撤退するときに、広場のテントのなかには明らかに誰もいなかった。というのは、当時あれだけ大きな動静があり、しかもそれが長く続いたのであるから、誰がテントのなかでぶらぶらしていられたであろうか〔三学生の証言はすべて『人民日報』八九年九月一九日付)。

4　死者三一九人のなかみ

では、広場における「虐殺情報」は何を意味しているのか。

まず第一に柴玲やウルケシが撤退の最終局面を見届けていないことはすでに記した。匿名の清華大学学生の証言にも大きな疑問が残ることは記した。

第二に宣伝と煽動は紙一重である。また「虚報」作風は学生だけの問題ではない(今回の天安門事件における虚実については『天安門事件の真相(下)』の白石和良稿を参照されたい)。

第三に、広場撤退の前と後に、広場以外のいくつかの場所で虐殺が発生していたために、虐殺の可能性と現実とが混同された。たとえば復興医院には数十の死体が並んだ。金水橋周辺では水平撃ちが行われた。そのような殺傷が広場で起こる事態は容易に予測されていた。

第四に、天安門前の東長安街(特に南池子周辺)で生じた発砲による死傷者は広場で発生したものと区別しがたいほどである。ここで負傷した者を記念碑東北角に設けられていた救急センターに運んだ例もある。たとえば炎上する姿がテレビに写し出された装甲車〇〇三号の二人もここへ担ぎ込まれ、救急車はここから出発した。

要するに、広場での整頓過程に関する限り、伝えられたような「大虐殺」がなかったことはまず確かである。しかし整頓の前後に、広場以外の場所では、かなりの死傷者が出たことも確かである。

死者についての最新数字は、八九年九月一七日に総理李鵬が伊東正義訪中団に対して語った「死者三一九人」説（軍人も含む）である。

軍・武警側の死者は公表された者は、「共和国衛士」の称号を送られた一三烈士だけである（『捍衛』三二五〜三六〇頁）。これに五月二三日、戒厳執行中に輸送車に轢かれて重傷を負い死んだ兵士（陳知平、五月三〇日に一等功授与）、また同日、兵員輸送車が京張道路の延慶県張山営区間で、追越しのさいに反対車線に入ってトラクターと衝突し死亡した三名、そして六月七日に死んだ兵士（蔵立杰）を加えても一八名にしかならない。これ以外に軍・武警側の死者はあるのだろうか。陳希同報告や『在戒厳的日子里』（七二頁）では、軍・武警側の死者を「数十人」としているが、「十数人」との開きは何を物語るか。烈士の名を秘する理由はまったくないから、烈士についての情報は正確だと見てよい。しかし、軍側には戦線を逃亡した者、あるいは不名誉な形で死んだ兵士がいた可能性もありえよう。むろん、軍側記録を読むと、群衆側は一般兵士と将校とを区別して、将校を狙っていたことが随所に出てくる。また将兵が群衆側に身を投じたとすれば、彼らは群衆から見て味方となるから殺害するはずはない。

これらの点をさておいて、仮に三〜四日段階での軍・武警の死者が一三名であったとすれば、学生市民側の死者は三〇八名になる。このうち大学生および教職員は四二名であり、労働者は四三人であったと発表されているから、市民の死者は二三六名になる。市民、学生の側は事後の弾圧を恐れて負傷や死亡を隠す可能性があるから、真の死傷者数は確認できない。江沢民は死亡者を公表するとアメリカ側に約束したとも伝えられるが、当面、亡霊は闇に漂っている。

5 陳希同報告における誇張

中国当局の資料のなかにも、誇大な数字を掲げたものが少なくない。ここでは代表的な例として陳希同（北京市市長）報告（『重要文献』第3巻、XVI・7）について、具体的に検討してみよう。

陳希同報告は六月三〇日に全国人民代表大会常務委員会で行われたことになっているが、この報告が執筆されたのは、おそらく六月中旬以前であろう。

事件後三週間以上経た六月末の時点では、解放軍と武警の死者数はほぼ明らかになっていたはずであり、「数十人」としているのはおそらくはかなりの誇張が含まれているものとみられる。これは六月五日付北京市党委員会宣伝部の数字「百人に上る」から幾分下方修正したものにほかならず、事件直後の情報に依拠しており、死体を数えた数字ではあるまい。たとえば陳希同報告は第八項でこう説明している。

「六月四日未明以降、〔中略〕ある戦士は車内で生きたまま焼け死に、またある者は車を飛び下りてから殴り殺された」〔これは王其富ら六人を指すのであろう。たしかに、彼らは車内で焼け死んだ〕。

「西単の十字路から東に三〇メートルの場所では、一名の戦士が殴り殺されたのち、死体にガソリンをかけて焼かれた」〔これは劉国庚である〕。

「阜成門では一名の戦士が一部の暴徒に虐殺されたのち、死体は立体交差橋の手すりに逆さに吊られた」〔これは武警の李国瑞である〕。

「崇文門では一名の戦士が一群の暴徒に立体歩道橋から車道に投げ落とされ、ガソリンをかけて生きたまま焼き殺された」〔これは崔国政である〕。

「武警第一支隊の一台の救急車が、八名の負傷戦士を付近の病院〔阜成門の人民医院〕に輸送した時、一群の暴徒が阻止して一名をその場で殴り殺し」た〔これは劉艶坡である〕。

以上一〇名については、すべて烈士、共和国衛士として死亡時の状況が詳しく記録されており、明確になっている。

六月三日および四日に死亡した軍・武警側死者は公表された限りで一三名であるから、三名が残っているはずだが、陳希同報告に該当する記述はない。すなわち――

「六月四日未明、〔中略〕六部口では四人の戦士が包囲されて殴られ、ある者はその場で死亡した」〔原文＝六部口四名戦士被囲攻殴打、有的当場死亡〕とされているが、これに該当する死者は公表された軍・武警側記録には存在しない。

「西長安街の首都映画館の付近では、解放軍軍官が一名暴徒に殴り殺されたのち、腹を割かれ眼を抉られ、死体は燃えさかるバスに吊るされた」〔原文＝一名解放軍軍官被暴徒打死後、割腹挖眼、把屍体掛在一両正在燃焼的公共汽車上〕とされているが、これも公表資料には該当者がない。「死体がバスに吊るされた」のは劉国庚である。

ここから推測できるように目撃者の証言で書いているために、劉国庚は二回数えられている可能性がある。これらは兵士として殉職したのであるから、かりに「共和国衛士」の称号は得ないとしても、追悼されないのはいかにも不自然である。

逆に南線の馬国選、王錦偉、東線の于栄禄の死亡に該当する言及が欠如しているのは、きわめて不自然である。

察するに、陳希同報告は六月三〇日現在ではなく、鎮圧後一週間ごろの状況に基づいて書かれたのではないか。

このように「死者数」だけについて見ても、陳希同報告がのちの公表事実と食い違いを見せていることが分かる。

さらに「行方不明」〔原文＝不知去向、下落不明〕、「生死不明」〔原文＝生死不明〕という言葉を連発している。たとえば「行方不明一名」「生死不明一名」「二名は行方不明」「ある者は行方不明」などである。これらは文脈のなかであたかも死者あるいはそれに近い者であるかのごとく描かれているが、その多くは「戦線逃亡者あるいは鎮圧拒否者」であり、のちに原隊に戻ったケースが多い。なお「戒厳部隊の戦士、武警部隊の戦士、公安の幹部、警官の負傷者は六〇〇〇人余」とされている。

この分析から、次の結論が得られよう。

軍・武警側の死者は小稿で固有名詞を挙げた一三名よりもいくらか多い可能性はあろう。つまり不名誉な戦士のゆえに勲章や年金をもらえないケースである。しかし、これはそれほど多かったとは考えられず、陳希同報告の数十名はおそらく誇大報告であろう。

6　軍・武警側の「共和国衛士」の扱い方

ここで解放軍、武警側の「共和国衛士」について整理しておきたい。

六月一八日軍事委員会副主席楊尚昆は、崔国政、劉国庚、李国瑞の三烈士の家族を慰問した。これら三人の犠牲者は死体をさらしものにされたがゆえに、軍・武警側犠牲者のシンボルとして扱われた。この席には軍事委員会幹部として洪学智、劉華清、秦基偉、遅浩田、楊白冰、趙南起が同席した。翌六月一九日午前には北京軍区司令員周衣冰、政治委員劉振華、副司令員李来柱、斉連運、副政治委員陳培民、参謀長鄒玉琪、主任張工、部長徐効武が三烈士を慰問した。同午後には中南海紫光閣で李鵬、喬石、姚依林が同じく慰問した。これには田紀雲、宋平、秦基偉、温家宝、洪学智、劉華清、羅幹、崔乃夫、周衣冰（北京軍区司令員）、劉振華（北京軍区政治委員）、朱敦法（瀋陽軍区副司令官）、張秀夫（武警部隊政治委員）が同席した（『解放軍報』八九年六月一九、二三日付。北京軍区政治部組織部編『共和国衛士』二〇〜二四頁、四一頁）。

六月二二日午前、首都中国劇院で楊白冰（総政治部主任）、郭林祥、周克玉、周文元（以上、同副主任）と戒厳部隊の指導者劉振華、曹芃生（済南軍区副政治委員）、総政治部機関各部部長、烈士の所属部隊幹部たちが一〇烈士劉国庚、王其富、李強、杜懐慶、李棟国、王小兵、徐如軍、崔国政、馬国選、王錦偉の家族三〇人を慰問した（『解放軍報』八九年六月二三日付、『共和国衛士』二五頁）。この一〇人が「共和国衛士」の第一陣である。中華人民共和国軍事委員会は六月三〇日、「共和国衛士」の称号を与えた（『解放軍報』七月三日付）。

ついで七月一八日、李国瑞、劉艶坡（ともに武警北京総隊）に「共和国衛士」の称号が与えられたが、授与者は国務院総理李鵬、中央軍事委員会主席鄧小平であった（『人民日報』七月二五日付）。

さらに于栄禄、蔵立杰（戒厳部隊某連隊第七中隊の戦士、建国門立体橋でゲリラの発砲で七日午前死去）の二人に「共和国衛士」の称号が与えられた（『解放軍報』七月二八日付）。以上の犠牲者を数えると計一四人であり、とうてい「数十人」にはならない。

7　軍・武警側の負傷者数

では負傷者数はどうか。戒厳部隊の負傷者は五〇〇〇人余（武警部隊、公安警察を含まず）、犠牲者は数十人、破壊された車両は一〇〇〇台余とされている（戒厳部隊某団政治委員李久練上校『南方日報』八九年八月一六日付）。しかし固有名詞つきで公表されている犠牲者数は前述のごとくであり、ここから犠牲者「数十人」は「十数人」の誇張であったことが分かる。この場合も陳希同報告と同じく、一部の死者が重複計算され、また行方不明になっていた者の一部が死者と推定されたことによるものであろう。

西線の三八軍の場合。死者六名、重傷一五九名、負傷者一一〇〇名余〔発砲あり〕。

南線の五四軍の場合。死者一名、重傷二四六名、軽傷一五〇〇名〔発砲なし〕。

8　「共和国衛士」の称号を贈られた勇士一覧

なお、このほか武力鎮圧で活躍した次の一〇人にも「共和国衛士」の称号が与えられている（『解放軍報』七月二八日付）。犠牲スレスレの重傷を負ったか、あるいは特筆すべき功績をあげた将兵である。

(1)北京軍区所属の五名。

趙勇明　某部司令部偵察処参謀（天兵と協力して高自聯指揮部粉砕に当たった三八軍参謀である）。

李勃　某部技術部修理科助理員、三三二号装甲車を率いて天安門広場に向かい、（実戦部隊として）最初に広場に到着。北京軍区戦車部隊パトロール隊所属であろう。

王強　某砲兵連隊政治処保衛幹事、暴徒に襲われた機関銃を取り戻した。

廖開喜　某連隊特務中隊政治指導員、一一発撃ち込まれながら部隊を予定地点まで指揮した。六三軍であろう。

張震　某連隊砲兵大隊第一中隊班長、一一発撃ち込まれながら部隊を予定地点まで指揮した。『山西日報』（八九年七月一八日付「戒厳部隊戦士張震を記す」）によれば、彼は「駐晋某部戦士」とあり、山西駐屯であることが分かる。彼らは五月一九日夜八時に駐屯地を出発し、二〇日午前八時に北京郊外に着いた。五〇〇キロ余を一二時間で走った。時速約四〇キロである。距離から推測して太原駐屯の六三軍か。張震が六三軍であることを示すもう一つの根拠を示そう。彼は六月三日夜、軍用車隊の第一号運転手を務め、四日午前三時三〇分に西単に到着し、そこで群衆から「小口径歩兵銃」で右肩、右胸部に一一箇所撃ちこまれた。これらの記述から張震は第三梯隊六三軍の先頭にいたことが分かる。

(2)瀋陽軍区所属一名。

東線の安衛平　某部司令部参謀。単独で二一回偵察や連絡を行った。私服を巧みにいかして、天安門広場を六回出入し、秘密連絡に当たった。三九軍であろう。

(3)済南軍区所属の二名。

沈運田　某砲兵連隊第一大隊教導員、三日午後九箇所負傷し、三度昏倒しながらも目標地点まで進撃した。五四軍であろう。

余愛軍　某連隊砲中隊班長、負傷にもかかわらず指定位置に到達した。余愛軍は五月二〇日に北京進軍の命を受け、一一〇〇キロの距離を「摩托化」（自動車化）行軍した。葉挺独立団の系譜を引く。六月三日夜、予定の計画に基づいて（大興県から）六里橋に着いたあと、天安門広場へ進撃する命令を受けた。広外大街の鉄道と公路の踏切で群衆に襲われた。菜市口の陸橋でも群衆に襲われ、爆弾のようなもので右目を失った。四日午前零時四五分、天安門広場南側の正陽門に着いた（『平暴』七七〜八三頁）。張坤と同じ五四軍であろう。

(4)天兵すなわち空軍所属（広州軍区）の二名。

周家柱　某部（天兵であろう）第二大隊大隊長、九時間徒歩行進して四日早朝、天安門広場に到着した。

游徳高　某部（天兵であろう）第四中隊小隊長、三日天安門広場に向かう途中、体を張って最後尾を守った（以上『解放軍報』七月二八日付）。

軍・武警の「共和国衛士」称号授与記事を掲げておけば、以下のごとくである。第一陣＝一〇烈士（『解放軍報』七月三日付）、第二陣＝武警二烈士（『人民日報』七月二五日付）、第三陣＝二烈士および一〇勇士（『解放軍報』七月二八日付）、第四陣＝武警三勇士（『解放軍報』一〇月七日付）。

9　学生や市民側の犠牲者、負傷者

最後に学生や市民側の死者、負傷者について陳希同報告はこう説明している。

「戒厳部隊は多くの死傷を出し、忍耐の限度を越え、譲歩の余地がなく、また前進の方法がない状況の下で、再三の警告〔原文＝一再警告〕ののちに止むをえず、命令に従って対空発砲し道を開け〔原文＝奉命対空鳴槍開道〕、反撃して一部の残虐な暴徒を殺した〔原文＝進行反撃、撃斃了一些肆虐的暴徒〕」。

陳希同はここで発砲は主として警告のためであったと強調している。さらにこう付け加えている。

「野次馬〔原文＝囲観的人〕が非常に多かったために、ある者は車にはねられ、人波に踏まれ、またある者は流れ弾で負傷し〔原文＝有的被流弾誤傷〕、さらにある者は銃を持った暴徒に撃たれ、傷つき死んだ〔原文＝有的被持槍歹徒撃傷撃斃〕」。

学生や市民側の死者が事故によるもの、ひいては群衆同士の衝突によるものと責任をすり替えようとしているわけだ。では結局のところどれだけの犠牲者が出たのか。

「暴乱のなかで、軍人以外の者三〇〇〇人余が負傷し、三六名の大学生を含む二〇〇人余が死亡した」。学生や市民の死者を「二〇〇人余」としているのは、のちの「三一九人説」（李鵬の伊東正義訪中団に対する九月一七日談話）よりもはるかに少ない。

ちなみに大学生の死者について、北京市高等教育局の責任者は三六名の大学生が二〇大学の学生であったと発表している。内訳は中国人民大学六名、清華大学三名、北京科学技術大学三名、北京大学、北京師範大学など七大学で各二名、その他一〇大学で各一名、計三六名である。死亡した場所は木樨地、西単、南池子、珠市口などである。

なお北京市殯葬処によれば、北京で死亡した地方からの上京者は一五名であった（『経済参考』八九年七月二日、中共北京市党委員会宣伝部編『学潮・動乱・反革命暴乱真相　資料選編』北京・中国青年出版社、八九年八月）。

当局の発表した学生、市民側の死者数は以上のごとくであるが、実際にはこれを上回る可能性があろう。事後の弾圧を恐れて届けを怠ることが想定されるからである。しかし、死者数のゼロが一つ多いというほどのことはなかろう。これはやがて天安門事件が名誉回復された暁に犠牲者の追悼が行われるなかで明らかになるであろう。

なお、ここで挙げられた数字は、三〜四日のものに限られている。実は事後報復の嵐のなかで逮捕、投獄あるいは処刑された者も少なくない。

たとえば北京市公安局は六月一〇日に、事件以後当日までに「暴徒四〇〇人余を逮捕した」と発表した（『重要文献』第3巻、XV・20）。これらの「暴徒」の一部はごく簡単な裁判によって死刑判決を受け、ただちに処刑された。国際世論は中国の「人権無視」に大きな衝撃を受けた。実は中国においては、この種の死刑は過去一〇年に限ってもしばしば行われてきたのだが、天安門事件の事後報復としての処刑は、一部がテレビ中継されたために、六四流血事件に決定的なダメ押しをする形となり、中国の対外的イメージを著しく傷つけた。

その後も「暴徒」に対する逮捕は続き、公安部の『内部簡報』によれば、八九年七月一八日までに北京では「暴徒七〇〇〇人余」が逮捕された。結局少なく推定しても北京だけでおよそ一万人は逮捕されたとする報道がある（香港『百姓』九〇年五月一日号、唐静論文）。

しかし、九〇年一月一八日、公安部は民主化運動関係の政治犯五七三人を釈放し、ついで五月一〇日にはさらに二一一人を釈放した。この二一一人のなかには、曹思源（四通公司発展研究所所長、全人代署名運動の黒子）、周舵（四通発展公司総合計画部長、六・二ハンストに参加）、李洪林（前福建社会科学院院長）、李南友（「五・一七宣言」の署名者）、楊百揆（政治学者）、戴晴などの知識人が含まれていた。

10　終わりに

一九四九年に中華人民共和国が成立したとき、「社会主義だけが中国を救いうる」という中国共産党の主張は圧倒的な支持を獲得して、新生中国は希望に燃えていた。しかし、建国四〇周年の年に天安門事件が起こり、中国人民の共産党や社会主義制度への「信念の危機」は限りなく深まり広まった。

この国内的危機に際して、そして天安門事件以後に急速に進展したソ連東欧の平和革命に抗して、中国当局は「中国共産党だけが社会主義を救いうる」と、あたかも「社会主義の救世主」を自任している。しかし、中国を救うことに失敗した中国共産党が社会主義をどのようにして救いうるのか。そこで救出された「社会主義」とは一体なにか、その内実が明らかになる日は遠くはあるまい。

資料および略称

一、本書に用いた資料および引用の際に用いた略称を説明しておく。〔　〕内に引用の際の略称を記した。

A、中国で出版されたものは以下の通りである。

①『捍衛社会主義共和国』総政治部宣伝部・『解放軍報』編輯部編、長征出版社、一九八九年七月〔『捍衛』〕

②『一九八九北京制止動乱平息反革命暴乱記事』中共北京市党委弁公庁編、北京日報出版社、一九八九

年七月

③『共和国衛士』北京軍区政治部組織部（華琪）編、解放軍出版社、一九八九年八月

④『学潮・動乱・反革命暴乱真相　資料選編』中共北京市党委宣伝部編、中国青年出版社、一九八九年八月

⑤『関於制止動乱和平息反革命暴乱材料匯編』上海人民出版社、一九八九年八月

⑥『関於堅持四項基本原則反対資産階級自由化材料匯編』上海人民出版社、一九八九年八月

⑦『平暴英雄譜――平息北京反革命暴乱英模事跡報告集』光明日報出版社、一九八九年九月〔『平暴』〕

⑧『新時期最可愛的人――北京戒厳部隊英雄録』鐘歩編、光明日報出版社、一九八九年九月

⑨『京都血火――学潮・動乱・暴乱・平暴全過程紀実』軒彦編、農村読物出版社、一九八九年九月

⑩『歴史的碑文――一九八九武警部隊制止動乱平息暴乱紀実』陳生庚主編、経済管理出版社、一九八九年一〇月

⑪『戒厳一日（上・下）』総政文化部徴文弁公室編、解放軍文芸出版社、一九八九年一〇月

⑫『在戒厳的日子里』鄭念群、解放軍文芸出版社、一九八九年一一月

⑬『北京風波真相和実質』中央党校党的基本路線研究課題組編、大地出版社、一九八九年一一月

⑭『動乱〝精英〟劣迹録』中共北京市党委研究室編、北京出版社、一九八九年一二月

B、日本で出版されたものは以下の通りである。

①『チャイナ・クライシス重要文献』第一巻、第二巻、第三巻、矢吹晋編訳、蒼蒼社、一九八九年〔『重要文献』〕

② 『チャイナ・クライシス「動乱」日誌』村田忠禧編、蒼蒼社、一九九〇年〔『動乱日誌』〕。本書執筆時は原稿で見ることができた。

③ 『チャイナ・クライシス WHO'S WHO』三菱総合研究所編、蒼蒼社、一九八九年

C、香港で出版されたものは以下の通りである。

① 『悲壮的民運』明報出版社、一九八九年六月

② 『血洗京華実録』香港『文匯報』一九八九年六月

③ 『英雄史頁』争鳴出版社、一九八九年七月

④ 『血沃中華――八九年北京学潮資料集』何芝洲編、香港新一代文化協会、一九八九年六月、『血沃中華（続）』八九年一〇月

⑤ 『中国民運原資料精選（第一輯）』十月評論社、一九八九年六月、（第二輯）一一月

⑥ 『歴史的創傷――一九八九中国民運資料彙編』上・下、東西文化、一九八九年八月

⑦ 『人民不会忘記――八九民運実記』六四名香港記者編著、香港記者協会、一九八九年九月〔『人民不会忘記』〕

⑧ 『血沃民主化――学運、民運、国運』張結鳳ほか、百姓文化、一九八九年一〇月

D、台北で出版されたものは以下の通りである。

① 『世紀大屠城』中央日報社、一九八九年六月

② 『哭喊自由――天安門運動原始文件実録』李瑞騰編、文訊雑誌社、一九八九年七月

③ 『天安門一九八九』聯合報編集部編、聯経出版、一九八九年八月

④『歴史的存証——中共六四大屠殺実録』中国大陸問題研究中心、一九八九年八月

⑤『自由之血、民主之花——中国大陸民主的坎坷路』張京育編、国立政治大学国際関係研究中心、一九八九年八月

E、その他の定期刊行初は以下の通りである。

①北京の新聞——『人民日報』『解放軍報』『光明日報』など

②香港の新聞——『文匯報』『大公報』『明報』『サウスチャイナ・モーニングポスト』など。

③香港の雑誌——『鏡報』『争鳴』『九十年代』『百姓』など。

④台北の新聞——『中央日報』

⑤Nicholas D. Kristof, How The Hardliners Won, The New York Times Magazine, Nov.12, 1989

二、主要組織名の略称は以下の通りである。

①中国共産党第○期第△回中央委員会全体会議→○期△中全会

②全国人民代表大会→全人代

③北京高校〔大学〕自治聯合会→北京高自聯あるいは高自聯

三、訳文中の（　）内は原文のもの、〔　〕内は訳注である。また傍線は引用者による。

（初出：矢吹晋編著『天安門事件の真相 上巻』（スペシャル・ブックレット）蒼蒼社、一九九〇年六月）

朝日新聞『社内報』の伝えた真実と『本紙』の伝えた虚報

蒼蒼社から天安門事件に関する唯一の資料集成といってよい「チャイナ・クライシス」を冠する五書が刊行されたのち、それらに基づき著者は『天安門事件の真相（上・下）』（九〇年刊。上巻は本巻に所収）を著す。この上巻中の「広場での〔中略〕「大虐殺」がなかったことはまず確か〔中略〕広場以外の場所では、かなりの死傷者が出たことも確か」という前半部が切り取られて酷評された。著者の憤りは、不確かな伝聞に踊らされて誤報となった記事自体が大きな問題であるが、それ以上に社内報で誤報の事実を明らかにしながらも本紙では訂正しなかった報道のあり方、誤報訂正の仕組に向けられることになる。

『蒼蒼』三三号（一九九〇年八月）でマンローの最新論文「天安門広場の回想」を紹介しつつ、六月四日午前三時、軍隊に包囲されたあとの天安門広場の内部にいた西側ジャーナリストとして、ロビン・マンローを含む一一名の氏名を挙げた。

これに対して、事情通の方々から早速クレームがついた。私がマンロー論文を紹介する形で列挙したほかにも、日本人記者がいたはずだというのである。

これには驚きましたね。そこで「ぜひその話を聞きたい、もし書いたものがあれば、ぜひ見せて欲しい」と頼んだ。というのはマンローの受けた非難と似ていて、『天安門事件の真相（上）』〈本巻に「天安門事件の真相」として所収〉で書いた内容に対する外野席の声はたいへんなもの。「あんな細部にこだわる意図が分からない」「動機不純である」「中国当局に迎合して、あんなデタラメを書いたに違いない」「あいつは×××主義者だからあんなバカげたことを書いた」「真相が分からないときに、断定するのは研究者として軽率である」「仮りにその分析が正しいとしても、民主化運動にマイナスである以上、当面は書くべきではない」。その他、その他。

北京在住の日本人の間で、天安門事件を体験した人々を「戦中派」と呼ぶことが行われていますが、その戦中派の間での私への酷評はたいへんなものだったそうです。罵倒を耳にした私の友人が「魔女狩りの雰囲気」と嘆いたほどでした。

そうこうしているうちに紆余曲折を経て（念のために書いておきますが、私は朝日の中国担当記者のなかに友人が少なくないのですが、これらは友人から得たものではない。私は友人を窮地に追い込むことはしない）、複数の筋から資料が届きました。その一つが『朝日人』（一九八九年八月号、朝日社報、別冊三四六号）。「これは社外秘じゃありませんか」と私が危惧すると、「いやぁ、これは〝社内秘〟というものでしょう。社員とOB全員に配るものですから、公然の秘密でしょうな」とくる。さすが新聞社だけに反応が素晴らしい。

同誌「激動の中国特集」八〜一〇頁に朝日教之カメラマン（東京・写真部）の証言が載っています。「〝血の日曜日〟再現、カメラマンの目、ストロボ発光に銃口キラリ、記念碑の学生へ乱射はなかった」――これがタイトル。一部を引用してみましょう。

――午前四時。広場のすべての証明がいっせいに消えた。市民たちが「ウォー」という叫び声を上げながら南東の出口に向かって走り出した。いよいよ軍隊が入ってくる。〔中略〕突然、闇の中に置かれた恐怖感は想像以上だった。このまま逃げ出してしまおうと思った。

――午前四時四〇分。広場の照明が再び点灯した。暗闇に慣れた目には昼間のように明るく感じる。ふっと見ると人民大会堂の方から、銃を手にした数十人の兵士たちがゆっくりとこちらに向かって進んできていた。草色のヘルメットのにぶい光が、歩くたびにちらちら揺れて、恐怖感をかきたてる。

――英雄記念碑のすぐ近くまで軍が迫った時、学生たちがいっせいに退去を始めた。数百人の学生が列を作って順番に引き揚げる。毛布や食糧などを持って整然と出口に向かう。

一部の報道で、戒厳部隊は記念碑に座り込んでいる学生に向かって銃を乱射し、数百人が一挙に殺されたと伝えられているが、その事実はなかった（A）。威かく射撃や流れ弾、戦車にひかれて広場で死んだ学生は（おそらく数十人の単位）でいると思うが（B）、数百人の大量虐殺はなかった。もしそうだとしたら、学生のなかにいた私は今ごろ死んでいるはずだ。北京市全体の死者は何千人と言われている。しかし広場そのものではそれほどの死者はなかった（傍線および符合は矢吹）。

（A）はカメラマンが目撃した事実である。（B）は「思う」である。他の情報に基づいた推定であることに注意したいですね。同誌はさらに朝日教之カメラマンのカラー写真六葉を掲載しています。そのうち撤退とかかわるものは三葉。

❶「学生に向けて威嚇射撃をする兵士。後ろは人民大会堂。午前四時四五分」。❷「人民英雄記念碑に座り込んでいた学生を排除した兵士たち。午前五時」。❸「手をつないで最後に退却する学生たち。このあと次々と装甲車が。午前五時三〇分」とそれぞれにキャプションがついています。

同誌一一～一二頁には、もう一つの証言があります。「助っ人奮戦記、外報部員の目、忘れられぬ〝栄養ドリンク〟、広場で学生と運命共同体を実感」のタイトルのもとに永持裕紀記者（外報部）の証言があります。読者よ驚くなかれ、この記者もまた人民英雄記念碑にへばりついて（?）学生撤退の最後の光景を目撃しているのですよ。

――四時四〇分に記念碑に現れた兵士たちが持つ本物の武器の迫力は、想像以上だった。威嚇射撃をすると、ターンターンという銃声がだだっ広い広場に響きわたる。これを間近でやられた学生たちの恐怖は相当なものだったはずだ。ギャーといった叫びは聞こえなかったが、多くは下を向いて、必死に耐えている様子だった。何が次に来るか、と小心な私も怖かったが、兵士が学生めがけ機関銃を乱射——ということはなく（A）、学生たちは退去を命じられた。学生がぞろぞろ記念碑を後にするのに私もそのまま従った。

——「天安門広場の虐殺」というフレーズがよく使われる。今回の惨劇を象徴するものとしてそれはそれで良いと思うが、「虐殺」は実際は広場の外の北京市街地が主な舞台だった。広場、特に人民英雄記念碑は新中国の中心の中心。そこを真っ赤に染める戦略を、さすがに中国指導部は取らなかったのではないかと推測してみる（B）。（傍線および符合は矢吹）

さてさて読者はこれら二つの証言をどう読まれたであろうか。むろんこれは『朝日新聞』の本紙には登場しておらず、逆に八九年六月八日付にはのちにその信憑性が疑われた清華大学学生の証言（香港『文匯報』六月五日付）が訳されている始末です。

私は唖然としましたねぇ。文字通りいうべき言葉なしでした。両氏の証言が『社内報』ではなく、『本紙』に掲載されていたら、広場の真実は八九年八月の時点で、日本の読者に広く伝わっていたはずですよね。

分からないですなあ。報道機関がその〝商品としてのメディア〟においては〝虚報、あるいは不確実報道〟を行い、それを訂正することがなく、〝内輪の印刷物で真実を語る〟というのは、どういうことなんでしょうかね。

迅速を旨とする報道の場合、誤報が避けがたいことを承知していますよ。だからこそ誤報が判明した場合、それを訂正するシステムが必要なのじゃありませんか。いま私は誤報自体よりは（それも大きな問題ですが)、誤報と知りつつ、それを『本紙』で訂正することはなく、〝内輪の雑誌〟で訂正してみせた姿勢に驚愕しているのです。これでいいのでしょうかねぇ。もっとも間接的な誤報訂正は、多少あるのですよ。

たとえば九〇年六月三日付『朝日新聞』は「一周年を機に〝天安門〟問う本」(無署名)と題した書籍紹介のなかで、われわれの資料集や『天安門事件の真相(上)』を紹介してくれました。

それはそれであり難かったわけですし、また一一月一〇日付夕刊では「天安門事件論争その後、実像つかむ難しさあぶり出す、〝広場での虐殺〟前提には疑問」(大阪学芸部荒谷一成記者)の論評のなかで、『天安門事件の真相(上・下)』や『チャイナ・クライシス重要文献 第3巻』を紹介してくれています。

誤報訂正の機会は素人考えでは何回もあったと思うのです。

❶米ABCテレビが「ナイトライン」と称するテッド・コッペル司会の番組で、ABCの取材チームが写した膨大なビデオを分析して「天安門広場での虐殺はなかった」と報じた八九年六月末。

❷中国当局がさまざまな証言を用いて声明を発表した際のコメントの場で。

❸無血撤退のために、努力した侯徳健らの証言が発表された時点。

❹われわれの『チャイナ・クライシス重要文献 第3巻』が出版された八九年一一月。

❺最後に天安門事件一周年記念。

これらいくつかのうち、ポイントはやはり『朝日人』の出た八九年八月前後でしょうな。唯一ではなく、二人の社員の目撃証言があるわけですから、自信をもってできるはずですし、この段階でマンロー、ネイションズ組のような目撃証言探しをやれば、大新聞の取材能力からしてマンローらよりはもっと徹底的に探せたはずと見るのは見当違いでしょうか。

さきほど資料数件と書いたので、もう一つ証拠を挙げましょう。『調研室報』（第八三号、朝日新聞社調査研究室、隔月刊、社内用、一九八九年一二月五日）の五六頁にこう書いてあります。

「天安門広場の学生たちは最終的には自主的に撤退、天安門広場の中心である人民英雄記念碑付近では基本的に血は流れていない。この点についてはたしかに当時の報道は正確ではない」（西園寺一晃「中国の近代化、民主化運動と権力闘争（下）」）。

この雑誌の刊行時点は八九年一二月。私が『読売新聞』（八九年一二月四日夕刊）に一文を書いて、袋叩きに遭っていたころですね。

さて時は新聞週間。勇気ある朝日関係者諸氏のご協力により、たいへんいい勉強をさせてもらいました。

最後にもう一言。日本のマスコミはむろん朝日だけではない。大新聞、ブロック紙、それにテレビ局、雑誌社、いろいろあり、天安門事件の取材に出かけたジャーナリストたちは相当な数に上るはずです。これらの諸社がまさか人民英雄記念碑という現場に記者を配置することにすべて失敗したのではありますまい。もしかしたら、ほかにもまだ名乗り出ていない目撃者がいるのかも。

わが大朝日は記者の配置という点では大成功だったわけですが、宝の持ちぐされでしたね。自社の記者のつかんだ真実を報道せず、虚報に惑わされた。

教訓。新聞社の『社内報』から目を離すなかれ。

（マンローのとの対話の折に、私が天安門広場に残留した二人の日本人ジャーナリストの名を固有名詞で挙げたところ、彼は他にフランス人がいたことも事後に分かったと指摘した。）

（初出：「新聞週間に寄せて――社内報の伝えた真実、新聞の伝えた虚報」
『蒼蒼』第三五号、逆耳順耳、一九九〇年一二月）

天安門事件からソ連八月革命までの保守派 vs 改革派

改革派は天安門事件後、発言の機会を奪われ、マスコミの紙面は保守派一色となるが、事件後一周年あたりから経済改革を呼びかける論調が現れては消えるといった現象が繰り返される。さらに二周年前後からは、かなり大胆な論調も現れるようになる。こうして改革開放路線の復活への期待が高まった九一年八月、ソ連政変（クーデタ失敗）という激震に見舞われた。危地に陥った鄧小平路線の三大矛盾は、一に開放政策を掲げつつ和平演変論を説く、二に一党独裁体制の政治を守りつつ商品経済の導入を図る、三に相容れない計画経済体制堅持と商品経済をともに導入する、であると指摘して稿は結ばれる。

序　保守・改革のバランサー鄧小平

鄧小平時代（七八〜九七年）の十数年、路線は右へ揺れ、左へブレる動揺を繰り返してきたが、その舞台裏について現プリンストン大学高級研究員阮銘が興味深い事実を紹介している（「鄧小平与胡耀邦」『百姓』九一年七月一日号）。阮銘は、五〇年代には共産主義青年団で胡耀邦（当時青年団第一書記）の部下として活躍、文革後の七七年に胡耀邦が中共中央党校第二副校長となるや、同党校理論研究室副主任として胡耀邦のブレーンを務めた人物で、八二年に王震が中央党校校長になるとその自由主義的傾向のゆえに党から除名された過去をもつ。阮銘はこう証言している。

*

胡耀邦と鄧小平の関係は「工作関係」「指導者と被指導者の関係」であり、派閥関係や腹心といった特殊な関係があったわけではない。七七年初めに胡耀邦が中共中央党校副校長に就任したのは、華国鋒（当時党主席）の主張によるものであり、鄧小平の復活より半年前のことであった。華国鋒は自らは校長となり、胡耀邦に実務をまかせた。胡耀邦が真理の基準についての討論（「真理の基準は実践にあり」を提起して毛沢東思想を換骨奪胎した）を発意したとき、鄧小平は事前には知らなかった。胡耀邦の意図も反華国鋒にはなく、華国鋒にとって代わろうとする意図などさらさらなかった。

しかし、華国鋒は汪東興〔元毛沢東のボディ・ガードで当時党副主席〕とその手下の教条主義理論家の意見ばかり聞いて、自らを孤立させてしまった。元来は華国鋒を支持していた葉剣英〔当時党副主席〕でさえも、支持できなくなり、政治局は合法的な手段で華国鋒の権力をしだいに削減した。

鄧小平〔当時党副主席〕は当時、華国鋒、葉剣英に次ぐナンバー・スリーであった。政治局の多数が華国鋒に代わって鄧小平を主席に推挙しようとしたとき、鄧小平は断った。「主席になる資格はあるが、ならない方がよい。若い人の方が有利だ」と。

そこで当時六〇歳前後であった胡耀邦、趙紫陽、姚依林の三人が候補に上り、政治局の一致した意見で胡耀邦が選ばれた。

ところが、華国鋒が失脚するや鄧小平、胡耀邦の矛盾が表面化した。八〇年一二月、華国鋒が辞意を表明し、胡耀邦が主持して開かれた中央工作会議で、陳雲〔当時党副主席〕は翁永曦〔当時中央書記処農村政策研究室副主任〕の建議した「需要を抑え、物価を安定させる。発展を捨てて、安定を求める。改革を緩め、調整を重んじる。集中を大きく、分散を小さく」〔原文＝抑需求、穏物価；捨発展、求安定；緩改革、重調整；大集中、小分散〕の二四字綱領を提起し、八〇年八月の政治局拡大会議で決定していた改革と民主化の方針に抵抗した。趙紫陽と李先念〔当時党副主席〕は、このとき陳雲の意見に付和した。鄧小平は会議の最終日の一二月二五日、胡喬木、鄧力群の起草した「調整方針を貫徹し、安定団結を保証せよ」という講話を行った。鄧小平は四カ月前に発表した「党と国家の指導制度の改革について」（『鄧小平文選　1975～1982』北京・人民出版社、所収）の立場から全面的に退却し、陳雲同志と趙紫陽同志の意見に同意して、改革は調整に服従すべきであり、資本主義崇拝、ブルジョア自由化傾向に反対しなければならない、と述べた。こうして胡耀邦は、自ら初めて主持した会議なのに発言の機会を得られなかった。

これ以後、鄧小平の立場は、改革開放とブルジョア自由化反対との間で、およそ二年周期でブレを繰り返す（表1参照）。

この周期性に最初に気づいたのは、鄧力群〔元中共中央宣伝部部長、保守派のイデオローグ〕である。鄧力群は八七年一月、胡耀邦打倒の総括会議で、七八年一二月の一一期三中全会以来の胡耀邦との闘争について語った。鄧力群によれば、七八年真理の基準論争以来、精神文明決議において自由・平等・博愛を肯定するまで、胡耀邦は自由化を放任してきたが、奇数年には鄧力群を初めとする「マルクス主義者たち」が反攻してきた。たとえば七九年には、早くも四つの基本原則〔①社会主義の道、②人民民主主義独裁、③共産党の指導、④マルクス・レーニン主義＝毛沢東思想〕を提起しており、八七年にはついに胡耀邦を失脚させた。

鄧小平戦略とは、「偶数年には胡耀邦を支持し、奇数年には鄧力群を支持するもの」であった。そして、胡耀邦の背後には改革開放と自由民主の目標を追求する民衆がいて、鄧力群の背後には権力によって腐蝕させられた特権階層の利益集団がいたのであった。したがって、鄧小平のいう「二つの基本点」〔改革開放と四つの基本原則〕とは、中国社会の二つの政治勢力を代表していた。両者を調和させられ

表1　阮銘から見た鄧小平の右顧左眄（「鄧小平と胡耀邦」より）

左傾（奇数年）	曲折	右傾（偶数年）
◆1981年のブルジョア自由化反対では、白樺（解放軍所属作家で作品『苦恋』が批判された）、郭羅基（「信念の危機」論を初めて提起した。上海『文匯報』1980年1月13日付）、王若水（哲学者、『人民日報』元総編輯、著書に『智慧の痛苦』）を批判し、民間出版物を禁止し異端分子を逮捕した。		
		◆1982年の12回大会以後、胡耀邦が総書記になり少しムードが緩和した。
◆1983年には精神汚染除去キャンペーン（社会主義における疎外論が批判された）を行い、内外の抵抗を受けた。		
		◆1984年には沿海地区14都市の開放を決定し、秋の12期3中全会では「経済体制改革の決議」を採択し、「計画的商品経済」論を導入した。
◆1985年の9月の全国党代表会議で陳雲は「計画経済を主とし、市場経済を輔とせよ」とそれまでの潮流に逆行する講話を行った。		
		◆1986年、鄧小平は政治体制改革構想（1980年8月発表）を再発表し、政治改革への意欲を示した。
◆1987年1月、ブルジョア自由化反対のなかで胡耀邦が失脚した。		
		◆1988年春、価格改革構想が提起されたが、秋にはインフレのために、調整へ移行することになった。
◆1989年6月、インフレや官倒、そして調整のもとで改革開放の行方を危ぶんだ人々の民主化「動乱」が発生したが、天安門事件という悲劇をもって終わった。		

なくなったとき、鄧小平はむしろ改革を捨てて、胡耀邦を切り、趙紫陽を切り、天安門事件に至った。

*

この引用から分かるように、「希望の星」胡耀邦に対する阮銘の思い入れは相当なものであり、事実によってどこまで裏付けることができるかについては、留保が必要であろうが、鄧小平路線の動揺の秘密を解く一つの解釈としてたいへん面白い。

私自身は、これまで鄧小平の「二つの顔」として、この問題を論じてきた。すなわち鄧小平は改革派のリーダーとしての顔と、保守派とのバランサーとしての顔をもつ。つまり二つの顔をもつヤヌス神的存在である、と。

改革派鄧小平の素顔を最もよく示す発言を引いてみよう。六〇年代初頭の白猫黒猫論はあまりにも有名である。大躍進が失敗して食糧不足から飢餓が蔓延する状況のもとで、劉少奇を補佐して党中央の第一線の日常工作を担当した鄧小平は、「白猫であれ、黒猫であれ、ネズミを取るのが良い猫だ」と喝破して、資本主義的方法であれ、社会主義的方法であれ、ともかく生産力の発展を一義的に考えよと幹部を叱咤激励した。こうした鄧小平のプラグマティズムは、階級闘争を強調し、修正主義批判に熱意を燃やす毛沢東の逆鱗に触れ、文化大革命期には「階級闘争を忘れた生産力論」として、批判の矢面に立たされた。

八〇年代になると、鄧小平の白猫黒猫は完全に復活し、その生産力重視の傾向はいっそう強まった。たとえば、八八年五月一八日、モザンビーク大統領シサノと会見した際に、彼はこう語っている。

「中国の経験によれば、あなたがたは社会主義をやるなかれ、とお勧めしたい。少なくとも大雑把な社会主義〔スターリン・モデルの社会主義〕はやってはいけないし、もしやるとしてもあなた方自身の国の特徴をもつ社会主義をやるべきである」。

この発言は、いわば「反社会主義の勧め」であろう。ここで鄧小平は痛切に毛沢東時代の社会主義の不毛さを反省しているわけだ。八八年六月二日には、鄧小平は「九〇年代の中国と世界」というタイトルを掲げた国際シンポジウムに参加した代表たちを接見して、こう述べている。

「わが内地にいくつもの香港をつくらなければならない」。

「(香港の主権回復後、五〇年間政策を変えないと約束したことに触れて) われわれが五〇年というのは、実際には五〇年以後も変えないということである」。

鄧小平はここで二一世紀後半の社会主義像を語っている。つまり、資本主義・香港は五〇年間保証する、五〇年以後にも資本主義・香港を変えない。なぜか。明示的にではなく、暗示的にだが、ここには中国社会主義がそのころまでには資本主義中国に変貌しているはずだから、変える必要なし、という論理が内包されている。

このような鄧小平一流の煽動に乗って、政策執行者が走り始め、その無理が社会各相にたち現れると、彼はもう一つの横顔を現す。社会主義の道、プロレタリア独裁、共産党の指導、マルクス・レーニン主義＝毛沢東思想――これら四つの堅持という網をかぶせるのである。

ただし、この網も伸縮自在である。改革派主導ならば「共産党の指導」の内実も相当に柔軟なものであり、「社会主義」の中身も毛沢東型社会主義から鄧小平流の生産力重視の社会主義まで、幅はきわめて広い。プロレタリア独裁やマルクス・レーニン主義＝毛沢東思想もタテマエとして、棚上げすることもできる。ただし、四つの基本原則の要は「共産党の指導」にあり、それが強調されるときは、基本的に保守派主導の時期であるから、事実上、毛沢東型社会主義や毛沢東時代の共産党へのノスタルジア願望を断ち切れない。

このように見てくると、「改革・開放」の中身は鄧小平自身の脳裏においてさえ、大きなブレがあり、四つの基本原則の解釈にも、幅がある。両者を総括して「二つの基本点」（①改革開放、②四つの基本原則）とするとき、①改革開放に大きく傾斜して、ほとんど四つの基本原則が忘れられる場合、②四つの基本原則に傾斜して、改革開放が事実上棚上げされる場合、の両極端の間で「統一点」が動いていることが分かる。

この「二つの基本点」論をさらにボカしたものが「中国的特色をもつ社会主義」という概念であろう。社会主義自体の定義が曖昧なことは、すでに触れたが、「中国的特色」はこれに輪をかけて曖昧である。厳密にはほとんど定義不可能なほど曖昧な概念であるが、だからこそ、いわば何もかも包み込める大風呂敷のように便利なシロモノである。

阮銘はヤヌス鄧小平の一つの顔を胡耀邦が代表し、もう一つの顔を鄧力群が代表したとしている。そして胡耀邦の背後には改革開放と民主化を求める民衆がいて、鄧力群の背後には既得利益にしがみつく特権階層がいたと指摘する。これはたいへん明快な解説である。実際には、民衆のなかにも小さな既得利益にすがりつく者がおり、また既得利益を敢えて犠牲にする高潔な官僚もいるはずだ。そして胡耀邦のなかにも鄧力群的要素があり、鄧力群のなかにも胡耀邦色があるはずだ。だから、現実の中国政治の分析のためには、もっと細かい、具体的な分析が必要であろう。ただ、大枠を阮銘のような二分法でとらえることは、基本的に首肯できるものである。こうした枠組みの上で、改革開放派と四つの基本原則派の詰抗関係の秘密を解明することが、明日の中国を予見することになるものと私は考えている。

このような政治勢力のバランス、桔抗関係のなかで、知識人はどのような地位を占めているのであろうか。知識人もまた改革派知識人と保守派知識人に分かれるが、その分岐点はどこか、何を根拠として分裂しているのか。

胡耀邦は中共中央組織部長時代に多くの知識人の名誉回復を行い、また八二年に総書記に就任して以後は、知識人の意見を政策に反映させようと努力した。そのため胡耀邦の周辺には改革派人脈が結集した。代表的な胡耀邦知識人人脈は、胡耀邦の憤死の直後に『世界経済導報』が開いた座談会に出席した人々であろう。于浩成（群衆出版社前社長）、秦川（『人民日報』元編集長）、蘇紹智（中国社会科学院ML研究所前所長）、戴晴（『光明日報』記者）、于光遠（中国社会科学院顧問）、呉明瑜（国務院経済技術社会発展研究中心）、厳家其（中国社会科学院政治学研究所前所長）、李鋭（元胡耀邦秘書）、馮蘭瑞（李昌夫人）、孫長江（『科技日報』副編集長）、張顕揚（中国社会科学院ML研究所研究員）、陳子明（北京社会経済科学研究所所長）、胡績偉（『人民日報』元社長）などである。

胡耀邦の失脚後、一部の知識人は、たとえば阮銘などのように趙紫陽が胡耀邦解任を積極的に支持したことに反発したが、たとえば陳一諮などのように胡耀邦によって名誉回復されたあと、趙紫陽のもとで改革開放のプラン作りに参加した知識人も少なくない。いずれにせよ、改革開放は共産党にとっては新しい試みであること、改革開放のためには、外国の政治経済理論や国際情勢の理解が必須であることからして、知識人にとって一つの出番でもあった。知識人は鮑彤（趙紫陽政治秘書）や陳一諮（経済体制改革研究所所長）などのように、直接的にシンクタンクに参加して政策の立案に参加する者もあり、また中国社会科学院の研究者として間接的に政策作りにコミットするものもあった。政治改革への提言を行った厳家其（前出）、破産法の制定に尽力し、武力鎮圧直前には全国人民代表大会（「全人代」と略称）常務委員会の緊急署名運動を組織した曹思源（四通社会発展研究所所長）などは、代表的存在である。

そしてこれらのオルガナイザーの周辺に、政治犯釈放要求の公開状やその他さまざまの政治的アピールに署名して問題を訴えた知識人たちがいた。学生運動はこうした知識人から大きな刺激を受けていることはいうまでもない。

これらの積極的改革派は天安門事件以後、発言の機会を奪われ、『人民日報』など中国のマスコミの紙面は保守派一色となったが、天安門事件以後一周年あたりから、再び経済改革を呼びかける論調が現れては消えるといった現象を繰り返し、天安門事件二周年前後からは、上海『解放日報』の皇甫平評論が示すように、かなり大胆な論調も現れるようになった。こうして改革開放路線の復活への期待が高まった九一年夏、中南海はソ連政変という超激震に見舞われた。

第Ⅰ部が扱うのは、以上の経緯を踏まえて、主として一九八九年六月天安門事件以後のイデオロギー闘争、権力闘争の種々相であるが、最初に一九八七年一月の胡耀邦失脚後、天安門事件に至る保守・改革の構図を簡単に見ておこう。

一　天安門事件前後の保守派 vs 改革派の構図

1　胡耀邦解任劇における保守派 vs 改革派の構図

一九八二年九月に開かれた第一二回党大会で総書記に選ばれた胡耀邦は、鄧小平の支持のもとで改革開放政策を大胆に推進した。特に八四年一〇月の一二期三中全会で「経済体制改革についての決定」を採択して以後、経済改革は大いに進んだ。そして八五年九月の中国共産党全国代表会議で人事の若返りが行われたのに伴って、経済改革から政治改革への潮流が表面化してきた。

八六年五月には百家争鳴、百花斉放三〇周年記念の座談会が行われ、中国理論界は三〇年ぶりに清新の気風が漲ってきた。私自身はこうした潮流に大きな期待を寄せて、ある雑誌（『日中経済協会報』）に、著名な論客の所説を紹介する連載を始めた（その一部は『中国開放のブレーン・トラスト』『中国のペレストロイカ』（ともに蒼蒼社刊）に収めた）。

八六年八月二一日、鄧小平は天津市を視察して「放（ファン）しなければ活（フォ）できない。収（ショウ）の問題は存在しない」と言い切って改革派を元気づけている（『人民日報』一九八六年八月二二日付）。鄧小平はここで対外政策についての「放」（自由化）を語っているのだが、知識人や学生たちは政治改革の文脈でこれを受け止め、政治民主化への期待をふくらませた。

八六年九月の中共一二期六中全会は、本来は政治改革についての決議を採択する目論見であったが、終わってみると政治改革構想は棚上げされ、逆に保守派主導によって起草された「精神文明決議」が採択される始末であった。経済改革に伴う矛盾への不満、人事の若返りによって引退を迫られる長老たちの不満が爆発し、彼らは改革の推進者胡耀邦を舌鋒鋭く攻撃した。その結果、胡耀邦はついに翌八七年の第一三回党大会で総書記から降りる意向を固めざるをえないほどであった。当時は改革派が鄧小平を含めて全面的な若返りを主張したのに対して、長老たちは鄧小平留任を錦の御旗として、自らの留任を図ったのである。胡耀邦は改革派グループの若手リーダーとして、長老グループの攻撃の標的になったわけである。

一二期六中全会の結果は、学生や知識人を大いに失望させた。八六年一二月五日、方励之が副学長を務め、改革派の若手理論家温元凱を擁する安徽省合肥の中国科学技術大学で五〇〇〇人の学生がキャンパス内での集会を開き、安徽省人民代表の選挙に対する共産党の介入に抗議する事件が起こった。四日後の一二月九日、合肥の数千の大学生は初めて街頭デモを行った。「キャンパスを出て社会に入り、民主主義をかちとろう」がそのスローガンであった。

合肥の学生デモのニュースはアッという間に全国に伝わり、北京大学、深圳大学、中山大学（広州）、昆明市、南京市、天津市など全国各地に波及した。とりわけ上海では一二月一九日以来、大規模な街頭デモが数日続き、参加者は野次馬を含めて約七万人に達した。当時上海市長であった江沢民は母校の上海交通大学を説得のために訪れた際に、「われわれ学生はあなたを市長に選んだ覚えはない」と選挙の非民主性を弾劾され、立ち往生した一幕もあった。

明けて八七年一月一六日、政治局拡大会議が開かれ、胡耀邦が総書記辞任を強要された。この会議には正式の政治局メンバーのほかに、「中央顧問委員会責任者一七名、中央紀律検査委員会責任者二名およびその他の関係者」が出席していた。会議後に発表された公報は、胡耀邦の罪状として「集団指導原則に対する違反」と「政治原則問題での誤り」の二カ条を挙げていた。前者は総書記胡耀邦が中央書記処に依拠して大胆な意思決定を進めたことを指しており、後者は「ブルジョア自由化」問題に対して、胡耀邦が寛容であった事実を指している。二つの罪状は、ともに改革派胡耀邦の真骨頂を雄弁に物語っている。

特に、八六年一二月三〇日、鄧小平は胡耀邦、趙紫陽、胡啓立ら第一線の指導者を呼びつけて、民主派の方励之、劉賓雁、王若望を党から除名せよ、と直接的に指示したが、胡耀邦はこれを受け入れず、自らが失脚する道を選んだ。胡耀邦は三〇年前の反右派闘争の際に、共産主義青年団第一書記として、部下の『中国青年報』記者劉賓雁を擁護しきれなかったことを悔いており、同じ誤りを繰り返すまいと決意していたのであった。ここで五〇年代の右派分子と胡耀邦の関係は特に重要である。文革後、中共中央組織部長となった胡耀邦は右派分子の名誉回復を精力的に行い、彼の努力によって名誉回復された老幹部は少なくない。しかし復活したのち、彼らの一部は自らの引退を遅らせ、地位を守るために胡耀邦を打倒する陰謀を企んだのである。

以上、要するに、政治改革構想の棚上げこそが学生デモを誘発し、これに対して胡耀邦が寛容であったことが失脚の直接的原因となった。そして、この学生デモを積極的に支持した代表的知識人が方励之、劉賓雁、王若望なのであった。

胡耀邦事件以後、この三人は相次いで党から除名されただけでなく、三人の開明的思想を批判するキャンペーンが行われた。その概要は次のごとくである（表2参照）。

(1) 方励之批判

八七年一月、胡耀邦解任に際して、中共保守派は方励之、劉賓雁、王若望の共産党除名を説明するために、三人の言論集をまとめている。これらは「四号活字で印刷された」が、その理由は「閲読者の視力に鑑みて」のことである。私の手元には、香港版すなわち『内部批判材料・方励之、劉賓雁、王若望言論の摘編』（香港・曙光図書、八八年二月、二三八頁）がある。指導幹部用の「反面教材」として編集された、出版単位さえ明記されていない、怪文書まがいの資料集には、各人について「按語」が付されている。そのうち、方励之についての「按語」はこうである。

「中国科学技術大学副学長、共産党員方励之は近年来発表した若干の講話のなかで、明らかに四つの基本原則に背馳し、ブルジョア自由化を宣揚し、すでに青年学生間に良くない影響をもたらしている。ここに方励之の若干の講話摘要を編集し、指導機関と大学の指導幹部がブルジョア自由化思潮を研究する際の参考に供したい」。

ここには表2のような方励之の発言が収められている。

方励之の見解については、拙著『中国のペレストロイカ』で紹介したことがあるが、念のために最小限の紹介だけは繰り返しておく。

方励之は一九三六年二月、北京市の貧しい家庭に生まれた。五二年に優秀な成績で北京大学物理学系に入学した。卒業後、中国科学院物理研究所に勤めたが、五六年の百家争鳴運動に際して、党中央に手

表２ 『内部批判材料・方励之、劉賓雁、王若望言論の摘編』の目次

◆方励之批判

［１］方励之の浙江大学における講話摘要（1985 年 3 月）

［２］方励之の北京大学における演説の摘要（1985 年 11 月 4 日）

［３］方励之のアメリカ中国留学生座談会での講話摘要（1986 年 4 月、中国紡織大学『研究生』1986 年第 3 期）

［４］知識人と中国社会――方励之の上海交通大学での講話摘要（1986 年 11 月 15 日）

［５］方励之の華東化学工業学院の一部研究生、青年教師座談会における発言摘要（1986 年 11 月 16 日）

［６］方励之と『世界経済導報』記者との談話（『世界経済導報』1986 年 11 月 16 日）

［７］方励之の上海交通大学大学教育研究室の召集した座談会での講話摘要（1986 年 11 月 17 日）

［８］方励之の同済大学における講話摘要（1986 年 11 月 18 日）

［９］方励之の寧波大学における講話摘要（1986 年 11 月 19 日）

［10］方励之の中国科学技術大学人民代表選出演説会での講話摘要（1986 年 12 月 4 日、中国科学技術大学学生記者団、学生会主編『科大青年』増刊

◆劉賓雁批判

［11］劉賓雁の『深圳青年報』編集部座談会での講話摘要

［12］劉賓雁の黒竜江大学における講話「忘れられた人々と疎遠にされた文学」の摘要（1986 年 9 月 13 日）

［13］劉賓雁の黒竜江省記者協会が開いた新聞会議での講話『我的新聞観』（1986 年 9 月 15 日）

［14］劉賓雁の安慶「法制文学セミナー」での講話摘要（1986 年 10 月 8 日）

［15］劉賓雁の上海「改革における社会問題の学術討論」での講話摘要（1986 年 11 月 7 日）

［16］劉賓雁の南開大学での講話摘要（1986 年 11 月 21 日）

［17］劉賓雁『福建青年』復刊百周年座談会での講話摘要（1986 年 12 月 4 日）

［18］劉賓雁が「第二の忠誠」「未完成の埋葬」を書いた前後

［19］許良英、劉賓雁、方励之が提唱した「反右派運動歴史学術討論会」の通知文（1986 年 11 月）

◆王若望批判

［20］王若望の、四つの基本原則に反対し、ブルジョア自由化を鼓吹した誤りの事実について（1987 年 1 月）

紙を書いて「科学と民主主義精神」の不足を訴えたために、「右派分子」と断定され、党から除名された。五八年に中国科学技術大学が設立されたとき、「右派分子」のレッテルをつけたまま、教員に採用された。当時の大学党書記郁文の慧眼によるものである。文化大革命期には闘争にかけられ、「牛小屋」(私設監獄)に閉じ込められた体験をもつ。八四年、科学技術大学の第一副学長に任命された。七九年に国際学術シンポジウムに出席したのをはじめとして、数々の国際学術会議に参加した。八一年秋から四カ月、京都大学基礎物理研究所の客員研究員を務めたこともある。

八六年一二月二九日、大学の所在地たる安徽省合肥市の人民代表選挙において最高得票で当選した前後から、宇宙物理学者方励之は民主化運動の旗手として著名になった。鄧小平は八六年一二月三〇日、胡耀邦、趙紫陽らを呼びつけて学生運動の取り締まりを指示した際に、こう発言している。

「私は方励之の講話を読んだが、まるで共産党員らしからぬ講話だ。こういう者を党内に留めておいてどうしようというのだ。彼は離党勧告の問題ではなく、除名問題である」(中共中央一号文件、拙著『ポスト鄧小平』蒼蒼社、一六八頁)。

方励之はこうして鄧小平の鶴の一声で除名されたが、その後も活発な民主化運動を続けた。八九年一月六日には魏京生(『探索』編集者、七九年に国家機密漏洩罪で懲役一五年)の釈放を求める公開状を鄧小平宛てに送ったが、これは知識人の間で大きな反響をよび、文化界三三人の公開状(一九八九年二月一三日付)、科学界四二人の公開状(二月二六日付)、文化界四三人の公開状(三月一四日付)に発展し、胡耀邦追悼民主化運動、いわゆる天安門事件の導火線となった(『チャイナ・クライシス重要文献』第1巻に所収)。

天安門事件以後、方励之は北京のアメリカ大使館に庇護を求め、九〇年六月二五日に出国した。

(2) 劉賓雁批判

劉賓雁についての按語は次の通りである。

「『人民日報』記者、中国作家協会副主席劉賓雁が一部の単位で発表した講話は、党規約と党決議に明白に違反している。ここに劉賓雁が最近発表した若干の講話と文章摘編を提供するので、関係単位の指導部はブルジョア自由化思潮を研究し、批判する際の参考としてほしい」。

劉賓雁についても方励之と同時に除名された直後、拙著『中国のペレストロイカ』で紹介したことがある。最近は『劉賓雁自伝』（鈴木博訳、みすず書房）も出て、彼の軌跡がよく知られるようになった。

劉賓雁は一九二五年二月七日吉林省長春市生まれ、家が貧しく高級中学一年で中退した。四三年、天津で共産党の指導する地下工作に参加し、翌年入党した。五一年以来、北京で『中国青年報』記者として、官僚主義、特権現象などを批判する記事を書いた。特に「橋梁工事現場にて」「本紙内部消息」は、幹部たちの保守主義と官僚主義を鋭く突いて、大きな話題を呼んだ。五七年、毛沢東の指示で「右派分子」とされ、五八〜六一年は下放して労働に従事した。やがて『中国青年報』に戻り、国際資料組で資料整理の仕事を与えられたものの、文化大革命が起こると再び「レッテルを剥がされた右派分子」として五七幹部学校に送られた（六九〜七七年）。

文化大革命後は、胡耀邦の指示により名誉回復し、復帰後の第一作として書いた「人と妖の間」（『人民文学』一九七九年第九期）で共産党員の汚職、腐敗を抉り出し、「全国優秀報告文学」賞を得た。「党幹部はあちらにも気を使い、こちらにも気を使うが、国家の主人公たる人民に対してだけは、気を使わない」「共産党はすべてを管理するが、ただひとつ、共産党自身だけは管理しない」の警句で独裁権力の腐敗の構造を暴露して、大衆からは正義の味方として圧倒的な共感をもって迎えられたが、告発される権力の側は劉賓雁にさまざまな圧力をかけ、ついに八七年一月、党から除名した。ルポ文学として「千秋の功罪」（『十月』一九八二年第三期）、「第二の忠誠」（『開拓』一九八五年一月、創刊号）などがある。

八八年ハーバード大学ニーマン・フェロウとしてアメリカに招かれ、翌八九年帰国の途次、香港に滞在中に天安門事件が起こったため、帰国を断念してアメリカに引き返し、今日に及んでいる〈二〇〇五年一二月死去〉。

(3)王若望批判

王若望は一九一八年三月一日生まれ、江蘇省武進県の人である。三三年上海で製薬工場の徒弟工となり、そこで共産主義青年団にはいった。三四年国民党当局に逮捕され、懲役一〇年の刑を受けたが、三七年八月、国共合作が成立したため、釈放された。延安へ行き、陝北公学に入学し、三七年一〇月、入党した。

全国解放後、上海総工会（労働組合）宣伝部副部長、上海作家協会党組組員、同理事、『文芸月報』副主編などを歴任した。五七年に「右派分子」とされ、文化大革命期には四年間拘禁されたが、七九年に名誉回復した。このとき王若望はすでに還暦をすぎていた。復権して以後、王若望は短篇小説を一〇篇ほど書いたほかは、二〇〇篇余の短文を書いて、中国社会の極左的風潮を批判し続けてきた。

王若望の鋭い筆法は保守派にとって「無軌道電車」（トロリーバス）が「無軌道」に暴走するに等しいものと警戒された。自らの信条を「権威、等級、有名人を妄信せず、真理、正義、国民に有利なものを信じ、宣揚すること」だとし、硬骨漢で通っている。保守派の長老イデオローグ胡喬木を「中国のジダーノフ」になぞらえ、言外に毛沢東を「中国のスターリン」に比定する評論を書いたために、保守派の激怒を買った。除名を命じた鄧小平は王若望をこう批判した。

「上海の王若望は気違いじみている。かねて除名せよ、と言ってきたのに、なぜそうしないのか。上海の大衆は、中央にバックがある、四つの基本原則を堅持するのか否か、自由化に反対すべきか否かについて中央に二種類の意見があるとうわさしている。そこで騒ぎが起こったあとも、上海人はちょっと様子を見ようとしている」（中共中央一号文件、拙著『ポスト鄧小平』蒼蒼社、一六八頁）。

天安門事件後の八九年九月中旬、反革命宣伝、煽動のカドで逮捕され、妻の羊子も自宅軟禁処分を受けたが、九〇年一〇月二九日に釈放された（アムネスティ・インターナショナル&アジア・ウオッチ著／矢吹晋・福本勝清訳『中国における人権侵害――天安門事件以後の情況』蒼蒼社、一二〇一頁）。

2 天安門事件における保守派 vs 改革派の構図

(1) 趙紫陽失脚の経緯

改革・保守両派の抗争が鄧小平時代を通じて一貫して存在してきたことは、阮銘の説いた通りであるが、改革派胡耀邦は保守派の圧力のもとで八六年夏には、翌年の党大会で降板を決意するまで追い詰められていた（『劉賓雁自伝』邦訳、三四六頁）。

事態は胡耀邦のあとを襲った趙紫陽の場合も酷似している。趙紫陽は胡耀邦の失脚直後に総書記を代行し、八七年秋の第一三回党大会で正式に総書記に就任した。かれは社会主義初級段階論を導入するなど積極的な改革開放路線を進めたが、八八年初め以来のインフレが政治問題化し、八八年秋の中共中央工作会議（九月一五～二一日）と一三期三中全会（九月二六～三〇日）で趙紫陽下ろしの策謀がもちあがった。たとえば保守派の長老薄一波（中共中央顧問委員会副主任）は「趙紫陽は他人の意見を聞かない」「経済を破壊したことに対して趙紫陽に責任がある」などと批判した（香港『鏡報』八八年第一二期）。

趙紫陽は「政治局生活会」で一定の自己批判を行うとともに、鄧小平の支持をとりつけた上で巻き返しに転じ、「改革一〇年、改革の世論はまだ主流となっていない」と改革の成果の宣伝を強めた。八八年一一月には、保守派の長老陳雲（中共中央顧問委員会主任）が趙紫陽を呼びつけて「八カ条の意見」を語ったと伝えられる。その内容は公表されていないが、「いまやプロレタリア階級の思想的陣地はほとんどすべて喪失してしまい、あれやこれやのブルジョア流派が占領している。いまや反撃せざるをえない時である」と危機感を表明したといわれる（『鏡報』八九年第一期）。

八九年三月に行われた第七期全国人民代表大会第二回会議における総理李鵬の「政府工作報告」は、インフレや経済過熱が趙紫陽の失政によってもたらされたとする認識に基づいて「経済環境の整備と経済秩序の整頓」を強調した。保守派が「経済秩序の整頓」の名において、経済改革の深化にストップをかけたことは明らかであった。

趙紫陽は全人代の開会中は発言を控えていたが、四月一一日には「改革は阻むことのできない潮流である」と語り、保守派を暗に批判した。これらの動向から見て、趙紫陽ら改革派と李鵬・姚依林ら保守派の対立が激化していたこと、しかし両者の綱引きは、一種の膠着状態にあったことが分かる。しかし、胡耀邦の急死（八九年四月一五日）が政局を一挙に流動化させた。

胡耀邦追悼に端を発した学生や市民の民主化要求は、四月から波状的に拡大し八九年五月中旬、ついに天安門広場を埋め尽くす百万のデモとなった。これに対して当局は五月二〇日、戒厳令を発布して鎮圧したが、当時の権力構造は次のごとくであった（本書一二八頁、図一・２）。

まず政治局常務委員会は李鵬、姚依林、喬石 vs 趙紫陽、胡啓立、すなわち保守・強硬派三対改革・穏健派二に分かれ、趙紫陽は少数派に転落した。

保守・強硬派には鄧小平（軍委主席）、楊尚昆（軍委副主席兼国家主席）、王震（国家副主席）、李先念（政協主席）、陳雲（中共中央顧問委主任）、薄一波（中共中央顧問委副主任）など、八〇歳台の長老たちがついていた。

趙紫陽陣営にあったのは、胡啓立のほか中央書記処書記閻明復、芮杏文、温家宝。そして鮑彤（中共中央政治局常務委員会秘書、政治体制改革研究室主任）、陳一諮（国家経済体制改革研究所所長）ら体制内知識人であった。その外側で学生たちの運動と接触していたのが、厳家其（社会科学院政治学研究所研究員）、包遵信（社会科学院歴史研究所研究員）、万潤南（コンピューターソフト会社である四通集団公司董事長）、曹思源（四通公司発展研究所所長）ら改革派知識人。そして学生運動を指導していたのが王丹（北京大学）、柴玲（北京師範大学大学院学生）、ウルケシ（北京師範大学学生）らである。戒厳令執行の過程で、全国人民代表大会常務委員の胡績偉らが緊急会議を要求して、委員はその署名組と署名拒否組に分裂し、また軍上層部も解放軍による人民への弾圧反対を唱える七上将の書簡や長老聶栄臻、徐向前の穏健論などが出て、武力鎮圧強硬派との間に亀裂が生じた。要するに、民主化運動への武力鎮圧の是非をめぐって、中国指導部はあらゆる組織において二つに分裂したのであった（本巻所収「天安門事件の真相」参照）。

(2)「八老治国」――中央政治局を超越する革命の元老

一枚の会議写真がある。

楕円形のテーブルの正面右に鄧小平がいる。楕円の右半分に座っているのは、鄧小平（中央軍委主席、八五歳）につづいて、李先念（政治協商会議主席、八〇歳）、彭真（前全国人民代表大会委員長、八七歳）、楊尚昆（国家主席・中央軍事委員会常務副主席、八二歳）、江沢民（上海市党書記、六三歳）、喬石（中共中央政治局常務委員、六五歳）、王震（国家副主席、八一歳）、薄一波（中央顧問委員会副主任、八一歳）、そして末席が胡啓立（中共中央政治局常務委員、六〇歳）である。

楕円形のテーブルの正面左は李鵬（総理・中共中央政治局常務委員、六一歳）で、左半分は聶栄臻（元帥、八五歳）、鄧穎超（周恩来未亡人・李鵬の養母、八五歳）、万里（全国人民代表大会委員長、七三歳）、姚依林（副総理・中共中央政治局常務委員、七二歳）、宋平（中共中央政治局委員、七二歳）、李瑞環（中共中央政治局委員、五五歳）、習仲勲（全国人民代表大会筆頭副委員長、七六歳）、そして末席が趙紫陽（総書記・中共中央政治局常務委員、七〇歳）と思われる（以上の肩書・年齢は当時）。

八〇歳以上の長老が大挙して出席しているこの会議は、いかなる会議か。

これこそ、天安門事件に幕を引いた八九年六月二一日の中共中央政治局拡大会議である（場所は中南海懐仁堂）。この政治局拡大会議での決定に基づいて、六月二三〜二四日に中共第一三期第四回中央委員会全体会議が開かれ、「趙紫陽の犯した誤りに関する報告」が採択され、以下の二つの重大人事異動が正式に追認されたのである（本書一二九頁、表一・9）。

①趙紫陽の職務（中共中央総書記、政治局常務委員、政治局委員、中央委員、中央軍事委員会第一副主席）、胡啓立の職務（政治局常務委員、政治局委員、書記処書記）、芮杏文の職務（書記処書記）、閻明復の職務（書記処書記）を解任する。

②江沢民を中共中央総書記に選出し、江沢民、宋平、李瑞環を政治局常務委員に、李瑞環、丁関根を書記処書記に選出する。

中共中央政治局拡大会議の出席者を、いま一度整理しなおしてみよう。

一八人のうち採決権をもっている中共中央政治局メンバーは、

政治局常務委員——趙紫陽、李鵬、喬石、胡啓立、姚依林の計五人。

政治局委員——新たに常務委員に選出される予定の江沢民、李瑞環、宋平の三人。長老級の楊尚昆、万里、の二人。それに右の五人の常務委員をくわえると計一〇人。ほかに、政治局委員に田紀雲、李鉄映、李錫銘、楊汝岱、呉学謙、秦基偉、候補委員に丁関根がいるが、かれらが出席しているかどうかは不明である。

残る八名が、中共中央政治局拡大会議である所以の列席者（規約上は採決権をもたない）であり、これに中共中央政治局委員の楊尚昆、万里をくわえると、長老が一〇人出席している計算になる。なお、ここには陳雲（中央顧問委員会主任、八四歳）、宋仁窮（中央顧問委員会副主任、八〇歳）、徐向前（元帥、八八歳）の三長老は、欠席していると見られる。ただし、彼らは趙紫陽処分案に反対の意志表示をするために欠席したのではなく、おそらくは高齢のため健康が許さなかったか、あるいは北京以外の都市にいたかのいずれかであろう。

天安門事件の政治劇の核心は、ある意味ではこの一枚の写真に集約されていると言って過言でない。第一に、中共中央の最高意志を決定しているのは、鄧小平以下の長老たちであり、党規約上は最高の地位にある総書記やその他の政治局常務委員たちではない。総書記、政治局常務委員は、長老の圧力あるいは容喙を拒否できない立場にある。それも当然であろう。趙紫陽以下の第一線指導者たちは、革命の第二世代であり、下から合法的に選ばれたというよりは、革命の元老である長老によって抜擢されたにすぎないのである。中国の儒教的な政治文化あるいは思想風土のもとでは、「敬老」の精神に縛縄されているという問題もあろう。これを、「愚忠」と酷評する論者もある（『趙紫陽伝』香港・文化教育出版社、一九八八年九月）。

第二に、長老グループと趙紫陽グループはそれぞれ何を代表していたかである。長老グループが支えとしていたのは、表向きは四九年革命の栄光という過去の歴史であり、実際にはその栄光によって獲得した自らの政治的、社会的、経済的地位によって派生する既得利益をいかに守るかであった。天安門事件の渦中で陳雲が主宰した中央顧問委員会は次のように声明している。

「われわれはすべて社会主義共和国の創立と建設に数十年奮闘してきた老同志であり、もしごくごく少数の者が作りあげた今回の動乱を断固として平定しなければ、党に寧日なく、国に寧日のないこと、一〇年の改革の成果を保持できないだけでなく、鮮血をもって得られた革命の成果をすべてを失う危険にあることを熟知している」（『チャイナ・クライシス重要文献　第2巻』二五〇頁）。

一方、趙紫陽グループは、学生や知識人、そして民衆の改革への要求を支持すること、その方向こそが彼らの政治的基盤を固めることに繋がるという思惑であったろう。

趙紫陽は、天安門広場に座りこんだハンスト学生への書面談話（五月一七日）で次のように述べている。

「学生諸君が要求している民主と法制、腐敗反対、改革推進の愛国的情熱は非常に貴いものである。党中央と国務院はそれを肯定するものであり、また同時に学生諸君が冷静、理知、自制、秩序を保持し、大局を考え、安定・団結の局面を維持するよう希望する」（同右、二三頁）。

後者の政治的方向はまさに、長老たちの政治的基盤を掘り崩すことを意味する。この意味で、天安門事件の背景は社会的に言えば、共産党の一党独裁的支配に対する民主化要求であった。そして党内的レベルで言えば、党内の主導権をめぐる改革派（若手）と保守派（長老）との権力闘争であった。

3　天安門事件直後の急進改革派知識人への攻撃

八九年の天安門事件以後、方励之ら急進改革派に対する批判は、いっそう強まった。たとえば、次のごとくである。

(1) 方励之批判

八九年六月四日の武力鎮圧以後、保守派主導の当局がまず行ったのは、民主化運動の指導者たちに対する批判であった。それは彼らの理論、政見に対する批判に始まり、中国における批判のお決まりのように、誹謗、侮辱、人身攻撃に及ぶものであった。批判の中心に据えられたのは、まず第一に鄧小平宛て公開状を書いて、民主化運動の象徴的存在になり、六・四以後アメリカ大使館に庇護を求めた方励之・李淑娴夫妻であった。彼ら夫婦、なかでも方励之に対する批判の厳しさは、のちに数種の単行本に収められたものだけでも一〇篇を越えるという批判論文の数から、そして『方励之的真面目』(中央紀律検査委員会弁公庁編、北京・法律出版社、一九八九年七月)というパンフレットが出版された事実からうかがうことができる。掲載紙を見ると、七月段階ではまず『北京日報』が批判の論陣を張り、のち『人民日報』『光明日報』が追随したことが分かる(表3参照)。

方励之の「罪状」は、マルクス主義を貶め、社会主義制度を攻撃したこと、共産党の指導に反対し、人民民主主義独裁を戯画化したこと、学生を煽動して騒ぎを起こさせたこと、である。

天安門事件以後の方励之批判論文の大部分はアメリカ大使館亡命を非難したものである。曰く、方励之は知識人には独立した態度が必要だと説いているが、彼はアメリカ大使館に庇護を求めたことによって独立性を失った云々。方励之が大使館に庇護を求めたのは、どさくさに紛れて暗殺される危険が強かったからと見られるが、当局にとっては格好の攻撃材料であり、方励之は「アメリカの傘に保護されて

表３　『方励之的真面目』収録の批判論文

［1］中央紀律検査委員会弁公庁編『方励之的真面目』北京・法律出版社、1989年7月、101頁

［2］李京「方先生はもはや“独立”していない」『北京日報』1989年6月12日（『動乱“精英”劣迹録』『方励之的真面目』所収）

［3］陸詩宜「洋傘に身を隠したラッパ手方励之」『北京日報』1989年6月13日（『動乱“精英”劣迹録』『方励之的真面目』所収）

［4］凌陣「方先生は、アメリカのためにいかなる計を献じたか」『北京日報』1989年6月15日（『動乱“精英”劣迹録』『方励之的真面目』『中国当代“精英”的真面目』所収）

［5］吉武「方励之は、“徹底的”にどこへ行く」『北京日報』1989年6月16日（『方励之的真面目』『中国当代“精英”的真面目』所収）

［6］夏陽「方励之の“独立性”を見よ」『北京日報』1989年6月19日（『方励之的真面目』所収）

［7］喬雲「方励之の売国“三部曲”と“三段階”」『北京日報』1989年7月3日（『方励之的真面目』所収）

［8］趙前「方励之、張顕揚らはかねて“動乱”を提起していた」『人民日報』1989年7月17日（『動乱“精英”劣迹録』『中国当代“精英”的真面目』所収）

［9］凌陣「方励之はいかに“中国解体”を図ったか？」『北京日報』1989年7月14日（『動乱“精英”劣迹録』所収）

［10］周彤文「李淑娴にはいかなる“中国心”ありや」『人民日報』1989年7月15日（『動乱“精英”劣迹録』『中国当代“精英”的真面目』所収）

［11］甌海（中国科学技術大学）「方励之の反共売国の道筋」『光明日報』1989年9月9日（『動乱“精英”劣迹録』所収）

［12］余敏「方励之の鼓吹する“西方民主主義”を分析する」『人民日報』1989年9月25日（『中国当代“精英”的真面目』所収）

［13］曹新路「方励之がマルクス主義哲学に反対した謬論」『人民日報』1989年11月26日（『中国当代“精英”的真面目』所収）

中国を非難する人物」と繰り返し攻撃した。ナショナリズムに訴えることは、危機に際して中国当局がとる常套手段である。

方励之と王丹（北京大学学生）との接触については、「動乱」をつくりだすためであった、と決めつけている。方励之が「中国にとって必要なのは解放ではなく、解散であり、解体である」と述べたことについては、「解散」の内容は、国家の分裂、地方割拠か、あるいは外国列強の分割による植民地化にほかならない、とやはりナショナリズムを煽動している。しかし「植民地香港」が繁栄を謳歌していることからして、この種の煽動がどこまで有効かは疑問が残る。総じて、西洋かぶれの西洋化一辺倒論者の妄言だというのが批判の基調である。

(2) 劉暁波批判

第二の標的は劉暁波であった。劉暁波は一九五五年生まれ、七七年に吉林大学中文系を卒業、その後北京師範大学の大学院に入り、八八年六月、文学博士の学位を得た。同年ノルウェーとアメリカを訪問している。四月二七日、ニューヨークから北京に戻り、天安門広場の学生運動に参加した。

アメリカ滞在中に学生運動の盛り上がりを知って寄せた四月二二日付の「中国民聯から全中国大学生への公開状」（『チャイナ・クライシス重要文献 第1巻』一一三〜一一四頁）に彼は胡平、陳軍らとともに署名し、使命感に燃えて早速帰国した。その後、運動の中心的存在の一人となり「六・二ハンスト宣言」（『チャイナ・クライシス重要文献 第3巻』六一〜六六頁）を発表して、周舵（北京四通集団公司総合計画部部長）、侯徳健（シンガー・ソングライター、「竜の子孫」の作者）、高新（『北京師範大学周報』前編集長。釈放後アメリカに亡命。『卑微与輝煌――一個六四受難者的獄中札記』台北・聯経出版、一九九一年六月）とともに、知識人グループを代表してハンストを敢行した。

ハンスト宣言に曰く。

「数千年来、中国社会は古い皇帝を打倒し、新しい皇帝を樹立するという悪性循環のなかをたどってきた。歴史が明らかにしているとおり、民心を失ったある指導者の退場と深く民心を得ている別の指導者の登場によっては、中国の政治の実質問題は解決できない。われわれが必要なのは完璧な救世主ではなく、完備した民主制度である。このため、われわれは次のことを呼びかける。第一に、全社会で各種方式によって合法的な民間自治組織を成立させ、段々と形成される民間の政治力量によって政府の政策へのチェック・アンド・バランスの役割を果たすこと。というのは民主の精髄はチェック・アンド・バランスにある。われわれには絶対的権力を有する一人の天子の存在よりも、むしろ一〇人の相互にチェック・アンド・バランスをする悪魔の存在のほうが必要なのである。第二に、重大な過ちを犯した指導者を罷免することを通して、徐々に完璧な罷免制度を樹立すること。だれが登場しだれが退場するかは大して重要なことではなく、重要なことはどのように登場し、どのように退場するか、ということである。民主的手続きを踏まない任免は独裁を導くだけである」（『チャイナ・クライシス重要文献　第3巻』村田忠禧訳、六三頁）。

ここで「宣言」のいう「古い皇帝」が毛沢東を指し、「新しい皇帝」が鄧小平を指すことは明らかである。「絶対的権力を有する一人の天子」もまた鄧小平であり、それよりは「一〇人の相互にチェック・アンド・バランスをする悪魔の存在」のほうがましだと主張した。また戒厳令布告という「重大な過ちを犯した指導者を罷免することを通じて、徐々に完璧な罷免制度を樹立する」という考え方も、当時の混迷した政治状況において（その実現可能性は別として、少なくとも思想的レベルで）、大きな方向付けを与えるものであった。劉暁波に対する批判論文の数、および論調の厳しさは、劉暁波の政治思想に対する権力者側の恐怖感をよく示している。

『劉暁波其人其事』（鄭旺・季蒯編、北京・中国青年出版社、一九八九年九月）というパンフレットが出ているだけでなく、批判論文の数は方励之よりも多いほどである（表4）。

劉暁波は八八年一〇月に香港『解放月刊』によせた論文（本書三四六頁以下に全訳）のなかで、中国におけるマルクス主義は、信念というよりはむしろ専制権力の一部と化しており、支配者が思想独裁を行う道具に堕落していると指摘して、話題を呼んだが、このような認識が権力にとっていかに危険なものと受け取られたかは、それに対する反撃の激しさがよく示している。

劉暁波はまた植民地香港の繁栄を讃えて、香港は百年の植民地によって今日のような繁栄を得た、中国大陸はかくも大きいのであるから、当然三〇〇年植民地になることが必要だ、と論じたが、これも売国主義と批判されている。「三〇〇年植民地論」から分かるように、劉暁波の発想は「過激」であり、当局にとっては危険な煽動家である。

(3) その他天安門事件関連知識人に対する批判

事件後に当局が作成した批判論文が単行本の形にまとめられているのは、方励之と劉暁波だけであり、この二人が民主化運動の両横綱であることが分かる。これら横綱級の改革派に対する批判論文も含めつ

表４　「劉暁波其人其事」に対する批判論文

［14］鄭旺・季蒯編『劉暁波其人其事』（北京・中国青年出版社、1989 年 9 月）に所収される諸論文
［15］寧然・大可「創造と銭とセックス」『学習与研究』1989 年第 6 期（『劉暁波其人其事』所収）
［16］王昭「劉暁波の黒い手を摑む」『北京日報』1989 年 6 月 24 日（『動乱“精英”劣迹録』『動乱真相与“精英”的表演』所収）
［17］凌陣「愛銭と喜捨——劉暁波の横顔」『北京晩報』1989 年 7 月 4 日（『動乱“精英”劣迹録』『動乱真相与“精英”的表演』所収）
［18］劉躍光「社会主義公有制を堅持し完全にせよ」『光明日報』1989 年 7 月 24 日（『劉暁波其人其事』所収）
［19］華多「欧化、人間化と“人種転換”」『北京日報』1989 年 7 月 26 日（『動乱“精英”劣迹録』『動乱真相与“精英”的表演』所収）
［20］辛彦「アメリカはなぜ植民地にならなかったか」『北京晩報』1989 年 7 月 26 日（『劉暁波其人其事』所収）
［21］王暁「劉暁波の“三百年植民地”説を駁す」『北京晩報』1989 年 7 月 29 日（『劉暁波其人其事』所収）
［22］穆強「劉暁波はどんな“自由”欲したか」1989 年 7 月（『動乱“精英”劣迹録』『動乱真相与“精英”的表演』所収）
［23］徐穎「劉暁波の〈河殤〉観を分析する」（1989 年 7 月、『動乱“精英”劣迹録』『動乱真相与“精英”的表演』所収）
［24］簡夫「“中国心”か、売国心か」『工人日報』1989 年 8 月 7 日（『劉暁波其人其事』所収）
［25］喬雲「一部の者を先に民主化せよ“とは何事か」『首都理論消息報』1989 年 8 月 8 日『劉暁波其人其事』所収）
［26］凌陣「民主的個人主義の氾濫に警戒せよ——劉暁波とアメリカ白書」『学習与研究』1989 年第 8 期（『劉暁波其人其事』所収）
［27］厳実「“エリート”政治の破産」『学習与研究』1989 年第 8 期『劉暁波其人其事』所収）
［28］伍馳「劉暁波の“光栄”」（『劉暁波其人其事』所収）
［29］九鳴「“愛国者”が“海賊舟”に乗った」『工人日報』1989 年 8 月 7 日（『劉暁波其人其事』所収）
［30］馬潤青「売国奴の面目の大暴露」『工人日報』1989 年 9 月 8 日（『動乱“精英”劣迹録』所収）
［31］華多「“エリート”印の“民主政治”を暴く」『学習与研究』1989 年第 9 期（『劉暁波其人其事』所収）
［32］聞平「劉暁波のブルジョワ自由化の謬論」『人民日報』1989 年 11 月 7 日（『中国当代“精英”的真面目』所収）

表5　その他天安門事件関連知識人に対する批判

◆批判論文集

［33］『動乱“精英”劣迹録』中共北京市党委研究室編、北京・北京出版社、1989年12月、所収

［34］『動乱真相与“精英”的表演』中共中央宣伝部編、北京・人民出版社、1990年2月、所収

［35］『中国当代“精英”的真面目』施友編、北京・光明日報出版社、1991年1月、所収

◆厳家其批判

［36］李建生「動乱の“エリート”厳家其」『人民日報』1989年8月3日（『動乱“精英”劣迹録』『動乱真相与“精英”的表演』『中国当代“精英”的真面目』所収）

［37］鐘海「ブルジョア共和国の樹立を妄図した綱領――厳家其『首脳論』を評す」『光明日報』1989年9月2日（『動乱“精英”劣迹録』所収）

［38］呉大英・李延明「社会主義共和国は転覆できない――厳家其の政治理論と政治実践を評す」『人民日報』1989年9月21日（『動乱“精英”劣迹録』所収）

下記は厳家其自身がまとめたものである。

［39］『走向民主政治――厳家其中国政治論文集』楊大利（プリンストン大学政治系）編、ニュージャージー・グローバル パブリッシング／新北・八方文化、1990年1月、331頁

◆ウルケシ批判

［40］石青「ウルケシの全面目」『中国教育報』1989年8月29日（『動乱“精英”劣迹録』『動乱真相与“精英”的表演』所収）

［41］魏谷「ウルケシはアメリカでどんな役割を演じたか」『瞭望』1989年第35期（『動乱“精英”劣迹録』『中国当代“精英”的真面目』所収）

◆陳一諮批判

［42］龔佐周、金燦「陳一諮の真面目を見よ」『経済参考』1989年4月20日（『中国当代“精英”的真面目』所収）

［43］韋驥「陳一諮が幕後から幕前に出てきた」『中流』1990年第5期（『中国当代“精英”的真面目』所収）

なお、以下は陳一諮自身がまとめたもの

［44］陳一諮『中国：十年改革与八九民運』台北・聯経出版、1990年6月、聯経評論⑱、216頁、180元

◆王丹批判

［45］ある大学生「私は王丹の情況を伝えよう」『北京日報』1989年6月16日（『動乱“精英”劣迹録』所収）

◆万潤南批判

［46］葉光「万潤南は石を持ち上げ、誰をつぶそうとしたか」『人民日報』1989年8月17日（『動乱“精英”劣迹録』『動乱真相与“精英”的表演』『中国当代“精英”的真面目』所収）

表5（続き）

◆戴晴批判

［47］淦岩「動乱"記者"戴晴」『光明日報』1989年9月13日（『動乱"精英"劣迹録』『動乱真相与"精英"的表演』『中国当代"精英"的真面目』所収）

◆戈陽批判

［48］喬煊「古株の女動乱"エリート"戈陽」『光明日報』1989年10月14日（『動乱"精英"劣迹録』『中国当代"精英"的真面目』所収）

◆李洪林批判

［49］厳和「ブルジョア自由化の"理論家"李洪林」1989年10月（『動乱"精英"劣迹録』所収）

◆劉賓雁批判

［50］郭帆「劉賓雁反動面目の大暴露」『人民日報』1989年11月3日（『動乱真相与"精英"的表演』『中国当代"精英"的真面目』所収）

◆王若望批判

［51］史静萍「王若望"近衛軍戦士"の仮面を剝ぐ」上海『文匯報』1989年10月20日（『中国当代"精英"的真面目』所収）

［52］亦木保俊「王若望其人其事」『文学報』1989年12月14日『人民日報』1990年1月6日（『動乱真相与"精英"的表演』『中国当代"精英"的真面目』所収）

◆蘇暁康批判

［53］馬午陽「蘇暁康は"大胆に"どこへいくのか」『中流』1990年第1期（『中国当代"精英"的真面目』所収）

なお、下記は蘇暁康がまとめたもの

［54］蘇暁康『自由備忘録』万盛焦点文叢系列之三、台北・万盛出版、1989年7月、449頁

◆胡績偉批判

［55］陳延「胡績偉主編『猛醒的時刻』を評す」『求是』1990年第7期（『中国当代"精英"的真面目』所収）

◆蘇紹智批判

［56］馬理銘「蘇紹智の、反社会主義、反マルクス主義の面目の大暴露」『人民日報』1990年4月25日（『中国当代"精英"的真面目』所収）

◆亡命以後の改革派群像

［57］鄭一天「裏切り"エリート"の海外でのパフォーマンス」『中流』1990年第5期（『中国当代"精英"的真面目』所収）

［58］何思成「裏切り"エリート"の亡命録」『人民日報』1990年5月3日（『中国当代"精英"的真面目』所収）

つ、当局は結局、民主派批判の書物を三冊出版している（表5）。［33］は八九年暮、［34］は九〇年初、［35］は九一年初である。［33］の編者は中共北京市党委研究室であり、民主化運動の鎮圧において中共北京市党委員会が先頭に立ったことをよく示している。これに追随する形で［34］中共中央宣伝部の本があり、最後に［35］は事件以後に保守派が創刊した『中流』誌などの論文も含めて、やや広い観点から、民主派批判を展開している。

厳家其　これら三冊の本に収められた批判論文は重複するものがきわめて多い。数の多さから運動における活躍度を見るとすれば、第三に重要な人物は厳家其である。厳家其は、鄧小平を「愚昧な独裁者」と決めつけた「五・一七宣言」（『チャイナ・クライシス重要文献　第2巻』二五〜二六頁）の起草者としてあまりにも有名であろう。私はかつて『中国開放のブレーン・トラスト』を書いたときに、冒頭で厳家其を紹介した。彼は一九四二年生まれ、江蘇省武進県の人である。六四年に中国科学技術大学を卒業し、中国社会科学院哲学研究所の研究生（大学院生）となった。その後、同研究所に勤務し、八〇年代半ばに政治学研究所が新設された際に、所長に就任した。

厳家其は七八年に書いた「幹部終身制廃止論」（『人民日報』一九八〇年六月一二日付）で注目され、中国的官僚主義病を八つに分類して話題を呼んだ。すなわち、目標分散症、執行機関萎縮症、文書溺愛症、意志決定系統分裂症、情報神経錯乱症、誇大妄想症、反応愚鈍症、環境認識欠如症、である（「機構病八談」）。天安門事件以後、彼はパリに亡命し、民主中国陣線の初代主席を務めた。著書に『四五運動紀実』『中国文革十年史』『首脳論』『権力与真理』（以上、大陸で出版）、『我的思想自伝』（香港・三聯書店、一九八八年一〇月。台湾・風雲時代出版、一九八九年七月）などがあり、亡命以後に、『走向民主政治——

厳家其中国政治論文集』（楊大利編、米ニュージャージー、グローバル・パブリッシング・カンパニー、一九九〇年一月）を出版した。

ウルケシ　第四はウルケシの二篇だが、九〇年になるとこの序列は陳一諮（国家経済体制改革研究所所長）に取って代わられた。

ウルケシは一九六八年生まれ、原籍は新疆ウイグル自治区伊寧県だが、父親が教育部門の高級幹部であり、北京で育った。八八年北京師範大学教育系に入学、八九年に北京市大学学生自治聯合会常務委員、主席となった。武力鎮圧以後、地下のルートでパリに亡命し、民主中国陣線の副主席に就任した（第一期のみ）。天安門広場のアイドルとして抜群の人気であったが、亡命以後の評判は必ずしも芳しいものではない。

陳一諮　当初は陳一諮と趙紫陽の関係からして、陳一諮に対する批判を避けていたが、九〇年春から『経済参考』や『中流』を通じて批判が展開された。

陳一諮は一九四〇年生まれ、陝西省三原県の人。北京大学物理系と中文系に学んだ。六五年に毛沢東宛てに手紙を書いたために「反革命分子」とされ、迫害された。鄧小平時代になってから、胡耀邦のはからいで北京へ呼び戻されたが、その後、趙紫陽のもとでまず中国農村発展研究組を組織し、ついで中国経済体制改革研究所をつくり、さらに中央政治体制改革弁公室を組織し、改革に貢献した。

五月一九日、戒厳令の前夜に「三研究所一学会の六カ条緊急声明」（『チャイナ・クライシス重要文献第2巻』八〇〜八一頁）が戒厳令発動の秘密を暴露したが、その中心人物が、当時経済体制改革研究所所長を務めていた陳一諮であった。この声明は、彼が趙紫陽の秘書鮑彤と連絡して作ったものだといわれる。

アメリカに亡命して以後、『中国・・十年改革与八九民運――北京六四屠殺的背後』（台北・聯経出版、九〇年六月）を出版し、その後、プリンストン大学客員研究員を務めた。

王丹　二四歳、吉林省出身、北京大学歴史系学生。北京大学で方励之の妻李淑嫻女史らと連絡をとって「啓蒙サロン」を開いて啓蒙活動に努め、胡耀邦の死を契機にして北京大学の学生運動を組織した。北京大学学生自治会準備委員会常務委員、北京市大学学生自治聯合会常務委員を務め、八九年五月一三日、天安門広場でハンスト宣言を読み上げた。運動鎮圧以後八九年七月二日、台湾のジャーナリストと会った直後に逮捕され、秦城監獄に投獄、九一年一月二六日、北京中級法院により、懲役四年、政治的権利剥奪一年の判決を受けた（『中国における人権侵害』蒼蒼社、一八六頁）。

万潤南　上海市生まれ、清華大学土木建築系卒。八四年コンピューター・ソフト会社・四通公司をつくり、成功した。天安門事件に際しては、その資金力を活かして学生運動を支援した。また部下の曹思源（四通社会発展研究所所長）は全人代常務委員会の緊急会議開催署名運動に活躍し、周舵（四通公司総合計画部長）は知識人ハンストに参加した。

天安門事件以後、パリに亡命し、民主中国陣線初代秘書長、二代主席に就任した。

戴晴　一九四一年八月、四川省重慶市生まれ、女性、ハルピン軍事工程学院卒。父親は革命烈士のため、葉剣英養女として育てられる。八三年『光明日報』記者となる。ルポルタージュ「祖国の文明と運命をともにする」で第二回全国優秀ルポ賞を受賞。「王実味と『野百合の花』」「儲安平と党天下」などの名誉回復ルポが話題になる。

八九年の民主化運動に際しては学生を積極的に支援した。五月一四日、温元凱らとともに天安門広場に行き、学生の広場撤退を説得するとともに、緊急アピールを発表し、政府に学生運動への理解を求めた。六月四日中国共産党を離党した。七月一四日身柄を拘束され、まず秦城監獄に投獄、ついで九〇年二月、警察の招待所に移され、五月九日釈放された（『中国における人権侵害』蒼蒼社、二五九頁）。釈放後、「我的入獄」（香港『明報』一九九〇年五月一九～二九日、のち戴晴『我的入獄』香港・明報出版社、一九九〇年七月、所収）を発表した。

戈揚　一九一六年生まれ、女性、江蘇省揚州市の人、建国後、『解放日報』北京駐在事務所主任を務める。五〇年『新観察』編集長になる。五七年の反右派闘争で右派分子とされ、『新観察』編集長解任。五八年以降、下放処分。八〇年以後、復刊された『新観察』編集長。八九年四月一九日、胡耀邦追悼座談会に出席したあと、招かれて訪米したが、天安門事件後、帰国できず、現在に至る。

李洪林　一九二五年遼寧省生まれ、四六年西北農学院入学。文化大革命期に労働改造処分を受けた。七七年中国歴史博物館党史部に転任。七九年に王若水とともに極左思想を批判し、中共中央宣伝部（部長＝胡耀邦）理論局副局長になる。八二年保守派から攻撃されて、同ポストを解任された。その後福建省社会科学院院長になる。著書に『理論風雲』がある。

八九年の民主化運動に際しては、学生運動を支持して、政府に対して学生との対話を呼びかけ（五月一一日付緊急アピール）、また政治犯の釈放を要求したために責任を問われ、七月六日福建省の自宅で逮捕された。九〇年五月一〇日、新華社が釈放を報じた。

蘇暁康　一九四九年生まれ、成都の人。天安門事件前、北京広播学院新聞系教師。テレビ・ドキュメンタリー「河殤」で中華思想の迷妄を撃ち、話題となった。廬山会議を描いた「ユートピア祭」も世間を騒がした。著書に『自由備忘録』(台北・万盛出版、八九年七月)がある。天安門事件後、アメリカに亡命した。

胡績偉　一九一六年四川省威遠県生まれ、四川大学経済系卒。延安時代に『解放日報』取材通信部主任、のち西北人民放送局編集長を兼任。五二年『人民日報』副編集長となる。七七年『人民日報』編集長に昇格。八二年『人民日報』社長に就任。八四年一一月、引退した。八八年三月全国人民代表大会七期人民代表常務委員に選出された。民主化運動に際しては、『世界経済導報』八九年五月四日号に「報道の自由なくして、真の安定団結なし」を寄せ、また四通社会発展研究所に委託して、全人代常務委員会の緊急会議開催署名運動を行い、当局から敵視された。

常務委員の地位からして逮捕は免れたものの、九〇年春の全人代会議に際して、四川省代表の地位を剥奪され、出席できなかった。『人民日報』編集長時代に、真理の基準論争を展開し、報道の自由について最も精力的に活動した論客の一人である。九〇年九月中共より除名された。

蘇紹智　一九二三年、北京生まれ、満洲族。四九年天津の南開大学経済系を卒業し、上海復旦大学経済系副教授となる。六四年『人民日報』理論部に移る。七九年に中国社会科学院マルクス・レーニン主義=毛沢東思想研究所(所長=于光遠)に移り、のち所長に就任した。ユーロ・コミュニズム研究の第一人者であり、動脈硬化した中国マルクス主義を最も柔軟に発展させようとした代表的な論客である。天安門事件当時、訪米中で、事件後の一時期は帰国できずにいた。「政治体制改革趨議」は大いに注目された(『中国のペレストロイカ』蒼蒼社、一四八~一五四頁)。天安門これら被批判者の大部分は事件後、亡命したか、あるいは逮捕ののち釈放されたが、このうち「亡命組」をまとめて批判したものが表5の［57］［58］の二論文である。

［57］「裏切り〝エリート〟の海外でのパフォーマンス」は、亡命組の改革派が民主中国陣線を組織したこと、その綱領が中国共産党の支配の転覆に向けられたものであることに神経をとがらせて、その活動を非難するとともに、劉賓雁、万潤南らが台湾を訪問したことを非難している。

［58］「裏切り〝エリート〟の亡命録」は、厳家其、ウルケシ、万潤南、陳一諮、蘇暁康らの民主中国陣線の活動や海外での演説などについて、「祖国に背き、気節を喪失したもの」と非難している。

これら当局側の批判論文はいずれも、文革期の「革命的大批判」を想起させるようなもので、当局の責任は棚上げし、ひたすら「裏切り〝エリート〟」たちを弾劾している。

(4) 改革派批判の論点

当局側の批判の論理は単純きわまるものである。「河殤」などが中華思想を批判したことについては「祖先を罵倒したもの」と断定する。ついで中国の後進性、封建性などを批判したものについては「祖国を罵倒したもの」と断定する。共産党の一党独裁批判については、「共産党罵倒」それ自体が罪悪である。要するに、改革派からすれば、彼らの批判の矛先は、共産党の一党独裁であり、社会主義の名における封建的専制主義なのであるが、当局は批判の論点をすり替え、「祖国を罵倒し、中国人を罵倒した」と論理を飛躍させる。こうしてナショナリズムを煽り、亡命組への敵意を剥き出しにしている。

「共産党の指導」と「社会主義の堅持」が当局の目標だが、そのために説得的な論理を発見できず、単に「振興中華」のナショナリズムを宣揚するだけなのは、イデオロギー的貧困を如実に示すものと思われる。

4　劉暁波のマルクス主義批判

以下では、改革派のなかで最も急進的な劉暁波の主張の一端を読んでみよう。

●資料1

劉暁波「地獄の入り口で――マルクス主義の再検討」

私（劉暁波）はかつて中国の多くの若者と同じように、熱狂的かつ敬虔にマルクス主義を信じたことがある。この信仰〔原文＝信仰〕は、一方では愚昧無知のためであり、他方では文化専制主義によってもたらされた知識真空のためであった。私の青少年時代を回想すると、ほとんど文化砂漠のなかで生きてきた。統治者がわれわれ「共産主義の後継者」のために定めた良書とは主としてマルクス、エンゲルス、レーニン、スターリン、毛沢東の著作であり、それに関わる紹介的な著作であった。これらの人々の著作のうち、マルクスは疑いなく最も哲学的な天賦に恵まれており、彼の著作にはある種の創造的天才的な閃きがあり、しかも豊富な哲学史上の知識が含まれており、彼の本を読むと他の人々の本を読むよりもはるかに幸せであった。

いまでも忘れがたいのは、私が（一五歳のとき）

初めて『共産党宣言』を読んだときの感激であり、全書を貫く激情と自信は私の心を深く動かした。その後、中学時代に『マルエン選集』『レーニン選集』を通読し、大学時代に『マルエン全集』を通読した。相対的にいえば、私はマルクスの初期の著作が好きである。これらの著作は、濃厚な哲学臭と反逆精神を帯びている。とりわけ後者は私に対してきわめて大きな影響を与えた。さらにマルクスの著作のなかの豊富な哲学史の知識は私がその後西方哲学を学ぶ上での糸口を提供してくれた。マルクスの著作が私にとって最初の知的背景となったことは、終生ついて回るかもしれない――絶対的信仰としてであれ、批判的な研究対象としてであれ。絶対的信仰としてのマルクス主義が私の心中で死滅し、批判的研究対象としてのマルクス主義が永らえてほしいと私は希望している。私だけではなく、あらゆる中国人は思想上でこの関門を越えなければならない。すなわちマルクス主義を批判することである。

アインシュタインはこう語ったことがある。青年時代にマルクス主義を信じない者には良心がないというべきである。中年以後もマルクス主義を信じている者は頭脳がないというべきである（大意はこうである）。この話は私が若いときにマルクス主義を熱狂的に敬虔に信じたことを自ら慰めるのに役立つ。しかし、私が同意しようがなく、また自分で許せないのは、青年時代にマルクス主義に対して無知蒙昧に似た信仰をもつことは良心の現れなのかということである。良心と頭脳は截然と分けられるのであろうか。私が思うに、宗教信仰を除けば、マルクス主義であれ、あるいは他の何主義であれ、いかなる時期においても絶対的に信仰するのは、盲目愚昧の現れであり、すべて自己の良心と頭脳を喪失した現れにほかならない。マルクス主義あるいは他の主義を批判的に研究することは、いかなる時期においても知恵のメルクマールである。マルクス主義に対する熱狂的な信仰が東方世界の半分以上に広まったとしても、中国やソ連の広範な信徒たちはいま世界で愚昧な一群ではないのだろうか。人間の愚昧、無知、盲目および軟弱さが社会主義陣営においてマルクス主義が絶対的信仰となった重要な原因の一つである。

細かく思索すると、人々のマルクス主義に対する熱狂的信仰はある種の思想あるいは信仰（宗教的意味での）ではなく、絶対的権力に対する崇拝と屈伏なのである。というのは、東方のマルクス主義はすでに思想や信仰ではなく、専制権力の有機的な一部分であり、東方の専制者が独裁統治を行う道具なのである。したがって、マルクス主義批判は東方専制主義批判に直接的に転化するし、マルクス主義の弁護を続けることは東方専制主義の弁護に直接的に転化する。とりわけ中国とソ連では、専制者はマルクス主義を看板とする思想独裁を一日たりとも放棄できないのであるから、真の覚醒者は一日たりともマルクス主義に対する批判を放棄できないのである。

マルクスは『経済学批判（序説）』のなかで、真理の探究に関わることを述べている。大意はこうである。「真理への入口においては、地獄の入り口と同じように、いささかなりとも怯懦や猶予は許されない！」キリストの受難精神に富むこの言葉は、私がこの文を書くよう激励する主要な動力の一つである。それゆえ本文のタイトルとした。

私はマルクス主義を絶対的権威とする専制主義国家の平民として、批判的態度でマルクス主義を改めて検討したい。一部の人から見ると、甘んじて地獄に下り、あるいは自ら苦しみを求めるものである。しかし、私はそのように考えているわけではない。私は地獄に落ちるのではなく、私個人が非常に興味を感じ、しかも創造力を発揮できるゲームをやるのである。遊び方が確かなものかどうかは知らない。一歩退いていえば、まずはこの批判を地獄へ行くことだとしても、私個人の選択にすぎない。したがって、煉獄の火が私を焼き尽くしたとしても私の望むところであり、祖国あるいは人民、あるいは四つの現代化のためという厳粛な目的への献身なぞではさらさらなく、私が自分の選択に対して完全な責任をもつだけのことである。私が昇天しようが、地獄へ行こうが、すべて私自身が決定する。神に対して期待するのでないかぎりは、人間はこの世で自ら決定するのである。

心を落ち着けて論ずれば、どんなに残酷な暴政であろうとも、人間はそれに直面したとき、恐れるべきではなく、恨み言をいうべきではない。服従するか反逆するかは各個人が決めることである。中国人が専制者を恨むとき、自らをもっと恨むべきなのだ。もし中国人があまりにも怯懦であり、愚昧でないならば、当代中国の専制者はどうしてかくも憚ることなく、かくも道理を語ることなしに、真理と見なすことができるのか。暴政は恐るべきではなく、恐るべきは暴政に対する屈伏、沈黙、賛美である。徹底的な反抗を決めさえすれば、専制主義がどんなに残酷だとしても長続きするはずはない。したがって、唯一価値のあるのは、自ら選択すること、この選択に対して責任を負うことである。苦渋に満ちた受難者の口調で専制主義の残酷さに対する怨みを述べたところで、他の人々と同じように、沈黙したり、完全に服従したり、迂回して避けるならば、いくつもの山、いくつもの嶺を越えて九十九折りの河川に沿って歩くように、専制者の逆鱗に触れることはないし、中華民族の伝統的美名――含蓄にあてはまる。なんたる妙か！

もし専制主義の非情さを知り、反抗を決意すれば禍が天から降ることを知っておりながら、敢えてぶつかり、血を流そうとも他人を恨むことはできない。「観客」を恨むことはできないし、専制者を恨むこともできない。この咎は自分のものである。地獄へ落ちることを恨んではならないのは、反逆者が世界を不公平だと恨んでならないのと同じである。怨みからは永遠に何も生まれはしない。

昔マルクスは一人で資本主義社会と対立する立場に立ち、いささかも妥協せず、徹底的に反抗的な態度で挑戦を行い、断じて猶予することがなかった。マルクス主義が今日どんなに時代遅れであり、陳腐なところがあるとしても、マルクス主義が東方専制主義の政治的道具としてどれほどの人に屈辱を与えたとしても、私がいささかの容赦もなくマルクス主義を批判したとしても、マルクス自身の当時の勇気はいかなる時代においてであれ、貴いものである。いや、私は勇気こそが創造に必須だとさえ考えている。およそ凡庸な者にはいささかの勇気もない。勇気は知恵と同じく、人類の富を創造する動力の一つである。

ついで一言いえば、マルクス主義に対する批判は西方でかねて始まっており、参考とすべき成果もある。いや、現代の西方においては、マルクス主義批判は文化界、思想界にとって重要な動きではなく、この批判がないとしても西方社会は失うものは何もない。しかし東方では、とりわけ中国人とソ連では、マルクス主義批判の意義はちいさなものではない。一般的に必要だというのではなく、緊急に必要なのである。というのは、東方ではマルクス主義批判はある思想流派の検討にとどまるものではなく、専制主義の独裁手段に対する批判であり、独裁主義に直接的に反対する上で必要不可欠のものである。それゆえ、私の批判はマルクス主義自体に対するものというよりは、東方式の思想独裁に対するものである。私は地獄の入口において、誇らしい英雄のポーズをとったり、目を細めて優柔不断な態度をとる人間にだけはなりたくない。

（原載、香港『解放月刊』一九八九年四月号。その後、『劉暁波其人其事』北京・中国青年出版社、一九八九年九月、一〇一～一〇五頁、所収）

以上の劉暁波のマルクス主義批判について筆者の若干のコメントを付しておきたい。

劉暁波が「青年時代にマルクス主義を信じない者には良心がない」「中年以後もマルクス主義を信じている者は頭脳がない」という警句を引用しているのは、われわれ日本人にとってはいかにも陳腐だが、マルクス主義を国是とし続けている中国にとっては、大胆な発言なのであろう。このようにマルクス主義を相対化しつつ、「中国とソ連では、専制者はマルクス主義を看板とする思想独裁を一日たりとも放棄できないのであるから、真の覚醒者は一日たりともマルクス主義に対する批判を放棄できない」と論理を進めるとき、その単純明快な論理は新鮮である。特に劉暁波がこれを語ったのは、八八年だが、それから三年経て、ソ連八月革命が起こった事実を踏まえて読み直すと、その「非政治的発言」が、たいへんな政治性を帯びてくるように感じられる。

劉暁波は「動乱を煽動する」「狂人」「狂犬」「黒馬」と非難されたが、それは彼の発言の衝撃力を恐れてのことであろう。しかし、劉暁波は八九年「六・二ハンスト宣言」では、学生側の欠陥をはっきり指摘して、より具体的な問題意識になっていることが分かる。

「学生側の過ちは主として内部組織の混乱、効率と民主的手順の欠如に表れている。例えば、目標は民主的だが、手段、過程は非民主的、理論は民主的だが、具体的問題の処理は非民主的。合作精神が欠乏し、権力の相互相殺で方針のお粗末な状態を作り出したこと、財政面の混乱、物質面での浪費、感情に走りすぎ、理性に欠けたこと、特権意識がありすぎ、平等意識が足りないことなどなど。この百年来、中国人民が民主をかちとる闘争はいずれもイデオロギーとスローガンのレベルに留まっていた。ただ思想啓蒙を講ずるだけで、現実運営を講じない。ただ目標を講ずるだけで、手段、過程、手順を講じない。われわれは、民主政治の本当の実現は、運営の過程、手段、手順の民主化であると考える」(『チャイナ・クライシス重要文献　第3巻』六四頁)。

こうした反省の上に、「あらゆる具体的事例から開始すべき」だとして、彼らはまずハンストに突入したのであった。

劉暁波は鎮圧のあとで逮捕されたが、釈放後に天安門広場では死者を実見しなかったと証言して(『チャイナ・クライシス重要文献　第3巻』一六九頁)、話題を呼んだ。「私は歴史に対して責任を負わなければならない」とする考え方に基づいて、真実の証言を行ったわけだが、ここには当面の利害関係などを抜きにして、真実を尊重しようとする誠実な態度が表れており、私は大いに共感する。中国当局としては、もし劉暁波の証言の信憑性を減殺したくないのであれば、「狂人」扱いせず、彼の問題提起にまともに答えるべきではないか。

二　天安門事件以後の秩序再編制

1　ソ連八月革命までの流れと保守 vs 改革派の構図

天安門事件は中共中央にとってきわめて重大な政治危機であった。中共中央、国務院、解放軍の指導部が民主化運動への対応策をめぐって大きく分裂し、一時は二重権力あるいは権力の空白を感じさせる事態さえも生まれるほどの混乱状況であった。

鄧小平ら強硬派は、まず総書記趙紫陽の解任、後継者としての江沢民を内定した上で、六月三～四日に武力鎮圧を断行した。その後、六月二一日の政治局拡大会議で趙紫陽グループの解任、後継人事の基本方針を決定し、これを八九年六月二三～二四日の一三期四中全会で正式に決定した。趙紫陽、胡啓立が政治局常務委員会から消えて、代わりに、江沢民（政治局委員、上海市党委員会書記）を新総書記に選び、江沢民、宋平（政治局委員、党中央組織部長）、李瑞環（政治局委員、天津市党委員会書記）が中共中央政治局常務委員に昇格した。

戒厳令体制のもとで民主化運動を担った学生や知識人への弾圧は徹底的に行われ、海外に亡命した少数の者は別として、多くの民主化分子が逮捕され投獄された。その数は北京だけで約六〇〇〇人、全国では一万人を超えると推定されている。別の推計では全国で一～三万人が逮捕されたと見ている（『中国における人権侵害――天安門事件以後の情況』一〇三頁）。こうした戒厳体制下での恐怖政治で、ひとまず秩序は安定に向かった。その安定化の潮流のなかで、秋に中共一三期五中全会（八九年一一月六～九日）が開かれ、鄧小平は中共中央軍事委員会主席を引退し、江沢民がそのポストをついだ。鄧小平は党内外のあらゆる公的なポストを放棄したが、鄧小平院政という点ではいささかの変化もなく、彼は鄧小平弁公室を通じて、江沢民以下の第二世代の指導者たちをリモート・コントロールし続けている。

天安門事件以後、中国から見て国際情勢は大きく変化した。一つは西側諸国の制裁である。八九年七月のアルシュ・サミットでは中国当局の人権侵害を厳しく非難する「政治宣言」が採択された。九〇年七月のヒューストン・サミットの政治宣言ではその後の事態の進展のいくつかを評価し、政治・経済改革、特に人権の分野における改善に対する期待が表明された。そして九一年七月のロンドン・サミットでは議長声明のなかで、「中国における人権の情況については依然として真剣な懸念があるが、同国において経済・政治両面にわたる改革の一層の進展を期待する」とともに、過去一年間に中国と西側との接触が再形成されつつある傾向に対しては継続されるべきだとする方針が示された。アルシュ・サミット以後、ロンドン・サミットまで日本は一貫してサミット諸国と中国との橋渡し役を務めたが、これは日本の地理的位置からして当然のことであった。そして九一年八月海部首相はサミット参加国首脳として初めて中国を訪問している。

もう一つの大きな変化は東欧情勢の激変である。八九年秋にはベルリンの壁が崩れ、年末にはついにルーマニアでもチャウシェスクの独裁体制が崩壊した。東欧における社会主義政権の崩壊は、当然中国に対して深刻な危機感を与えた。この情勢変化に対処するため、九〇年三月九〜一二日、中共一三期六中全会が開かれ、後に紹介する秘密決議（本書三六九頁以下）を採択した。

決議を秘密決議の形にせざるをえなかったことのなかに、問題の深刻さの一端が露呈していると見てよい。決議は東欧情勢の激変に対して、中国共産党としては、天安門事件によって再編制した「保守派主導のもとでの改革開放」を続けていく方向を確認しつつ、中共おなじみの「大衆路線」の意義を強調した。すなわち大衆とともに歩むならば無敵である、と民心からの離脱を防ぐことに留意する方向を提示した。

この六中全会に先立って、九〇年一月一〇日、約七カ月にわたる戒厳令体制は解除された。これは学生運動やマスコミに対する弾圧を通じて、秩序が回復したためであるが、同時に、回復を強調することによって西側の制裁圧力を緩和し、開放政策を再開したい願望を秘めていた。というのは、経済情勢は一年余の引締めのもとで、失速寸前まで悪化していたからである。

九〇年六月の天安門事件一周年を無事に乗り切ったあたりから、改革派の中共中央政治局常務委員李瑞環を中心に、保守派による締付けムードを若干緩和し、改革開放をふたたび軌道に乗せようとする試みが行われた。しかし李瑞環の努力は保守派によって封じ込められ、実らなかった。

九〇年秋に予定されていた中共第一三期七中全会は、年末ギリギリにもつれこんで、ようやく一二月二五〜三〇日に開かれた。そこでは第八次五カ年計画の基本構想を決定することが本来の課題であったが、計画経済に固執する保守派の思惑と改革開放を加速しようとする改革派の思惑が正面衝突した。加えて、財政赤字対策のため、中央政府への権限を再集中しようとする保守派の目論見に、広東省の葉選平らを代表とする地方の改革派勢力が激しく抵抗し、結局は両者の痛み分けの形で妥協が成立した（『保守派 vs 改革派』蒼蒼社、第Ⅱ部で詳述した）。

九一年三～四月の全国人民代表大会では、七中全会の建議を踏まえて、第八次五カ年計画要綱を採択し、第八次五カ年計画がいよいよスタートした。この会議では朱鎔基（上海市長、中央委員候補）および鄒家華（国家計画委員会主任、中央委員）をそれぞれ副総理に昇格させるとともに、趙紫陽とともに失脚していた胡啓立、閻明復（中央書記処書記、党中央統一戦線部長）、芮杏文（中央書記処書記）を国務院副部長級のポストに復活させるなど、「趙紫陽なき趙紫陽路線」を感じさせる人事配置を行った。

こうして天安門事件二周年前後から「ポスト天安門事件」ムードが起こり始めたが、そこを直撃したのがソ連八月革命であった。そこで、この間の保守派 vs 改革派の構図を一瞥しておきたい（図1）。

目立つのは、危機感にとらわれた保守派の攻勢とこれに対する改革派の冷静な反撃である。

ソ連情勢に対する保守派の基本的認識は、「和平演変」の一語につきる。つまり、アメリカをはじめとする西側帝国主義諸国が数十年の時間を費やして、ようやくソ連共産党指導部を変質させることに成功したと見るものである。ここでゴルバチョフ大統領の裏切りは許しがたいものであるし、エリツィン・ロシア共和国大統領に至っては「反共の闘士」扱いである。したがって、「エリツィンのような人物が中国に現れるのを許すな！」が保守派のスローガンになる。この文脈で「第二の趙紫陽を許すな！」というスローガンも出てくる。かつて劉少奇国家主席が「中国のフルシチョフ」と修正主義者扱いされたが、最近の保守派は文化大革命の部分的名誉回復さえ図ろうとしており、保守派が「唯生産力

図１　中南海権力闘争、ソ連８月革命以後

	保守派⇦⇦	両派の綱引き	改革派⇨⇨
長老レベル	政協主席 李先念 副主席 王任重 葉選平／全人代 委員長 万里 副委員長習仲勲ほか／国家主席 楊尚昆 副主席 王震／顧問委員会 主任・陳雲 副主任 薄一波 宋仁窮（老人パワーの拠点）		鄧小平／万里
政治局常委	李鵬 姚依林 宋平	喬石	江沢民 李瑞環
政治局以下	李錫銘 陳希同／北京グループ	楊白冰	朱鎔基／葉選平／上海グループ 天津グループ 広東グループ
部門	〔保守派色の強い部門〕 中央宣伝部部長・王忍之 中央組織部部長・呂楓 国務院文化部代理賀敬之 『人民日報』社長・高狄	⇦⇦ 和平演変反対は適度に内緊外鬆	〔改革派色の強い部門〕 郷鎮企業関係者 合弁企業関係者
地域	国営企業関係者〔既得利益を防衛〕 内陸地区関係者		〔改革開放による利益を享受〕沿海地区関係者 開放都市関係者
スローガン	①中国のエリツィン登場を許すな！指導幹部を再調整せよ！ ②和平演変反対 ③計画経済体制堅持「姓資姓社」論争④若返り阻止、顧問委員会存続		①一つの中心（経済建設）と二つの基本点（改革開放と四つの基本原則）②思想解放、改革開放の深化 ③第１３回党大会路線復活 ④若返り、顧問委員会廃止
	和平演変反対領導小組組長・宋平 副組長・周新城（人民大研究生院院長） 顧問・王震（国家副主席）		趙紫陽専案組 組長・王任重（政協副主席）
軍	治安維持派・党の軍隊堅持		近代化派・国防軍化
基層	受益なき労働者 受益なき農民		受益労働者 受益農民
	保守派⇦⇦	中間派	⇨⇨改革派

論」批判をする論調は文革期の鄧小平批判に酷似している。中共中央宣伝部常務副部長徐惟誠は文革期に『北京日報』責任者として、革命的大批判論文を書いたほどだから、中国共産党の脱文革がどこまで行われたのか、疑問なしとしない。

従来から改革派は一一期三中全会以来の改革開放路線を堅持せよと呼びかけ、保守派は一三期四中全会以来の、すなわち天安門事件以後の体制を堅持せよと呼びかけ食い違いを見せてきたが、ソ連八月革命以後、対立は激化しつつある。ここで保守派のスローガンは「和平演変反対」「計画経済体制の堅持」である。なお、党中央に「和平演変反対領導小組」が設けられ、組長・宋平、副組長・周新城（人民大学研究生院〔大学院〕院長）、顧問・王震（国家副主席）がその指導に当たっていると香港誌が伝えている（劉必論文『鏡報』九一年第一〇期）。

中南海の中央組織のうち、保守派が牛耳っている主な組織は、中共中央宣伝部（王忍之部長、徐惟誠常務副部長）、中共中央組織部（呂楓部長、前部長宋平）、国務院文化部（部長代行・賀敬之）、『人民日報』（社長・高狄）などである。

保守派の社会的背景としては、開放政策の利益を受けることの少ない内陸地区の人々や、経済改革の利益を受けることの少ない国営企業関係者など、そして共産党の専従活動家たちの大軍がある。その上にいる政治局委員レベルでは天安門事件における学生弾圧の直接責任者である李錫銘（北京市党委員会書記）、陳希同（北京市市長）がいる。そして政治局常務委員レベルでは李鵬（総理）、姚依林（経済担当）、宋平（組織担当）などがいる。そして「八人の長老」の大部分は保守派を支持していると見られる。特に目立つのは、王震、薄一波、李先念などの活動ぶりだか、彼らは社会主義体制の維持を声高に主張しつつ、自らのポスト維持に汲々としているように見える。

ソ連革命を逆手にとった保守派の攻勢に対して、改革派は反撃に必死である。改革派のスローガンは、「一つの中心（経済建設）、二つの基本点」論を堅持せよ。鄧小平路線をこの形で定式化したのは第一三回党大会の趙紫陽報告であり、改革派の構想は全体として第一三回党大会の路線への復帰である。その中心的内容の一つは「社会主義初級段階論」であり、もう一つは「国家が市場をコントロールし、市場が企業を誘導する」経済体制作りである。そのためには、何よりもまず「思想解放」が必要だと強調する。現在のイデオロギー状況のなかで、改革派の論調を発見する最も簡便な方法は「思想解放」の四文字である。

改革派色の強い部門は、外資との合弁企業や農村の郷鎮企業である。これらの関係者は開放政策や経済改革によって直接的利益を享受しており、その立場からして断固たる改革派にならざるをえない。地域的に見ると沿海地区、とりわけ四経済特区と一四の開放都市である。なかでも広州市、上海市、天津市などは改革派色が強い。これらの都市を代表するのが前広東省省長葉選平（現政協副主席）、江沢民（元上海市市長）、朱鎔基（前上海市市長）、李瑞環（天津市市長）などである。このうち江沢民、李瑞環は政治局委員であり、同時に政治局常務委員をも兼ねている。改革派グループの長老格の人物としては万里（全人代常務委員会委員長）がいる。

このような保守派と改革派の構図のなかで、鄧小平・楊尚昆は九一年初以来、バランサーとしての役割を意識しつつも、どちらかといえば、改革開放路線の復活の方向に意を用いているごとくである。

公安担当の喬石（政治局常務委員）、楊白冰（中央軍事委員会秘書長、総政治部主任、中央書記処書記）な

どは政治的には中立のスタンスを守りつつ、後者は「解放軍に対する共産党の絶対的指導」を強調している。

2 保守派イデオローグの群像

天安門事件以後、蘇生した大物が二人いる。胡喬木（元中共中央政治局委員、中央顧問委員会常務委員）と鄧力群（元中共中央宣伝部長、中央顧問委員会委員）である。

(1) 胡喬木

胡喬木は一九一二年生まれ、原籍は江蘇省塩城県である。三〇年北京の清華大学物理系学生の時代に共産主義青年団に加盟した。延安に入り、四一年以降、毛沢東秘書と中共中央政治局秘書となり、イデオロギー面で活躍した。四八年新華社社長、四九年中央宣伝部副部長、五三年マルクス・レーニン主義学院管理主任、七八年中国社会科学院院長、八二年政治局委員、八七年中央顧問委員会委員、常務委員となり、現在に至っている。五一年に発表した『中国共産党の三十年』（邦訳は大月書店国民文庫）は、最も簡便な中国共産党小史としてよく読まれ、理論家胡喬木の名が高まった。鄧小平時代になってからは、疎外論争、精神汚染問題などで保守派のイデオローグとして、改革派落としに暗躍した。第一三回党大会で顧問委員会に引退したのち、表舞台から消えた感があったが、天安門事件後、蘇生したかのごとく活発な動きを見せている。

(2)鄧力群

鄧力群は一九一五年生まれ、湖南省桂東県の人。北京大学時代に一二・九学生運動に参加し、彭真、劉少奇らの人脈に入った。三七年延安に入り、三八年マルクス・レーニン学院に学んだ。五二年中共中央弁公庁に勤務し、その後劉少奇の政治秘書を担当した。六三年『紅旗』副編集長、七五年国務院政策研究室責任者として復活し、七八年中国社会科学院副院長となった。八一年中共中央書記処政策研究室主任、中共中央弁公庁副主任、八二年中央宣伝部部長、中央書記処書記。八七年一一月の第一三回党大会中央委員選挙で落選し、顧問委員会常務委員選挙でも落選し、辛うじて顧問委員会委員に滑り込んだ。

鄧力群も胡喬木と同じく、第一三回党大会後は鳴かず飛ばずであったが、八八年夏の物価パニックあたりから元気になり、天安門事件前後には大いにハッスルし、事件後はほとんど現役復帰のごとく活動するに至った。

(3)その他保守派イデオローグ

胡喬木、鄧力群のほかの大物保守派イデオローグが書いたり、話したりしたもので、『新華文摘』に採録されたものは表6のごとくである。

袁木　国務院スポークスマンとして天安門事件前後にしばしばテレビに登場し、その風貌・挙措で有名になったのは袁木である。

表６　保守派イデオローグの論文一覧

◆胡喬木論文

［1］胡喬木「中国は50年代にどのようにマルクス主義を選択したか」『求是』1989年第19期（『新華文摘』1989年第11期）

［2］胡喬木「中国共産主義運動の偉大な先駆者・李大釗を紀年する」『人民日報』1989年11月2日（『新華文摘』1990年第1期）

［3］胡喬木「党史の研究、宣伝、教育を強化せよ」『人民日報』1990年3月29日（『新華文摘』1990年第5期）

［4］胡喬木「中国共産党はマルクス主義をどのように発展させたか」『求是』1991年第13期、『人民日報』1991年6月25日

◆鄧力群論文

［5］鄧力群「張聞天生誕九〇周年学術討論会での報告」『人民日報』1990年8月31日（『新華文摘』1990年第10期）

［6］鄧力群「マルクス主義理論の学習と研究を強化し、全党のマルクス主義理論水準を高めよ」『光明日報』1991年3月21日（『新華文摘』1991年第5期）

◆袁木論文

［7］袁木「中国第三世代指導グループの政治宣言」『人民日報』1989年10月10日（『新華文摘』1989年第12期）

［8］袁木「情勢を正しく認識することは五中全会精神を理解する基礎」『求是』1989年第23期（『新華文摘』1990年第1期）

［9］袁木『改革・開放・精神文明建設』北京・中国経済出版社、1987年5月、397頁

［10］袁木『歴史的足迹：中国在改革開放中前進』北京・新華出版社、1987年7月、465頁

［11］袁木『歴史性飛躍的新起点』北京・経済日報出版社、1988年6月、285頁「学習十三大報告系列講座」

◆王忍之論文

［12］王忍之「ブルジョア自由化反対について」『求是』1990年第4期、「党建設理論研究班における講話」（『新華文摘』1990年第4期）

［13］王忍之「社会主義思想道徳の盛行を論ず」『求是』1990年第23期、1990年11月7日、「全国精神文明建設活動工作会議の開始時の講話」（『新華文摘』1991年第2期）

◆その他論客

［14］高狄「中国の“窮”をどう見るか」『人民日報』1990年1月5日（『新華文摘』1990年第2期）

［15］高狄「社会主義制度の優越性を語る」『求是』1991年第8期、『人民日報』1991年4月19日

［16］聞迪「社会主義は中国を救いうる」『人民日報』1990年1月15日、16、18、19日（『新華文摘』1990年第3期）

［17］熊復「ブルジョア自由化の挑戦にこたえる」『人民日報』1989年8月14日（『新華文摘』1989年第10期）

［18］呉建国「“球籍”問題を語る」『学習与研究』1990年第11期（『新華文摘』1991年第1期）

袁木は一九二八年生まれ、江蘇省興化県の人、復旦大学卒。五〇年に中国共産党に入党し、『張家口日報』『チャハル日報』記者、新華社対外部国内組、政治文教組副組長、中共中央組織部調研組責任者、国務院弁公庁調研組責任者、国務院秘書長助理、中共中央財経指導小組副秘書長を経て、国務院スポークスマンになり、八八年から国務院研究室主任となった。主な著書として、『改革・開放・精神文明』（北京・中国経済出版社、一九八七年五月）、『歴史的足迹――中国在改革開放中前進』（北京・新華出版社、一九八七年八月）、『歴史性飛躍的新起点』（北京・経済日報出版社、一九八八年六月）がある。

王忍之　袁木とならんで天安門事件以後のイデオロギー引締めで活躍したのが王忍之である。

王忍之は一九三三年生まれ、江蘇省無錫の人、五五年中国人民大学研究班を卒業した。その後、中共中央政治研究室、マルクス・レーニン主義研究院、国家計画委員会で歴史、国際共産主義運動、経済理論と政策問題などを研究した。七八年以後、国家計画委員会政策研究室主任、研究員、『紅旗』副編集長、国務院経済研究中心常務幹事などを歴任し、八七年中共中央宣伝部部長。一二期、一三期中央委員である。

徐惟誠　王忍之部長のもとで中共中央宣伝部の常務副部長を務め、イデオロギー引締めに辣腕を振るったのが徐惟誠である。

徐惟誠は一九三〇年生まれ、安徽省蕪湖の人、筆名は余心言。大夏大学卒、四六年入党。建国後は青年団上海市党委組織部長、上海『青年報』編集長、『解放日報』副編集長、共青団中央書記候補を経て、文革期に『北京日報』社長、編集長。北京市革命委員会執筆グループ「洪広思」のメンバーとして、黄帥、李慶林、張鉄生などの宣伝に務めた（『争鳴』九〇年第九期）。文革後は、中共北京市党委常務委員、宣伝部部長を歴任し、八四年以来、中共北京市党委副書記であったが、天安門事件後の八九年九月、中央宣伝部副部長に昇格した。

賀敬之　天安門事件後に中共中央副部長に昇格したもう一人は賀敬之である。

賀敬之は一九二四年生まれ、山東省棗荘の人。詩人、劇作家、四二年に延安の魯迅芸術学院文学系を卒業した。建国後は中央戯劇学院創作室主任、『人民日報』文芸部副主任、文化部副部長などを経て、八九年八月、王蒙に代わって国務院文化部代理部長になり、同年九月、中央宣伝部副部長になった。その極左的傾向のゆえに、文芸界での評判は芳しくないが、保守派からは頼りにされているごとくである。

高狄　高狄は一九二七年生まれ、山東省臨沂県の人である。建国後、中共吉林市党委員会弁公室主任、『松花江日報』編集長、中共吉林市党委員会政策研究室主任、第二書記、吉林市市長、吉林省党委員会書記を務めた。八八年以後、中共中央党校副校長、一二期、一三期中央委員。天安門事件後、李鵬のコネで『人民日報』社長に就任した。

熊復　熊復は一九一五年生まれ、四川省鄰水の人。四川大学卒、三八年延安抗日軍政大学に学ぶ。四八年以後、中共中央中原局、華中局宣伝部副部長。建国後、中共中央中南局宣伝部副部長、中共中央宣伝部秘書長、中共中央対外連絡部秘書長、副部長、中共中央宣伝部常務副部長、新華社社長、『紅旗』編集長を務めた。著書に『論社会主義民主』『序苑集』『尋夢集』がある。

3 天安門事件後のマスコミ弾圧と宣伝体制の強化

八九年九月二〇日、中共中央宣伝部と国務院新聞出版署は「全国マスコミ整頓会議」を開き、次の二種類を整理対象とした。一つはブルジョア自由化を宣伝したものの免許取消し、二つは出版物が増えすぎた問題の解決である。その整頓はブルジョア自由化反対、和平演変反対、腐蝕反対の観点から行うべきだとされた（九月二〇日新華社電）。

一年後の九〇年八月六日、フフホト市で全国新聞出版局管理工作会議が開かれたが、八九年初の一六二八紙のうち再登録を認められたのは一四五九紙にとどまり、約一割が整理されたことが明らかにされた（一九九〇年八月六日新華社電）。

『人民日報』に対しては、天安門事件直後の八九年六月下旬に中共中央宣伝部と中共中央組織部からなる「工作組」が進駐し、七月一五日、社長銭李仁、編集長譚文瑞が解任され、高狄が社長に、邵華沢（解放軍総政治部宣伝部長）が編集長に就任した。九一年四月までに「政治的誤りを犯した」として、副部長級幹部二名、局級幹部三名、その他の編集者、記者二十数人が配置転換処分を受けた（香港『明報』一九九一年七月一六日付）。

『北京日報』では、八九年民主化運動で九割以上の編集者、記者がデモに参加した。このため夕刊の副編集長劉庭昭、朝刊編集者冀乃義以下、かなりの記者が免職処分を受けた（香港『東方日報』一九九一年五月六日付）。

このほか、責任者が処分された新聞には、『中国機電報』『華声報』『海南日報』『中国文化報』『文芸報』『広州日報』『深圳特区報』『深圳商報』『深圳青年報』『中国法制報』『陝西日報』『西安晩報』などがある（香港『当代週刊』一九九〇年四月一三日号）。

九一年五月下旬、国務院に新聞弁公室が新設され、対外宣伝を強化することになった。主任は朱穆之（元新華社副社長、中共中央対外宣伝小組組長）、副主任は曽建徽（元新華社副社長、中共中央宣伝部副部長）、周覚（元トルコ大使、元外交部部長助理、元フランス大使）である。

これらの措置から中国当局がマスコミ対策をきわめて重視している一端を知ることができる。

天安門事件以後に保守派が創刊した雑誌としては、『中流』のほかに、『真理的追求』（主編＝許立群）、『当代思潮』一九九〇年二月二〇日創刊（主編、段若非）、『陣地』（首都経済社会発展研究所）などがある。

当代思潮雑誌社編『社会主義若干問題講座』（北京・紅旗出版社、二六万字、定価五元、「簡明本」は一三万字、定価二・四元）は中央宣伝部理論局および国家教育委員会弁公庁の推薦を受けた、天安門事件以後のイデオロギー教育テキストである。

その目次（表7）を見ると、思想傾向と主な論客がよく分かる。これらの論客が天安門事件以後の主流派あるいは主流派に近い中間派であろう。

表７『社会主義若干問題講座』の目次

目次	筆者
第１講　社会主義が資本主義に代替するのは現代世界の歴史発展の大趨勢	国務院スポークスマン、国務院研究室主任・袁木
第２講　現代資本主義をいかに認識するか	『人民日報』理論部副主任、教授・黄美来
第３講　「和平演変」と反「和平演変」の闘争	国務院国際問題研究中心（センター）副総幹事・徐達深
第４講　プロレタリア独裁と共産党の指導を堅持することに対する社会民主主義者による攻撃を駁す	マルクス主義理論家、『真理的追及』主編・許立群
第５講　中国の暴乱平定勝利の重大な歴史的意義	『人民日報』理論部主任・孫永仁
第６講　社会主義は当代中国の歴史的選択	中共中央党史研究室副主任、教授・沙健孫
第７講　経済建設中心を堅持し、持続・安定・協調的に国民経済を発展させよ	国務院研究室主任、研究員・王夢奎
第８講　社会主義の改革開放を堅持	中国社会科学院研究員・何建章
第９講　二つの民主主義の境界を峻別し、社会主義民主政治の建設を指導性をもって段階的に推進せよ	中国人民大学副校長、教授・鄭杭生
第10講　反「和平演変」、社会主義建設における精神文明の戦略的地位を十分に認識し、社会主義精神文明の建設を大いに強化せよ	中国人民大学副校長、教授・羅国杰
第11講　わが国社会主義新時期における階級闘争の若干の問題	中共中央『求是』総編輯・有林
第12講　党の指導強化し、党の建設を立派にやろう	『当代思潮』編集委員・史美珩
第13講　マルクス主義は永遠に労働者階級と人民大衆が革命と建設を行う上での行動指南	中共中央宣伝部理論局副局長、教授・靳明
第14講　毛沢東思想は中国革命と建設を指導して得た勝利の旗幟	中共中央党校元副校長、教授・韓樹英
付　録　マルクス主義の堅持と発展を論ず	『当代思潮』主編・段若非

4 保守派イデオロギーの核心としての「和平演変」論

保守派イデオロギーの核心が、「和平演変」論（資本主義は平和的な手段で社会主義を転覆させようとしているという考え方）にあることは先にふれたが、この議論のオリジンを逢先知（元毛沢東秘書、中央文献研究室主任）は次のように回顧している（「回顧毛沢東関於防止和平演変的論述」『真理的追求』一九九〇年第一期、七月刊。のち補充して単行本『回顧毛沢東関於防止和平演変的論述』として北京・中央文献出版社から一九九〇年一二月に出版）。

一九五九年一一月、毛沢東はダレス国務長官のいくつかの演説を印刷し、読ませた。毛沢東曰く。「ダレスは法律と正義をもって武力に代替しようとしている」。「ここで重要なのは、武力の放棄は現状維持を意味するものではなく、平和による転覆を意味していることだ」。

これが中国の「和平演変」論の嚆矢である。六〇年代初頭、中ソ論争の過程で毛沢東は和平演変問題を正式に提起した。六四年六月一六日の講話で彼はこう述べた。「帝国主義者はわが第一世代、第二世代には希望なしというが、第三世代、第四世代はどうか。希望ありとする帝国主義者の言い分は正しいであろうか。私は正しくないことを希望するが、正しいかもしれない」。

毛沢東はついで修正主義防止の五つの条件を語り、これらは中共中央「国際共産主義運動の総路線についての提案」〈六三年三月のソ共の中共宛て書簡に対する六三年六月の中共のソ共宛て返書。その後、中共は同年九月〜六四年七月の間に九編の論文でソ共を激しく批判する〉に盛り込まれた。

毛沢東がまずソ連指導部を修正主義と認識して、対決の姿勢を固め、ついで中国の指導部にも修正主義が現れたと認識して、文化大革命を展開したことはよく知られている。この文化大革命は鄧小平時代の今日、根本的に否定されているにもかかわらず、天安門事件を契機として、文化大革命の前提となった修正主義論が復活したわけである。

「和平演変」の亡霊は、いわば「寝た子が起きた」ようなもの、忘れようとしていた悪夢を八九年の東欧、ソ連の激変を通じて想起したものであろう。八九年東欧の一連の平和的変革は、中国指導部に一定の衝撃を与えたものの、当初は中国指導部はこれを重く見なかった形跡がある。「ゴルバチョフのやらせ」であるから、ゴルバチョフ失脚をもって事態は反面に向かうと観望していたようである。しかし、九〇年二月、ゴルバチョフがソ連における複数政党制、大統領制の導入などを含む「行動綱領」を提起するに及んで、中国も強い圧力をひしひしと感じているはずである。

ここで「和平演変」関係資料のうち、私の手元にあるものを掲げておく。このテーマは中国の外国認識、外交政策に関わるために、「内部発行」として出版されているものがきわめて多い。

［1］劉洪潮主編『西方和平演変社会主義国家的戦略策略手法』武漢・湖北人民出版社、一九八九年

［2］辛灿主編『西方政界要人談和平演変』北京・新華出版社、一九八九年
［3］屈全縄、劉紅松主編『和平演変戦略及其対策』北京・知識出版社、一九九〇年七月、三三三頁（執筆者は屈全縄、穆顕奎、李欣欣、馮武、沈志強、韓秉成、呉志勇、劉義昌、劉紅松、陳振陽、劉建新、于建文、王奉均、黄治軍、陳林、李偉）。

九一年夏、『人民日報』（一九九一年八月一六日付）は「和平演変を防ぐ鋼鉄の長城を築け」と題する評論員論文を掲げた。これは天安門事件後二年余、改革開放へ再び政策の基調がシフトし始めたことに対する保守派からの牽制にほかならない。その三日後に発生したソ連保守派のクーデタとその流産と結びつけて読むと、中国共産党は「社会主義への逆流」に対して、一定の精神的準備ができていたことが分かる。

5　ソ連・東欧の激変への対応

中国共産党は、九〇年三月に一三期六中全会を開き、「大衆路線についての決定」を採択している。実はこの六中全会の舞台裏では、ソ連、東欧情勢をどうみるかをめぐって深刻な議論が展開されていた。以下に紹介する「機密・ソ共中央の二月全体会議についての参考資料」からは、ソ連、東欧の激変に対して、中共中央指導部がいかに驚愕したかを知りうるであろう。

●資料2

機密・ソ連共産党中央二月総会についての参考資料

一　二月五日から七日にかけてソ連共産党は中央委員会拡大会議を開き、ゴルバチョフが報告を行い、行動綱領草案を採択したが、そのなかで憲法におけるソ連共産党の指導的地位についての条文を修正し、複数政党制〔原文＝多党制〕の実行を準備すること、民主集中制を再検討すること、大統領制を実行するよう建議すること、ソ連において各種形式の連邦関係樹立を準備することを提案した。ゴルバチョフは報告のなかで、以下のようなことを述べた。

共産党は「法律に依拠して合法化を強行すべきではなく」「ある種の法律的政治的に優越した地位を放棄」すべきである。民主集中制の原則は「再考慮」すべきである。重点を「あらゆる意味での民主化」に置くべきである。「大統領制を樹立」すべきである。さらに「大統領に必要な一切の権力を賦与するよう」要求するとともに、ソ連の国家体制を改め「各種の連邦形式の可能性を追求する」よう主張した。

ゴルバチョフのこれらの主張は、帰するところ「人道的、民主的社会主義」なるものであり、それはマルクス主義の基本原則に完全に背馳し、実際には第二インターの社会民主主義の新たな条件のもとにおける焼直しである。その実質は国際的範囲内での階級闘争を否定し、共産党の性質を変質させ、西方の議会民主政治を推進するものである。

二　「新思考」から「人道的、民主的社会主義」に至るゴルバチョフの行動綱領は、全体会議で大きな混乱を引き起し、強烈な反対を招いた。

ソ連最高会議議長ルキヤノフ〔九一年八月の流産クーデタの黒幕〕は、ゴルバチョフのやり方に従うならば、「ソ連共産党は執政党であり続けるのか？人民の政治的前衛であり続けるのか？　それは依然として共産主義の理想の立場に立ち続けるのか？それとも社会民主党の方向へすり寄るのか？」と問うた。そしてゴルバチョフが大統領制を実行しようとしたことに対して公然と不満を表明した。

ソ連共産党中央政治局委員リガチョフ〔保守派〕は発言の際に、ゴルバチョフの提起した綱領草案は「ある意味においてまさに私有制を実行するために道を開く」ものであり、それは「民族主義、分離主義、反社会主義の派閥」による「致命的な脅威」をもたらす恐れがあり、「党を定形なき組織、すなわち政治クラブに変えることに反対」の意を表明した。ソ連軍総参謀長は「この綱領は東欧とソ連国内、ワルシャワ条約機構内部でいま発生している変革に政治的態度を表明しておらず、ソ連憲法において共産党の役割として認められている武装力量内部の政治機構の作用を廃止し、「多くの問題」をもたらした」と指摘した。同時に、いまは「軍隊を社会の外に排除する傾向が見られる」と不満を表明した。

ソ連のポーランド大使は会議の席で「ソ連のいまの社会的危機は「気違いじみたほど尊大になったことによるものであり、党と国家の指導者の誤りによってもたらされたものだ」と不満を述べ、「ある者は祖国の状況を悪化させ、尊敬に値する強国を誤りに満ちた、楽しみと将来性なき国家に変えようとしているが、これはすべて西方に迎合したものだ」と鋭く指摘した。さらにゴルバチョフの綱領は「改革を大いに宣伝し、遠い過去を批判し、未来に対して約束を行い、現在犯している誤りは批判せず、ただ西方の先生方の評価のみ珍重している」として、「これは少なくとも政治的に見てまともではない」と批判した。

ゴルバチョフのこの政治綱領は、ソ連社会で大きな混乱と強烈な異論を巻き起こした。著名な作家アレキサンドル・プロトロフは論文を書いて「共産主義思想の放棄はソ連をして共同の前途を失わせ、民族主義運動を鼓舞し、こうしてわれわれを四分五裂ならしめた」。ソ連『プラウダ』編集長は「ソ共綱領草案は基本的にゴルバチョフの作品」だとして、「ソ共の分裂はいまや焦眉の急である」と警告した。一部の地方党の指導者と労働者大衆はゴルバチョフの「行動綱領」に対して鋭い批判を提起した。ソ連の反対派のリーダー・エリツィンは二月全体会議は「危機をコントロールできず、ソ連は内戦の危険に直面している」と述べた。

三　この数年、ソ連がゴルバチョフの「新思考」のもとで行った改革は、すでにソ連社会に巨大な混乱をもたらしている。党はまさに分裂しつつあり、反対派はソ共に公然と対抗し、「ソ共民主綱領派」「民主的選挙組織」なるものの設立を準備している。もともと存在していた民族矛盾はよりいっそう激化し、アゼルバイジャン、ラトビアなど加盟共和国には動乱が相次ぎ、はなはだしきは暴力的衝突さえ発生している。経済状況はますます悪化し、生産は低下し、商品は不足し、人民の怨嗟の声は巷に溢れている。東欧ゴルバチョフの「新思考」と彼の介入によって東欧国家で急激な変化が生じた重要な原因は外因にあるとともに内因にもある。ゴルバチョフの改革の根本は社会主義制度を完璧にするものではなくて、資本主義への変化にほかならない。ソ共二月全体会議の「行動綱領」はソ共が社会主義に背く方向へますます隔たるのを加速するのみである。これはソ連の目前の政治、経済、社会と民族的危機から脱却できないだけでなく、逆に各種の矛盾をよりいっそう激化させソ連、東欧が長期の動揺と混乱に陥るのを助長するのみである。

四　西方資本主義国家はゴルバチョフのこのやり方に懸命に声援を送り、ソ連がいま行っている「和平演変」に熱烈歓迎を表明している。しかし、ソ連の前景とゴルバチョフの命運に楽観的態度をもっているわけではない。フランス『フィガロ』紙は「ゴルバチョフはソ共に自殺を選ぶよう迫り」、「動乱に至るチャネルを切り開いた」と述べている。アメリカのソ連問題専門家はゴルバチョフの前途に不安を表明し、彼は次の全体会議で「個人的権力を強固にするだろうが、暴風雨に満ちた未来に直面するかもしれない」と考えている。『日本経済新聞』は「ソ共綱領草案はカウツキーの修正主義と多くの共通点があり」「レーニンの霊は天国でソ共の変質を泣くだろう」と指摘した。西ドイツの一部の新聞はソ共のこの全体会議のあと「党内闘争は決定的な段階に入る」と考えている。フィンランドの政界と世論界は「ソ共が権力独占を放棄するならば、党と国家は分裂しよう」と分析している。イギリス『フィナンシャル・タイムズ』も「党は分裂するだろう」とし、「分裂は次の党大会のあとであり、党大会前ではあるまい」としている。

五　ソ連、東欧の情勢の変化に伴って、アメリカを初めとする西方集団とその他の敵対勢力はよりいっそうわが国により大きな圧力をかけ、新たな制裁措置を採るであろう。今年一月にアメリカ上院、下院は、中国政府と中国人民の強い反対にもかかわらず、中国制裁の修正案を改めて採択し、立法の形式で中国に対する制裁の実行を続けることを企図している。アメリカ国務省は中国をほしいままに攻撃したいわゆる「人権報告」を公表し、わが国が「人権面であらゆる罪状を犯した」と根拠なしに侮辱している。これらは、国際的反動勢力がソ連、東欧に続いて主な矛先をわが国に向けていることを説明している。これに対してわれわれは十分な精神的準備をもつべきであり、実際に合わない幻想を抱いては断じてならない。

六　ソ連はレーニンが創立した最初の社会主義国家であり、その変化は東欧の激変と比べてわが国に対してより大きな影響を与えるであろう。アメリカを初めとする西方集団と国際的敵対勢力はわが国によりいっそう大きな圧力をかけ、われわれに新たな困難をもたらすであろう。こうした逆流を前にして、一部の人々の思想的混乱はますます深まり、社会主義の大旗をいつまで掲げることができるか、社会主義の陣地をわれわれが守りきれるかどうかを懸念している。ブルジョア自由化の立場を堅持し、社会主義を敵視する反動勢力も波風を起こし、事件を挑発し、政治的安定を破壊し、わが国の社会主義制度を動揺させようと企むであろう。情勢は複雑であり、闘争は先鋭である。われわれは鮮明な立場と態度をもつべきであり、十分な思想的準備を行い、事態の発展に入念に注意すべきである。

(1)われわれはソ連、東欧の情勢の発展の性質に明確な認識をもたなければならない。社会主義は長い歴史的過程であり、挫折に遭遇し、いやそれを繰り返すことは避けられない。しかし、道がどんなに曲折していようとも、社会主義はついには資本主義に代替するであろう。この歴史的発展の趨勢は変えることができない。ソ連、東欧で現れた一時的変化のゆえに社会主義に対して動揺や懐疑を抱いてはならない。

(2)われわれの国情はソ連、東欧とは異なることを見極めなければならない。わが党は久しく試練を積んだ、成熟したプロレタリア政党であり、長期の革命闘争のなかで人民大衆と最も緊密な連繫を樹立し、深く厚い大衆的基礎をもっている。建党七〇年来、わが党は第二インターの日和見主義思潮の影響を受けたことがなく、マルクス・レーニン主義＝毛沢東思想は一貫してわが党の指導思想であった。わが党と各民主党派との関係は共産党の指導する多党合作の関係であり、これは長期の闘争のなかで形成された中国的特色をもつ政治制度であり、西方の複数政党制〔原文＝多党制〕は中国では市場がない。社会主義制度は中国人民が長期の革命闘争を経て行った歴史的選択である。アヘン戦争以後百年余の歴史は「ただ社会主義だけが中国を救う」「ただ社会主義だけが中国を発展させられる」という真理を十分に証明している。

社会主義思想はすでに広範な人民大衆の心に深く根を下ろしており、わが国が行う改革はマルクス・レーニン主義を主導とし、わが国の国情から出発して「一つの中心〔経済建設〕、二つの基本点」〔改革開放と四つの基本原則〕を堅持する、社会主義の完璧化を目指すものである。改革開放の一〇年来、すでに大きな成功を得て、生産は迅速に発展し、人民生活は顕著に向上し、党は人民大衆の広範な擁護と支持を受けている。わが国は統一的な多民族国家であり、四〇年来各民族人民は党の指導下で強大な政治的凝集力を形成し、党の各民族政策は各民族人民の社会主義への積極性を動員しており、われわれにはソ連のような先鋭な民族矛盾と民族的紛糾は存在しない。動乱を制止し、反革命暴乱を鎮圧する厳しい試練を経て、全党、全軍、全国人民は、帝国主義の「和平演変」戦術とブルジョア自由化思潮に対していっそうはっきりした認識と警戒をもち、社会主義の信念をいっそう固めた。党の一三期四中全会〔一九九一年六月〕は江沢民同志を核心とする新たな指導グループを確立し、全党を導いて効果的な工作を進めている。党の凝集力と戦闘力を強め、党と人民大衆の血肉の連繋をよりいっそう密接にしている。これらすべてはわれわれとソ連、東欧との根本的相違点であり、わが国でソ連、東欧のような事変の発生を防ぐ政治的思想的基礎である。

(3)われわれはソ連、東欧情勢によってもたらされた消極的影響の克服に確信をもつべきであり、思想を集中し、精力を集中し、国内各工作を立派にやることに努めるべきである。有力な措置を採り、わが国の社会主義陣地と党の指導的地位を強固にし、安定団結の政治的局面をよりいっそう発展させ、中央の治理整頓、改革深化の各措置を真剣に実行し、国民経済の持続、安定、協調的発展を促進すべきである。農業を立派につかみ、農業の安定発展を保持すべきである。企業の思想政治工作とりわけ操業停止、操業待ち〔原文＝停工、待工〕労働者に対する思想政治工作を強化しなければならない。党の各民族政策を真剣に貫徹し、民族団結をよりいっそう強化しなければならない。腐敗現象に引続き反対し、廉政建設を強化し、党と人民大衆の血肉の連繋をよりいっそう密接にしなければならない。高度の警戒心を保持し、敵対勢力の挑発を防ぎ、各種の不安定要素を萌芽状態のうちになくし、正常な社会生産、工作、生活秩序を維持しなければならない。

国際関係の面では、われわれの方針はやはり原則を堅持し、矛盾を利用し、広く朋友と交わり、工作を大いに行い、制裁を打破し、孤立を免れなければならない。米ソ接近のゆえに中米関係は「六・四」以後低調にあり、去年の中ソ関係正常化以後、ソ連、東欧情勢に変化が現れたものの、世界構造全体には変化がないこと、米ソ間、西方の発達した資本主義国間の矛盾は累積しており、東西ドイツの統一、ソ連の提起した「ヨーロッパの家」の再建、軍縮、貿易関係などの問題において、これらの国々には顕著な分岐と激烈な利害の衝突がある。われわれが中・米・ソの大三角関係、中・米・ソ・西欧・日本の多角関係を立派に処理することはやはりわが国に有利である。ソ連との国家関係はやはり平和共存五原則により、党の関係は党間の四原則により、正常な関係を保持し発展させなければならない。われわれは第三世界の国との友好合作関係をますます重視し発展させなければならない。これらの国々は長らく帝国主義の蔑視と侮辱を受けており、反帝国主義、反覇権主義であり、世界平和を擁護する重要な国際的勢力である。社会主義の道を堅持する国家との連繫を強め、政治上、道義上彼らを支持しなければならない。

これを要するに、ソ連、東欧でいかなる事態が発生しようとも、国際的風雲がいかに変わろうとも、われわれは社会主義の信念を堅持し、社会主義の方向を堅持し、改革開放政策を堅持し、断固として自己の道を歩まなければならない。江沢民同志を核心とする党中央の指導のもと、党の正確な路線を堅持すれば、わが国は必ずやいかなる風波の試練にも堪えうるであろう。われわれが努力して工作し、各種の妨害を排除して着実にわれわれ自身の事柄を立派にやれば、われわれの社会主義現代化の事業は必ずや成功するであろう。

（保存に注意せよ。復刻不可。使用後回収のこと）

6 「社会主義の優越性」についての危うい論拠

中共第一三期六中全会において、中共中央としてのゴルバチョフ改革に対する基本的評価が決定されるや、一連の学習キャンペーンが始まった。その参考資料として用いられた資料二件を挙げておきたい。

一つは『東欧局勢的演変与前景 続集』（国家教育委科学研究与芸術教育司編、北京・高等教育出版社、一九九〇年四月、内部発行）である。

これは中国人民大学ソ連東欧研究所の周新城〔党中央和平演変反対副組長〕、路建京、夏茂盛、郭慶雲らが東独、ブルガリア、チェコ、ルーマニア四カ国の政変を分析したものである。

もう一つは『人民日報』理論部を中心にまとめられたと推測されるパンフレット、すなわち『社会主義についての若干の問題の学習綱要・参考資料』（同書編写組編、北京・人民日報出版社、一九九〇年六月、五六頁、内部発行、印刷部数二〇万部、定価一・七元）である。

その目次は表8の通りであるが、このうち(2)「中国社会主義経済建設の成果」として何が挙げられているのかを見てみよう。

「四〇年来の社会主義建設は巨大な歴史的成果を挙げた。そのなかには少なからざる曲折や誤りはあったが、社会主義制度がすでに初歩的に示した優越性は抹殺することはできないものである」（八頁）。

これは一言でいえば「社会主義の優越性」論である。その根拠は粗鋼生産量世界四位、石炭生産量一

表８　『社会主義についての若干の学習要綱・参考資料』目次

(1)ソ連および東欧社会主義国家の経済建設の成果
　①ソ連 70 年の経済建設の成果
　②東欧社会主義国家 40 年の経済建設の成果
(2)中国社会主義経済建設の成果
　① 40 年来の経済建設の成果
　②十数年来の改革開放で得た豊かな成果
　③わが国１人当たりＧＮＰを計算する二つの方法
　④わが国の総合国力
　⑤中国・インド両国の経済発展の比較
　⑥台湾経済は高度に従属的な経済
(3)戦後西方の発達した国家の発展途上国に対する経済的略奪と搾取
(4) 11 期３中全会以来のわが国の社会主義的民主主義建設の主な成果
(5)資本主義国家の選挙制度と議会政治についての資料
(6)戦後アメリカ政府の国内の民主的進歩的運動に対する暴力的鎮圧と法律的制限
(7)西方国家の社会主義国家に対する和平演変戦略
　①西方政界要人の和平演変についての言論
　②西方国家の社会主義国家に対する和平演変の手段
(8)東欧の一部の社会主義国家政局の変化とその帰結

位、原油生産量五位、綿布・綿花・肉類の生産量一位といったマクロ経済レベルの大きさである。

ところで、一人当たりＧＮＰの低さについてはこう弁解している。

八〇年以後、人民元は兌換レートを数回切り下げた。八〇年には一米ドル＝一・四九元であったが、八七年には三・七二元まで、すなわち人民元の対米交換レートは八〇年を一〇〇として八七年には四〇％に、九〇年には三一・五％に減少した。つまり一〇年間で約三分の一に低下した。このため、『世界銀行発展報告』によれば「ドル建て計算の中国の一人当たりＧＮＰは三〇〇ドル程度」で低迷している。

このように単純に交換レートで換算するのは必ずしも妥当ではない。そこで各国通貨の実際の購買力平価による比較が行われる。

その試算の例として、八〇年一人当たり九〇〇ドル説あるいは一一三五ドル説、八三年一一三三ドル説あるいは一四一七ドル説、八五年二二四〇ドル説、八八年一三〇〇ドル説あるいは一八九一ドル説などを紹介して、次のように結論している。

「以上の計算方法によって得られた数字」は、中国で国情を研究する際の参考になるが「公開宣伝や引用は不可」と。

また、アメリカの学者（不詳）の「国力方程式」（国力＝（総体積＋経済的能力＋軍事能力）×（戦略意図＋国家意志）などを参考にしつつ、結局中国の国力を四九年世界一三位、六一年一〇位、八〇年八位、九〇年六位と地位が向上してきたと強調しつつ、「香港とマカオ、それに台湾の経済力を加えれば、世界五位になる」と計算してみせている。

そして次のようなお説教を行っている。

国情、国力をどう見るかについて二つの偏向がある。一つは地大物博、資源豊富、人口大国と巨大な潜在力を単純に強調するのみで、その他の条件による制約を顧みない楽観論である。もう一つは「一人当たり」の数字を過度に強調する見方である。

「世界の発達した国家とGNPあるいは主要産品の一人当たり占有量を比較するだけでは、自らに対する自信に悪影響を与える。わが国の国情、国力に対しては、個々の側面、某々の指標を見るのではなく、各方面、各指標を総合して、全面的、総合的に分析して初めて正しい結論を得ることができる」（一六頁）。

周知の事実ではあるが、一人当たりGNPに代表される所得水準、生産量水準で比べると、中国はたいへんな「小国」と化する。このような現実を踏まえながら、「社会主義の優越性」を説くイデオローグたちの苦労がよく分かる文章だといえよう。

開放政策に転換するまでの中国は一貫して、革命前――革命後のタテの比較、時間軸の比較によって成果を強調してきた。しかし、革命後に生まれた世代が人口の圧倒的部分を占める今日、この比較はほとんど説得性を失い、人々はヨコの比較、すなわち香港、台湾、韓国、日本、先進国との比較を要求するようになった。この比較をするとき、中国が優位性を誇りうるのはマクロ・レベルのみである。世界の人口大国であるから、全体としては規模が大きいことは幼児にもよく分かる。

こうして社会主義の優越性を説く教義問答においては、世界における位置づけの際には、中国を全体として扱い、一人当たりの生活水準を論ずる場合には、インドを引き合いに出して、インドよりはよいと説明する（一七頁）形で、二つの基準を巧みに使い分けている。

中国指導部にとって頭痛のタネは台湾との経済力比較である。これについて当該論文はいくつかの数字を挙げて説明しているが、ほとんど同じ数字に依拠しつつ、より苦衷がにじみ出ているのは高狄論文「中国の〝窮〟をどう見るか」（『人民日報』一九九〇年一月五日付）である。天安門事件以後に『人民日報』社長の椅子に座った彼は、こう弁解して、外資不足を嘆いている。

「台湾は中国が一八九五年に日本に割譲し、日本〝領土〟の一部となった。第二次大戦前に台湾の一人当たり所得は大陸の三倍であった。一九四八年に蔣介石政府は大陸の富を台湾に運んだが、調査できただけでも金二七三万テール〔約一〇万トン〕になる」「台湾はアメリカから援助と貸付計二〇〇億ドルを得たが、一人当たり約一一〇〇ドルになる。仮りに大陸が台湾と同じ水準だけ導入するならば、一兆二〇〇〇億ドルになる。台湾はこのほかに華僑資本五二億ドルを得た」。

大陸と台湾とは出発点からして差があった。その後の発展は外資のおかげだと言わんばかりである。

保守派の一部は、外資による収奪を強調し、新植民地主義論に逆戻りするが、高狄の場合は、開放政策の建前上、そこまでエスカレートすることはできず、以上のような議論になる。

7　外国との学術交流の制限

イデオロギー引締めの一つの方法は、外国との学術交流に対する妨害である。たとえば国家教育委員会機密文件（一九九〇年五九八号）は、以下のような通達を出している。

外国との共同世論調査の禁止通達（国家教育委員会機密文件）

一　一部の西方国家はわが社会動態の情報を入手するため、往々みずから資金を提供し、わが方と合作して、わが国の社会問題方面の研究（ときには社会調査を行うことを含む）を共同で行うことを求めている。現在、世界的範囲での政治闘争とイデオロギー闘争が異常に激烈である。西方国家の一部の敵対勢力が、わが国に対する転覆、浸透と和平演変を一刻も緩めていない情況下で、われわれの同志は必ず警戒心を高めるべきであり、わずかの資金援助と技術を得られることにのみ着目して、政治的結果を考慮することなく、この種の合作を進めてはならない。

二　社会調査を行って得られた材料は、すでに単なる教育問題ではなくなっている。調査された社会動態材料は、すべてが秘密の内容に属するとは限らないが、「内外に区別あり」〔原文＝内外有別〕の原則に基づく。これらの材料を外国人と享受してはならない。これらの材料を国外に送って処理してはならいけない。たとえば、一部の材料は民意調査を通じて、わが党と政府に対する大衆の態度を了解するものである。このような材料をわが国に対して敵意をもつ国家に送ることは、妥当ではない。

三　本通知を受領して以後、各大学は一律に国外の大学、科学研究機関と世論調査〔原文＝民意測験〕、アンケート形式〔原文＝問巻形式〕の社会調査（アンケート調査の共同研究を含む）を行ってはならない。もしすでにこの方面の合作研究が行われている場合には、関係する調査材料と〔外国との〕協議の情況をわが委員会（国家教育委員会）に報告されたい。

一九九〇年一二月一九日

8　アメリカの人権外交への反発

一九八九年はフランス革命二〇〇周年に当たる年であったが中国における六月三～四日の武力鎮圧は、テレビ・カメラの前で行われた惨劇であったために、きわめて衝撃的であった。西側世界はこぞって「野蛮な人権侵害」を非難したが、特にフランスのミッテラン大統領は「人権侵害を強行した中国指導部に明日はない」と、最も早く、最も厳しく非難した。

しかし、人権侵害を根拠とした対外制裁においては二重基準の問題が発生しがちである。たとえばアメリカはソ連の人権侵害を非難するが、「チャイナ・カード」活用の観点から中国のそれに対しては目をつぶる傾向が存在した。またアメリカは「連帯」を弾圧していたポーランド当局には制裁を堅持し続けたが、ブッシュ政権は議会の声高な制裁論とは対照的に天安門事件以後の中国に対して「軟弱姿勢」ともとれる柔軟な態度をとり続けた（石井修「米国の人権外交の理念と現実」『国際問題』一九九〇年六月号）。

議会や世論の盛り上がりに応えてアメリカ国務省は、九〇年二月二一日、「人権報告」を発表したが、中国政府はこれに猛反発し、次のような『人民日報』評論員論文（二月二五日付）を掲げた。

●資料3

「覇権主義の新たな演技

——アメリカ国務省の〝人権報告〟を評す」

〔九〇年〕二月二一日、アメリカ国務省は年に一度の「人権報告」なるものを発表した。この一〇〇〇頁余にのぼる公式文件は、あたかも「世界の人権審判官」のポーズで、世界一〇〇余の国家の「人権情況」なるものについて逐一「論評」している。従来と異なるのは、この報告が大量の紙幅を割いて中国に対して悪どい攻撃を行っていることである。下心は邪悪、言葉は野蛮、手法は卑劣、論理は混乱、実に驚くべきものであり、読者を憤慨させる。

アメリカ当局はいかなる資格があって他国の人権を論評するのか。誰が彼らにこんな権利を与えたのか。全世界が周知のように、アメリカ国内の人権問題は重大であり、国外ではアメリカは人権を蹂躙し、ほしいままに他国の主権を踏みにじっている。アメリカ政府は、他国に横暴な干渉と指弾を加えているとき、鏡にみずからの姿を映すことを忘れている。

遠くはさておき、少し前にアメリカがパナマに侵入した事件を挙げてみよう。

人口わずか二〇〇万のパナマに万にも上る軍隊を派遣し、ほしいままに爆撃し、大量の建築物を破壊し、五〇〇余の無辜の平民を屠殺し、万余のパナマ人を路頭に迷わせたのは誰か。

他国政府の首脳を勝手にアメリカに誘拐し、投獄し、裁判にかけたのは誰か。ノリエガ（大統領）がたとえ有罪だとしてもパナマ人民が処理すればよいことであり、どうして他国が代わりにやることがあろうか。

国際法を無視し、主権国家パナマの若干の大使館に突入し、捜索し、外国大使館を包囲して騒ぎを引き起こしたのは誰か。

パナマで無法にも現政府の官員を任意に逮捕し、パナマ国防軍を改組したのは誰か。

これらすべてはアメリカがやったことではないか。民主主義、自由、人権、人道の影はどこにあるのか。完全に赤裸々な覇権主義、強権政治である。アメリカのパナマ侵犯は国際法の準則に背いており、パナマの独立、主権、領土を粗暴に踏みにじり、パナマ人民が主権を行使してその前途を自由に決定する権利を横暴にも奪い、世界世論の広範な譴責を受けた。世界人権の被告席に座り、人々の批判を受けるべきアメリカ当局がいまや逆に他国の「人権情況」なるものについてとやかくあげつらっているのは、まことに荒唐無稽である。

アメリカ国務省の「人権報告」はアメリカ政府を代表するオフィシャルな文件のなかで、かくも集中的、全面的、露骨に中国政府と中国指導者を攻撃し、ほしいままに中国の内政に干渉したものは、中米関係ではまれに見る事柄である。人々はこう問わざるをえない。アメリカ政府の当局者は一再ならず、中米関係を改善し発展させたいと表明してきたが、これがあなた方の実際の行動なのであろうか。それは中米関係を悪化させ続けるのみである。

「人権報告」の作成者はデマとウワサをおりまぜ、「かもしれない」「という話だ」「推測によれば」「情報に通じた人によれば」「未だ確認されない報告だが」などの曖昧な文字に救いを求めているのは、なんと軽率、浅薄なことか。ここで一例を挙げよう。報告は中国政府は八九年六月に北京反革命暴乱を平定したことを集中的に攻撃し、中国政府はこの事件で「数千人を」殺した「かもしれない」と公然たるデマをとばし、「一〇万人が逮捕されたと推計される」と述べ、「情報に通じた政府筋は一万人が逮捕されたという」と述べている。ときには逮捕者「一〇万」といい、ときには「一万」という。デマを飛ばす者自身が矛盾していたのでは、どうして人を騙すことができよう。

周知のように、八九年六月北京で発生した反革命暴乱は中国の合法政府を覆し、社会主義制度を転覆する陰謀活動であり、アメリカの一部の反中国勢力はこの風波に深く巻き込まれていた。中国政府は憲法と法律に依拠して断固たる措置をとり、暴乱を平定したのは、完全に正しく必要であった。この事件の真相はすでに天下に明らかである。いまや中国の政治は安定し、経済は安定し、社会は安定し、人民は安んじて生活している。この情況のもとで、アメリカ政府がこの報告を持ち出し、事実によってすでに証明されているデマやウワサを繰り返す意図は何か。堂々たる大国政府の正式文件に「まだ確認されていない」材料をもって支えとするのは、笑うべきこと悲しむべきことである！　もし各国がこのようなデッチ上げを行うならば、世界はどんな世界になるのか、国際関係には厳粛性や正常性がありうるだろうか。

アメリカの「人権報告」は中国の内政に干渉したほか、チベット問題について書きまくっている。「報告」はチベット騒乱の平定問題についてデマをとばし、中国は「民族の分裂を擁護し、国家統一に脅威を与えるデモを禁止している」「政府は宗教の方式でチベットの独立を鼓吹することを容認しない」と非難している。「人権報告」の作成者はここで馬脚を暴露している。誰も知っているように、チベットは中国の神聖な領土であり、この点はアメリカ政府も否定できない。であるからには、中国政府がチベットの少数の分裂主義者が祖国を分裂させ、国家の統一を破壊する活動を禁止することに、どんな罪があるというのか。アメリカ政府の「人権報告」の論理によれば、アメリカ人が国内で大いに独立活動をやるのを激励し、アメリカ合衆国がいくつかの州に分裂して初めてアメリカ政府の人権基準に合致するというのであろうか。

この「人権報告」には人権問題とはまるで無関係の中国の国内政策とわが国の国情に基づいて採用した行政措置を強引に押し込めている。

およそアメリカの一部の者の好みに合わないものは「人権に背くもの」と斥けている。たとえば「報告」は「中国政府は全面的な、高度に侵犯的な計画出産〔原文＝生育〕政策を実行している」と攻撃し、中国「公安部は身分証明書を携帯し点検を受ける制度を実施している」と攻撃し、中国でいま週四八時間労働制を実行していることさえも、「人権侵犯」の「罪状」にしている。ワシントンの「人権の守護者」の管轄範囲はあまりにも広い。周知のように、計画出産政策はわが国の国情に基づいて制定された重要な政策である。近年、人口膨張はすでに全地球的な問題になっており、中国政府が人口増加抑制の面で払った巨大な努力とかちとった成果は国際社会の公認するところであり、アメリカの公正な世論を含めて国際世論の賛辞を得ている。この情況下で「人権報告」はわが国の計画出産政策にあれこれ非難する意図は何か。中国の人口が無限に膨張し、人口の荷物で中国を窒息死させたいのであろうか。「報告」がわが国で身分証明書制度を実行していることを攻撃するのもわけが分からない。世界の多くの国々でかねて身分証明書制度を実行しているのに、中国で実行したとたんにアメリカがあげつらうのはなぜか。アメリカ政府はわれわれが早くも八四年にこの制度を開始したことを知りながら、それを六・四の風波と無理に結びつけるとは、デマ製造者の水準はあまりにも低い。

アメリカ国務省のこの報告を通読すると、われわれは次の結論を出さないわけにはいかない。酔翁の意は酒にあらず、「人権」の旗を掲げるのは偽り、今日の国際的大気候を利用して中国に迫ることこそ真意である。最近、国際情勢が変化したため、アメリカはいくらか得意になり、「和平演変」戦略が成功したと考えている。

ところが太平洋の対岸の中国の大地には、社会主義の赤旗が翻り続けており、「和平演変」の戦略家たちを失望させ、懊悩させている。そこで彼らはこの「報告」のなかで、中国に対する怨みつらみをぶちまけた。彼らは「人権報告」のようなデマとウワサをこねまぜたものを通じて、外部から中国に圧力を加え、われわれが「四つの基本原則」を放棄し、社会主義の道を放棄するよう迫れると考えている。これこそアメリカ国務省「人権報告」が中国を攻撃する真の意図である。惜しむべきは、彼らが対象を見誤り、算盤をはじきちがえていることだ。中国共産党と中国人民は圧力を恐れず、邪を信じない。中華人民共和国が成立した日から、われわれを敵視する勢力といくども力比べをやってきた。彼らは失敗の教訓を忘れたのであろうか。

アメリカ国務省の「人権報告」なるものは、われわれにもう一つの反面教材を提供するだけであり、アメリカ政府が「人権」の旗のもとで売るシロモノを見極めさせるだけである。われわれはアメリカ政府の若干の人々に明智をもち、慎重にされたいと勧告する。中国人民が社会主義の道を歩む信念は動揺するはずがないのだ。

（『人民日報』一九九〇年二月二五日付）

この評論員論文のうち、アメリカのパナマ干渉批判は説得力があるが、それ以外の部分はまるで説得力がない。死者数の推定の矛盾を得意になって突いているが、中国当局が信頼できる数字を公表しておれば、こんな問題は生じないのである。アメリカの和平演変戦略家たちの懊悩などと述べているが、社会主義に対する信念の危機は中国人民の抱いているものである。それが見えないのは、人民に敵対する政府当局者だけなのではないか。総じて、この評論員論文のスタンスは中華思想の迷妄のなかで惰眠をむさぼるものにほかならず、居直り的な反発にすぎない。

アメリカをはじめとする「人権外交」に対して、中国当局はその後理論武装を行い、基本的人権を国家主権や民族の独立権、発展権と結びつけて解釈する独自の観点を打ち出すに至った。魏敏「人権の国際的保護と内政不干渉」（『人民日報』一九九一年四月二六日付）は、その一例である。

また、九一年五月九日、総書記江沢民は「優秀障害者と障害者援助先進グループ、個人代表座談会」に出席し、中国の人権問題についてこう語った。

「数十年来、中国共産党は中国人民を指導して自己の人権をかちとり実現するために奮闘してきた。無数の革命の先達は屍を乗り越えて進み、流血の犠牲を恐れなかったのはなぜか。国家の独立権、人民の生存権、発展権をかちとるためであった。圧倒的大部分の人々の根本的利益を保障することが、わが国の人権問題の出発点である。中国で人権を語るとき、何よりもまず世界の七％の耕地で世界の二二％

の人口すなわち一一億人に食べさせることである。〔中略〕現代化建設の発展につれて、より高いレベルのより広範な人権を実現しなければならない」。(『人民日報』一九九一年五月一一日付)

三　保守派の圧力——元老・陳雲の場合

1　陳雲の政治的スタンス

ここで保守派の長老陳雲の政治的スタンスに触れておきたい。まず横顔から始めよう。

陳雲は一九〇五年生まれ、八六歳になる。江蘇省青浦県(現上海市)の人、上海の商務印書館の植字工、印刷工出身である。三四年一〇月、長征に参加し、三五年一月遵義会議に列席している。会議後、結果をコミンテルンに報告するため商人に変装してモスクワ入りし、コミンテルン七回大会(三五年七月)に出席し、三七年に王明らとともに帰国した。三四年の六期五中全会で政治局委員に選ばれている。鄧小平が政治局委員に選ばれたのは五六年であるから、はるかに早い。五〇年代初期に陳雲は政務院〈国務院の前身〉副総理、財政経済委員会主任、鄧小平は同副総理、財政経済委員会副主任であった。ここでも陳雲が一階級上である。五六年の第八回党大会でようやく鄧小平は陳雲と同格になった。当時の六人の政治局常務委員は毛沢東、劉少奇、周恩来、朱徳、陳雲、鄧小平である。

大躍進期に毛沢東の路線を積極的に支持せず、一時表舞台から退いたが、政策の失敗が明らかになり調整期に入った六二年、中共中央財経小組組長として復活した。文革期に党内序列は五位から末席の一一位に転落したが、七八年一二月の一一期三中全会で政治局常務委員、党中央副主席に補選され、さらに新設の中共中央紀律検査委員会第一書記に選ばれ、ついで中共中央顧問委員会主任に選ばれ、今日に至っている。

陳雲の経歴と現在の党内的位置を見ると、彼が鄧小平と並び、ときには超えるほどの声望をもっていることは明らかである。以上の経歴から次の特徴が分かる。

①中共の最高指導層のなかでは珍しく労働者出身（植字工）である。

②三〇年代半ばに、コミンテルンで活動した経験をもつ。「毛沢東の死刑執行人・康生」と陳雲は延安時代に親しい関係にあったと伝えられる。

③第一次五カ年計画期に経済建設の面で活躍し、毛沢東から「党内で一番の経済専門家」と折紙をつけられている。計画経済プラス市場調節からなる陳雲の経済論はのちに「鳥籠経済」論の名で呼ばれるようになった。

④身辺が割合清潔であり、また特定の派閥をもっていない。ただし、国家計画委員会や財政部など計画経済の官僚たちに対して強い影響力をもっている。

鄧小平の開放政策に対しては、過去一〇年ほぼ一貫して消極的あるいは批判的態度を堅持している。

そこで、改革開放政策のもとで欠陥や問題が現れると、批判する側は陳雲の名を持ち上げて議論するのが常である。陳雲が開放政策に対して慎重であり、ときには批判的ですらあることは、次の例からも分かろう。

八一年一二月には経済特区についてこう牽制した。

「広東、福建両省の深圳、珠海、汕頭、厦門の四市の一部地区に経済特区を試行している。いまはこれらだけでよく、増やしてはならない」「広東、福建両省の特区と各省の対外業務は、経験を総括しなければならない」「江蘇省のようなところでは特区をやってはならない。特区の有利な面だけでなく、特区のもたらす副作用を十分に見極めなければならない。たとえば人民元と外国紙幣が同時に流通していると、人民元に不利であり、人民元に打撃を与える」（『陳雲文選一九五六～八五』北京・人民出版社、二七六～二七七頁）。

陳雲はさらに八二年一月にも批判を繰り返している。

「いま特区をやっているが、各省がみなやろうとしている。みなが突破口をつくろうとしている。もしそうなれば、外国の資本家と国内の投機家がすべて登場して大いに投機をやることになるので、そんなことをやるわけにはいかない。特区の第一の問題は経験を総括することである」（『陳雲文選』二八〇頁）。

具体的問題で見てみよう。たとえば、八〇年一二月一日に漢方薬のダンピング的輸出が行われ、それが大問題となったときの一連の指示は以下の通りである。

「注意を喚起すべきであり、具体的な方法を用いて外貨の損失を避けなければならない」（八〇年一二月一日の批示）。

「肥えた水を他人の田に流さない」（原文＝肥水不落他人田）（同年一二月四日、「連合し、統一して外に対することによって初めて良い価格で輸出成約できる」と題した「内部材料」への批示）。

「いま国際市場で若干の中国産品の値下げ現象がある。これは正常な必須の値下がりではなく、各省市、各部門が外貨獲得のためにみずから値下げしているものだ」「われわれは輸出ができるとともに、安売りをしないための方法を研究すべきである。要するに、一言でいえば〝肥えた水を他人の田に流さない〟ことである」（八〇年一二月一六日、「経済情勢と経験教訓」『陳雲文選』二五二頁）。

八二年三月一三日に、中国工芸品輸出入公司の幹部が陳雲に手紙を書いた際には、こう批示している。

「一致して外に当たらなければならない。さもないと、肥えた水が外に流れ、われわれに不利である」。

同年一一月三日には「秋季広州交易会」のある「内部材料」にこう批示を書いた。

「輸出において、肥えた水を外国人の田に流さないためには、われわれは統一して外に当たらなければならない。外国の客人もわれわれが価格を統一することを望んでいる」。

八三年一〇月二〇日、各地では依然として自己の外貨収入ばかり注目し、人民元に関心をもたないとの報告を聞いて、こう語った。

「対外貿易工作は各方面の積極性をひきだすとともに、統一対外を堅持しなければならない。これは対外貿易体制改革の原則である」（周化民・元対外経済貿易部副部長「陳雲の対外貿易理論と実践面における重大な貢献」『陳雲与新中国経済建設』北京・中央文献出版社、一九九一年五月）。

これらの「批示（コメント）」や講話から、陳雲の外国認識あるいは外国との経済協力についての認識が相当に保守的であることが理解できるであろう。

2　胡耀邦、趙紫陽、鄧小平に対する批判

九一年二月一五日、旧暦元旦に中共浙江省党委員会、省政府、省軍区の責任者が杭州で静養中の陳雲を訪問したところ、陳雲は次の見解を明らかにした、という。

この一年余、わが国の変化、進展はすこぶる大きく、容易ならざるものであった。党風、社会の風向きは、いま変わりつつあり、人々の消極的要素もまさに転化しつつある。党の基本方針、政策はやはり一一期三中全会で制定されたものであり、変化はない。方針、政策が確定したあとは、幹部が決定的要素である。そして党中央の総書記は機関車の運転手であり、レールから外れないようこころしなければならない。

この問題を私はよく他の同志と語りあい、趙紫陽問題を分析した。彼が八九年の動乱のなかで態度がふらふらしたのは偶然ではない。彼の態度のために、党と政府は事件をタイミングよく処理できなくなり、影響が大きく損失をもたらした、とわれわれは考えている。この面では、大量の工作

をわれわれはやる必要があり、この任務は大きく困難である。

かねて五年前の今日〔八六年春節〕、私は鄧小平、彭真、李先念、楊尚昆、薄一波らと、党中央の指導グループのナンバーワン、ナンバーツーが重要である、選び方が妥当でないと偏向が生まれ、大事を危うくすると語り合ったことがある。

胡耀邦同志は党の事業に対して忠実であり、党精神が強く、作風は廉潔であり、工作も着実であった。彼の弱点は党内の非マルクス・レーニン主義イデオロギーに直面して、これと対抗しようとせず、流されたことである。イデオロギー面で、ひきずられ〔原文＝遷就〕てはならないこと、これは党の基本原則である。資本主義イデオロギーが分を守って拡散せず、侵食しない。西方大国がイデオロギーの浸透工作をやれないと見るのは、現実的ではない。

カギはわれわれがマルクス・レーニン主義信仰の意識をもって侵食に反対し、浸透に反対することである。胡耀邦同志はこの問題で弱く、関門を突破できなかった。

趙紫陽の情況は異なる。彼が総理、総書記をやった期間、一一期三中全会の基本精神に背いて、左でもなく右でもないという勝手な政策〔原文＝小政策〕を主張した。当時、私と他の同志はいくども趙紫陽に問題を提起し、関心をもち、彼が誤りを是正し、工作を立派にやるよう希望した。しかし、彼は細工を弄して、表では受け入れると言い、注意し、是正すると述べたが、結局それまで通り自分のやり方を改めなかった。

指導層にある方針、政策について、ある事件について異なる見方が生まれるのは正常であり、討論のなかで統一を求めていけばよい。しかし、ひとたび決議になったならば、その通りにやらなければならない。決議内容を値切ってはならない。

毛沢東は建設期にこの問題で大きな誤りを犯した。むろん、われわれの当時の抵抗が十分でなかったことにも責任はある。

当時、鄧小平同志は総書記のポストを趙紫陽が担当するよう提起し、私と他の同志は異議を提起しなかった。しかし、実はいくらか留保していたのである。われわれの世代の鄧小平同志に対する支持と信任は終始一貫しており、食い違いはない。

近年来、外では趙紫陽について鄧小平同志とわれわれがいがみあっていると見る習慣があるが、実はわれわれの多くは党の一一期三中全会の基本方針、政策の起草に参加しており、そのうちかなりの部分は鄧小平同志が提唱したものであることをわれわれは知っている〔傍線は矢吹〕。しかし、趙紫陽は真剣に実行しようとせず、経済政策に背いた勝手な政策を行い、また若干の「一言堂」〈大衆の意見を無視し独断で事を行うこと〉みたいなことをやった。

当時の党内、政府内の腐敗、権力を利用して私益を図る重大な現象について、趙紫陽は総書記として避けられないと考え、驚くべきことではないとした。一党員として、一党幹部として、党中央の総書記として、人民の声が聞えながら、悠然として何もしない、これでは共産党員としての基本的資格がない。

共産党は人民から来たりて、誠心誠意人民に奉仕する党である。私が思うに、わが党員、とりわけ党の指導幹部は、人民への奉仕がどのように行われているかを点検し、人民の声を傾聴し、人民のために問題を解決しなければならない。そうすれば、人民は満足する。この問題は人間の積極的要素を動員することに関わり、党の方針、政策が全面的に有効に貫徹、実行されるかどうかに関わっている。いま、指導グループがこの問題を重視しているのは、たいへんよい。これは共産党の優れた伝統であり、次の世代に伝えていかなければならない。

（陳潔弘「陳雲評胡趙、指鄧選錯人」香港『鏡報』一九九一年第四期）

陳雲は先には「二人の前任総書記」として胡耀邦と趙紫陽を並べて撫で斬りにしたが、ここでは両者を区別して批判している。胡耀邦の弱点は、非マルクス・レーニン主義思想に流されたという「弱さ」の問題にすぎないが、趙紫陽の場合は、陳雲ら長老の忠告に対して面従腹背であったと非難している。面と向かった際には忠告を聞くようなそぶりを見せながら、結局は聞き入れず、自分のやり方でやった、と怒る。人民の声に耳を傾けない趙紫陽には共産党員の資格さえないと酷評している。しかし、趙紫陽はおそらくこう反論するであろう。自分は人民の声に耳を傾けようとした。その結果、長老たちの意見を無視することになったのだ、と。

陳雲の発言でもう一つ興味深いのは傍線部分である。外野席では、改革開放は鄧小平が提起したもの、四つの基本原則は陳雲ら保守派が提起したものと解釈しているが、実は四つの基本原則も鄧小平自身が提唱したものである、という説明である。なるほど事実の経過としてはその通りであろう。

問題の核心は、鄧小平路線が①改革開放と、②四つの基本原則の「二つの基本点」からなるとき、保守派は一貫して②を強調することによって①に掣肘を加えてきた経緯にある。鄧小平は一方では自らの思想的限界のため、他方では保守派とのバランサーの立場、党内操縦の観点から「四つの基本原則」を加えたが、鄧小平の発言によって鄧小平の行動に制約を加えるというのは、高度に政治的なやり方であろう。

陳野萍論文（『人民日報』一九九一年九月一日付）は、幹部の抜擢に際しては「徳才兼備、徳をもって主とする」よう訴えたが、これは延安時代、陳雲が中共中央組織部長であった当時に述べた言葉を踏まえて、論文のタイトルとしたものである。

ソ連政変後の九一年八月三〇日午後、人民日報社長高狄は同社党員大会でソ連情勢を説明した際に、「陳雲、鄧小平のような老世代の革命家が健在なかぎり、中国はもちこたえられる」と語り、陳雲を持ち上げ、結果的に鄧小平をくさしている（香港『鏡報』一九九一年第一〇期）。

第八次五カ年計画の方針を決定すべき一三期七中全会は、保守派と改革派の激しい綱引きの挙句、ついに九〇年一二月末まで開催が遅れた。この会議の方向づけをめぐって、鄧小平はいくつかの指示を出したものと推測されるが、これらの鄧小平指示を陳雲は「毛沢東の最高指示」になぞらえて間接的に批判している。陳雲の指示が伝達された政治局拡大会議（一二月四～七日）は七中全会（一二月二五～三〇日）の開催を最終的に確定した会議であろう。

●資料4
「鶴のひとこえ」に反対する
（九〇年一二月四日〜七日、政治局拡大会議）

科学的なものは、いささかも「衝動」的であってはならず、歴史のわれわれに対する懲罰は、わが指導層の頭を冷まさせるのに十分である。われわれは過去の過ちを繰り返さないように、党内とりわけ政策を決定する指導層が「鶴のひとこえ」などやらないように、千にも万にも注意すべきである。党は一つの全体であり、指導層はグループであり、「鶴のひとこえ」をやると、悪事が容易であり、全党がこの問題を重視するよう教育しなければならない。

いま指導グループは生気はつらつ、信念をもって全党全国人民を団結させられる、活力に満ちたグループであり、今後社会主義建設を行い、四つの現代化という目標を実現する基本的な保証である。われわれ老世代は安心している。

すでに引退したか、あるいは引退する党と政府の指導幹部には逃れられない職責と義務があり、党の事業と、人民の利益のために尽力しなければならない。

（陳潔弘「陳雲反対決策層搞一言堂」香港『鏡報』一九九一年第一期）

陳雲はここで、毛沢東の「鶴のひとこえ」的な独裁が大躍進や文化大革命の誤りを導いたとしているが、そこから教訓を学べというとき、誰しも鄧小平の「鶴のひとこえ」を想起せざるをえまい。鄧小平はこれに先立って八九年一一月の一三期五中全会で軍事委員会主席のポストを江沢民に譲り、第一線から引退していたが、その背景には陳雲発言に代表されるような長老たちの牽制も預かっていよう。もっとも、次の展開は、攻守所を変えて、陳雲ら長老たちが顧問委員会から引退し、顧問委員会を廃止するよう鄧小平が迫る形になる。

3 共産党の腐敗を糾す

第一二回党大会で中共中央紀律検査委員会が成立した際に、陳雲は第一書記に就任し、党員の紀律に目を光らせる「御意見番」になった。しかし改革に便乗した党員の腐敗はとどまるところを知らず、八八年の物価狂乱に際しては、買占めや転売に狂奔する「官倒」（官僚ブローカー）が大衆の憎悪の標的となったことはよく知られている。権力の基盤を崩し兼ねないほどの腐敗に対して、陳雲はこう警告した。

党内の一部の者は確かに腐敗しており、一部の部門の指導部は腐敗しきっている。現在、建党七〇周年も近いが、建国四〇年来、党内が最も腐敗した時期であることを認めないわけにはいかない。単にちょっと逮捕し、粛清するというやり方ではうまくやれない。

五〇年代、六〇年代初めに、私は地方で工作したが、人々が共産党への入党を許されて感涙にむせぶ姿を目にし、労働者や農民が心から共産党は人民に奉仕する、人民の救いの星だ、と讃えるのを聞いた。

いまはどうか。生活水準は少し高くなったが、民百姓が共産党を罵倒し、政府を罵倒しているのが聞こえる。公然と罵倒している。百姓は勇気を出して指導幹部を指差して、共産党は民を掠める党、利己的な党、腐敗した党だと罵倒しているが、これをやめさせる者はない。

共産党の指導部が確かに自分の党の路線に背いており、人民の意志に背いているなら、人民はどうしてこれを擁護し、心から中国共産党万歳を叫ぶことがあろうか。

党の前任の二人の主要な指導者には逃れられない責任と誤りがある。胡耀邦、趙紫陽は総書記ではないか。しかし、われわれとともに指導部で最後の意志決定を行う同志も、より大きな責任を引き受けなければならないのではないか。私はそう思う。

私は党中央の政治局常務委員、中央紀律検査委員会第一書記を務めたことがあり、いまは中央顧問委員会主任であるから、大きな責任がある。君は認めないかもしれないが、党内外の人民は見極めている。認めない主義は、マルクス・レーニン主義者の作風ではない。

党内でイデオロギー論争を行うことは正常であり、これは党内民主主義の重要な現れである。党や国家の大事は、一人が決めておしまいというわけにはいかない。一人で決められるのならば、政治局常務委員や政治局委員など不要ではないか。さきごろ毛沢東なくして新中国なしと宣伝したことがあるが、これは中国革命史に符合しないばかりでなく、マルクス・レーニン主義にも反する。毛沢東は中央指導部の一員である。もし毛沢東なくして新中国なし、ならば、毛沢東なくして文革の災難なし、といってよいのか。

文革期の党内の少なからぬ重要決議は、毛沢東が少数派であり、孤立していたために、彼が家長式に、一人で覇を唱え、あるいは奇襲攻撃をやって、党の優れた伝統を破壊したものである。

これは国家、人民の災難の根源だが、当時わが常務委員や委員には責任はなかったのか。あるはずだし、軽いものではない。これはわが党の最も痛ましい教訓であり、党と人民が血と汗で得た教訓である。党史と社会主義建設における深刻な教訓と挫折を導きとし、次の世代に教えるよう私は提案したい。

（日時不詳、陳潔弘「陳雲説中共現時最腐敗党内不能一個人説了算」香港『鏡報』一九九〇年第九期）

陳雲のこの発言で特徴的なのは「前任の二人の総書記」すなわち胡耀邦、趙紫陽の誤りを批判していること、「党や国家の大事は、一人が決めておしまい」とすることはできないと鄧小平独裁を牽制していることであろう。党内の保守派イデオローグたちは、陳雲の「イデオロギー論争は正常」とする発言を受けて、鄧小平路線に挑戦しているものと考えられる。

一九九一年七月一日は中国共産党にとって創立七〇周年の記念日であった。いわば古稀を迎えるに際して、共産党はさまざまな行事を計画したが、元老陳雲の所見は次のごとくである。

政治局は私に中国共産党建党七〇周年にあたり、話をしてほしいと要望した。数年来、私は党の建設、社会主義建設と改革開放について若干の調査を行い、自分のマルクス・レーニン主義理論を充実させ、向上させた。ここで一部の見解を提起し、同志たちと意見交換したい。

私の見るところ、いくつかの面の工作は強化し、堅持すべきであり、おろそかにしたり、いいかげんにやってはならない。しっかりつかまなければならない。

中央から省レベルまでの幹部は、全国あるいは所属地区、所属部門の党組織と大衆に家族と親戚の政治情況、工作情況、経済情況を公開しなければならない。これまでこの面は高度の秘密としてきたが、いまや改革開放は十数年になる。これ以上秘密にすることは、人民の希望に合致しない。党と人民の監督を受け入れるが、自分と家族、親戚の情況を公開しないのでは、心から人民の監督を受け入れることにならず、ズバリいえば受け入れるふりをするにすぎない。

共産党は虚偽に反対する。虚偽はブルジョア政党のものである。私が思うに共産党にはこれをやれない理由はない。この問題について彭真同志と万里同志も二回提起したことがある。鄧小平同志は完全に賛成したが、趙紫陽は反対した。それは影響するところが大きく、資本主義のやり方だと彼は言った。

いまこの問題について党内の統一はできていないが、障害は除去しなければならない。中央と省レベルではうまくやっており、全国の工場、鉱山企業、単位、学校でも繰り広げているが、二年以内に効果を挙げてほしい。この提案は中央政治局拡大会議でいくどか討論したことがある。決議を通じて党規約、法律として実施したらよい。各級の引退、退職の党政軍幹部も拘束される。

断固として社会主義の道を歩むべきである。中央指導グループは動揺してはならず、方向から離れてはならない。さもないと内戦と外敵の侵略をまねく。

中央から地方、そして農村まであらゆる党政軍幹部はマルクス・レーニン主義の社会主義革命と経済建設の理論を学習し、中央の指導的同志の若干の文章を学習しなければならない。極左主義が四〇年来もたらした悪い結果と六〇年代、七〇年代に個人崇拝によって破壊されたもの、受けた損害を認識しなければならない。

いささかの容赦もなく、中央から地方レベルまで党内の腐敗を粛清し、中央から地方、各単位の廉政工作を立派にやらなければならない。この問題を顕著に改善しなければ党心、民心の回復はむずかしい。

（三年の災害について）私は自然災害という言い方にずっと反対してきた。「自然」の文字はマルクス・レーニン主義の実事求是精神に合わず、党や大衆に対する欺瞞である。主として当時の主な指導者（毛沢東）の誤りである。

国民党はわれわれを倒せなかったし、アメリカを初めとする帝国主義の封じ込めや浸透もわれわれを破壊できなかった。しかし、もし党の建設と廉政に失敗するならば、党の事業は腐敗によって葬られるであろう。

真剣に不断に経験を総括すべきであり、経験の総括を首位におくべきである。全国建設の広がりと深まりに対して、謹厳な科学的態度をもつべきであり、空砲を打ったり、大砲を打って〔ホラを吹くこと〕はならない。統一配置、統一指揮が必要であり、優先順位、軽重が必要である。

（建党七〇周年を記念した談話、九一年六月一三日江沢民伝達。劉伯元「陳雲曲筆批評鄧小平」香港『争鳴』一九九一年第七期）

陳雲はここで高級幹部とその家族についての情報公開の必要性を語っている。党内の腐敗がすでに重大な段階に達しており、腐敗を粛清しなければ「民心の回復」が難しいとする考え方に基づいてのことである。陳雲の身辺は清潔だとかねて言われてきたし、また紀律検査委員会第一書記時代から、彼は腐敗問題に取り組んできている。しかし、一党独裁体制のもとで、党が自らの粛清を実質的に有効に規制することはほとんど不可能ではないか。これまで腐敗粛清はいくども強調されてきたが、腐敗の構造は少しも改善されていないように思われる。三権分立や、その他のチェック・アンド・バランス体制のもとでさえも、権力の腐敗を断ち切ることは難しいのであるから、マスコミの自由がなく、司法権の独立がなく、全国人民代表大会の監督機能がきわめて弱い状況のもとで、党が自らの姿勢を正すことには大きな限界がある。まさに劉賓雁がかつて「人と妖の間」で剔抉したように、「共産党は一切を管理するが、共産党自身だけは管理できていない」。ただし、ここで陳雲が情報公開を力説し、鄧小平が賛成したのに、趙紫陽がこれに反対したとしているのは、具体的に何を指しているのか、よく分からない。

4　第八次五カ年計画について

天安門事件が改革開放のあり方に対して、一つの大きな反省材料となったことはいうまでもない。この教訓を踏まえて、第八次五カ年計画の方向づけについてさまざまの議論が行われたが、陳雲は政治局に対して九〇年一二月初め、以下のように指示した（これは中央政治局が第八次五カ年計画、一〇カ年計画の建議を杭州で静養中の陳雲に届けて指示を仰いだ際のものである）。この陳雲語録は「綱領的指示」として政治局会議で伝達され、さらに各級に伝達されたといわれる。陳雲曰く。

社会主義現代化建設、経済改革は理論的指導を求めており、正確な理論的指導がなければ、予期した成果を得ることは不可能である。資本主義国の経済建設にも理論的指導があるが、彼らとわれわれとの根本的違いは、彼らの理論的指導はその現行制度、資本主義統治集団の政治戦略と最終目的に奉仕する点にある。

私が思うに、党中央の指導層から各部・委員会、省レベルの指導層まで、マルクス、レーニンの経済建設関係の理論を学習、マスター、研究、運用して、経済体制改革を指導して初めて、一一期三中全会の方針、政策を貫徹できるのである。この問題において、面従腹背の態度をとるならば、国家建設の事業は損失を蒙るであろう。

（陳潔弘「陳雲談搞建設要有理論指導」香港『鏡報』一九九一年第二期）

陳雲はここで「マルクス・レーニン主義の枠内」での経済体制改革を主張しており、枠についての考え方はかなり硬直的である。いいかえれば、マルクス・レーニン主義を「発展させる」という観念が陳雲には欠けているごとくである。陳雲の非難する「面従腹背の態度」とは、趙紫陽が社会主義の概念は現在、曖昧模糊としているとして社会主義の枠を柔軟に考え、主として生産力の発展に傾斜したことを指すものと考えられる。鄧小平がきわめて前向きの姿勢で改革開放の新たな道を模索しようとしているのに対して、陳雲は模索のなかでの試行錯誤がマルクス・レーニン主義から外れることを危惧しており、この意味で陳雲の態度は保守的である。

では陳雲の考えるマルクス・レーニン主義の内実とは何か。九一年一月中旬、陳雲は訪問した姚依林、宋健、陳俊生、鄒家華ら中共中央の指導層に対して、こう語っている。

われわれがマルクス・レーニン主義を用いて中国の社会主義建設を指導するのは、装飾としてではない。マルクスが『資本論』のなかで論じた、①社会主義の公有制についての論述、②社会主義経済は計画的釣合いのとれた発展であるという論述、③社会主義は「能力に応じて働き、労働に応じた分配を行う」という論述、はマルクスの科学的予見であり、社会主義の現実によってすでに証明されている。

むろんマルクスの理論は教条ではなく、発展させなければならない。しかし、マルクス理論の精髄は勝手に改めたり、放棄してはならないものである。背けば必ず現実の困難がもたらされ、国家には災難という帰結がもたらされるであろう。五〇年代、六〇年代、七〇年代に沈痛な教訓があり、一二年前にも沈痛な教訓があった〔七八年の華国鋒洋躍進を指す〕。その根本原因は、一つはマルクス・レーニン主義者を自称する者が実はマルクス・レーニン主義が分からず、国情から離れて勝手なことをやったためであり、もう一つは、本人がマルクス・レーニン主義の指導才能を欠いており、またマルクス・レーニン主義を学習しないために、経済法則に外れ、国情から離れた、いわゆる全方位開放をやったからである〔趙紫陽批判にかけている〕。

マルクスが『資本論』のなかで論じたインフレ、コスト、価格、生産性、生産力についての理論は、いま経済面で現れたインフレ、価格改革、計画経済と市場経済の直面する問題にとって指導作用をもっており、答案を探り出すことができよう。

われわれの党規約、憲法にはマルクス・レーニン主義＝毛沢東思想を堅持すると書いてあるが、私の見るところ、最も根本的なのは、マルクス、レーニンの社会主義経済理論を導きとして、一一期三中全会で定めた方針政策を貫徹することであり、こうしてこそ八五計画と一〇カ年計画を順調に実行できる。

（陳潔弘「陳雲談搞建設要有理論指導」香港『鏡報』一九九一年第二期）

陳雲はここで社会主義の定義として①公有制、②計画的釣合いのとれた発展、③労働に応じた分配、の三点を挙げ、それらはマルクスの『資本論』に由来すると論じているが、これは正確ではない。社会主義の定義をこのように矮小化したのは、スターリンである。これらの特徴づけはスターリンがレーニン主義を総括するなかで行ったものにほかならない。特に②の定義は『ソ連における社会主義の経済的諸問題』以来、広範に流布されたものである。陳雲のこれらの発言から分かるのは、一九三〇年代半ばに、三〇歳を超えたばかりの陳雲がモスクワ、コミンテルンで学んだのは、正真正銘のスターリン主義だという事実である。これと比べると、フランス留学の経験をもつ鄧小平のマルクス・レーニン主義は相当に柔軟である。鄧小平自身も一九二〇年代半ばに、二〇歳を超えたばかりのときに、モスクワで学んだ時期があるが、当時はまだスターリンとトロツキーら反対派との権力闘争は決着がついておらず、スターリン主義は公式化されていなかったことが想起される。鄧小平と陳雲、現在の中国共産党の二大元老のマルクス・レーニン主義がともにコミンテルン流のものでありながら、一方は一九二〇年代半ばのもの、他方は三〇年代半ばのものであり、その内容が異なることは興味深い事実である。

上海市長朱鎔基は九一年四月の全国人民代表大会で異例の抜擢を受け、二階級特進して国務院副総理に昇格した。この人事は朱鎔基の欧州訪問（九一年四月二一〜二七日）中に発表された。朱鎔基は欧州から帰国してまもなく、古巣上海に帰った。中共中央顧問委員会主任陳雲が四月上旬に静養先の杭州から上海視察に足を伸ばし、呉邦国、黄菊らに談話指示を行ったので、前市長朱鎔基も同席せざるをえなくなったらしい。陳雲曰く。

浦東の開放、開発はたいへんよい。私は一貫して賛成している。ただし、はっきり語っておかなければならないのは、開放、開発はいずれも社会主義体制の範囲内での開放、開発だということである。

私は反覆、比較を重んじ、またただ上のみ、ただ書物のみであってはならない〔原文＝反覆、比較、不唯上、不唯書〕と語ってきたのは、過去一〇年から教訓を汲み取ったものである。みなさん周知のように、放棄すべきでないものを放棄してはならないし、なくしてはならない。

改革開放は、これまで理論問題を立派に解決していないと、かなりの程度までいうべきである。いま顧みると、ますますはっきりしてきたし、ますます重要だと感じられる。この工作は何人かでできるというものではないし、いくつかの面からやればよいというのでもない。

市場経済とは何か、西方の市場経済とはどんなものかを、はっきりさせているであろうか。私の見るところ、はっきりさせていない。むろん、これはこれまで中央の主要指導者であった者と関わっているが、主としてわれわれ自身が十分に硬骨でなかったためである。浦東開発に対して、中央は大きな決心をした。必ず立派にやらなければならないが、二つの面が含まれる。一つは中国の未来に対して確かに経済的に貢献するものであること、もう一つはきちんとした社会主義モデルであ

（鍾暁「陳雲在滬二会朱鎔基細説開発浦東三原則」香港『鏡報』一九九一年第六期）

ることだ。

この陳雲談話からも、彼の基本的観点が「社会主義の枠」（その内実はスターリン型社会主義）にあることは、はっきり読みとれる。その前提でのみ浦東開発を支持しており、息子陳元（人民銀行副行長）が浦東開発に取り組んでいるのは、いわばお目付け役としてであろう。

このように陳雲の政治的スタンスを見てくると、鄧小平のそれと対照的であることが分かる。社会主義や帝国主義論についての陳雲の定義は、基本的にスターリン時代の原点をそのまま受容しているように見える。鄧小平の場合も基本的にはそれを受け入れているが、プラグマチスト鄧小平はその限界を鋭く見極めており、国際情勢の進展を踏まえて、いわばなし崩しに社会主義の枠を崩そうとしている。陳雲の社会主義経済論は「計画経済主、市場調節従」論（鳥籠経済論）であるのに対して、鄧小平のそれは「計画と市場」はともに「調節の方法」にすぎないと見る（新猫論）。開放政策に対して、鄧小平はきわめて積極的であるのに対して、陳雲は「外国の資本家もまた資本家なり」と繰り返して、資本家に騙されるなと警戒を呼びかけている事実から分かるように、半信半疑である。こうして二大元老は、いわば陽の鄧小平に対して、陰の陳雲の関係にある。ときに対立しつつ、相互補完的な役割を演じてきている。両者のバランスが際どいものであることを考えると、ポスト鄧小平やポスト陳雲時代に、その追随者たちが協調を保ちうるか、それとも激突するか、懸念を禁じえない。

四　改革派の反撃

天安門事件以後、二年近く保守派主導のもとで「安定団結」の名のもとに厳戒体制が敷かれてきたが、九一年初めから、再び改革開放を活性化させようとする兆候が目立ってきた。

1　科学技術は「第一の生産力」論

総書記江沢民は九一年四月一五日から二二日まで、重慶、攀枝花、成都、徳陽、楽山、涼山彝族自治州を視察したが、この過程で「鄧小平同志の提起した科学技術は第一の生産力というマルクス主義の観点」を強調して注目された。「これから一〇年、わが国の科学技術が速く発展できるかどうかは、第八次五カ年計画と一〇カ年計画で決めた目標が実現できるかどうかに直接影響する」として科学技術の発展を呼びかけたのである（『人民日報』一九九一年四月二四日付）。

江沢民は五月二三日、中国科学技術協会第四回全国大会で講話し、同じく「第一生産力論」を繰り返した（『人民日報』五月二四日付）。この会議を論評した『人民日報』社説（五月二四日付）もこのスローガンを繰り返し、またイデオロギー担当の政治局常務委員李瑞環も五月一四日から二一日までの温州、台州、寧波、舟山、杭州、紹興などの視察に際して、これに言及した（『人民日報』五月二二日付）。

これは元来は「八六三計画」に由来する。八六年三月、四人の科学者、王大珩、王淦昌、楊嘉愷、陳芳允が鄧小平宛てに「世界の戦略的ハイテクの発展に追いつくことについて」の建議を書いた。鄧小平はこれを採用するよう指示し、「八六三計画」がスタートした（香港『鏡報』一九九一年第六期）。湾岸戦争以後、ハイテクの必要性がますます認識されるなかで、鄧小平は第八次五カ年計画のなかで、ハイテクの役割を位置づけるように指示したものである。

ただし、このハイテク論も政治の文脈で扱われる。ハイテク強化のためには、さらなる開放政策が必要であり、この意味で、ハイテク論は改革派の世論工作の武器となる。ここから改革派としての鄧小平・江沢民・李瑞環人脈が浮かび上がる。

2　皇甫平の紹介した鄧小平の「新猫論」

次に注目すべきは、皇甫平評論を通じた、鄧小平・江沢民・朱鎔基・上海グループの人脈である。

一九九一年三月二日付『解放日報』は「改革開放には新思考をもつべき」と題する皇甫平評論を掲げた。皇甫平とは中共上海市党委員会宣伝部執筆グループの筆名である。黄浦江の評論の意だが、黄浦江＝上海プラス鄧小平と読むこともできよう。

この皇甫平論文は、計画と市場の関係を対立させるような考え方を「新たな思想的停滞」と断じて注目された。皇甫平曰く。

七中全会閉幕後、続けて開かれた中共上海市党委員会第五期第一一回全体会議で上海の九〇年代の経済振興について少なからぬ新思考が現れた。なかでも重要なことは、敢えてリスクを冒し、大胆に外資を利用して国営の大中型企業の技術改造を進め、対外開放に対応して都市の総合機能の需要を満たし、伝統工業の改造を調整し、第三次産業を重点的に発展させ、上海に万単位の商人の蝟集する商業センターをつくり、全国の金融センター、情報センターたるべきである。

経済の活性化についていえば、八〇年代にわれわれが比較的たくさんやったのが、個体経済、私営経済、合弁経済を含めて多種類の経済セクターを発展させることであったとすれば、九〇年代の改革は、重点を社会主義経済の背骨である大中型の国営企業におくべきである。

困難度がより大きく、カバーする範囲がより広く、より深遠な意義をもつ〝攻堅戦〟〈陣地攻撃戦〉を戦うには、新思考、新工夫がなければならない。八〇年代の改革で用いた若干のやり方を単純に用いるわけにはいかない。

計画と市場との関係についていえば、一部の同志は計画経済＝社会主義経済であり、市場経済＝資本主義経済とすることに慣れ、市場調節の背後に資本主義の幽霊が必ず隠れていると見なしている。

改革のよりいっそうの深化につれて、ますます多くの同志が、計画と市場は単に資源配分の二つの手段、形式にすぎないのであって、社会主義と資本主義を区分するメルクマールではないことを理解し始めた。資本主義に計画はあるし、社会主義に市場がある。

このような科学的認識の獲得は、われわれが社会主義商品経済の問題においてまたもや重大な思想開放を行ったことを意味している。改革の深化、開放拡大の新情勢のもとで、われわれはある種の〝新たな思想的停滞〟〔原文＝新的思想僵滞〕に陥るのを防ぐべきである。われわれは社会主義商品経済と社会主義市場を発展させることを資本主義と単純に同一視し、市場調節といえば資本主義だと見なしてはならない。外資の利用と自力更生とを対立させ、外貨利用の問題で小心翼々であってはならない」〔傍線は矢吹〕。

天安門事件以後ずっと行われてきたイデオロギー引締めの文脈で考えると、たいへん大胆な主張であることが理解できよう。傍線部分はおそらく鄧小平の言葉そのものであり、俗に「新猫論」ともいわれる。

ところで、この論評が発表されるや、中共中央宣伝部は人を上海に派遣して調査したが、その背景が鄧小平であり、しかも多くの部分が鄧小平語録であることを了解したあとで、なおかつ皇甫平評論を批判すべきだとして、『人民日報』『光明日報』の主管者の口から、「皇甫平を批判すべきだ」との言葉が出た。四月に「史的唯物論学会」が洛陽で科学的社会主義理論研討会を開いた際に、中共中央宣伝部の幹部が出席して、皇甫平を批判すべきだとし、その罪状は「ブルジョア自由化に反対しないこと」にあるとしたとある香港誌が報じている〔香港『鏡報』一九九一年第六期、二七頁〕。

3　皇甫平評論の何新批判

これに続いて三月二二日、皇甫平評論は「開放拡大の意識をさらに強めよ」として、外資導入に関わるさまざまの誤った思想を系統的に批判した。ある香港誌の分析によれば、これは事実上、何新論文を論駁したものである（『鏡報』一九九一年第五期、二五頁）。

何新（中国社会科学院文学研究所研究員、矢吹との捏造対談をデッチあげた人物）は、先進国の投資が第三世界の貧困をもたらすとして、「先進国はまず多国籍会社を発明し、続いて外債型経済を発明し、発展途上国の肥えた水（富）を外に流している」（『人民日報』一九九〇年一二月一一日付）と論じた。

何新の謬論を反駁して皇甫平曰く。

鄧小平同志は九〇年代の上海の開放に対して上海は改革開放の旗幟を高く掲げ、浦東開発をもっと速く、もっと立派に、もっと大胆に、と熱い希望を寄せているが、これは九〇年代の上海に与えられた上海の歴史的重責である。

このような意識がなければ、われわれは敢えてリスクを冒し、敢えて天下に先立って胆力を養うことはできないし、挑戦に直面してチャンスをつかみ、進取、開拓、競争のなかで世界に歩むことはできない。

いまに至るも一部の同志は外資導入に際して視野が小さい〔原文＝目光短浅〕ことは、開放問題において新たな思想解放の必要なことを説明している。

九〇年代上海の開放が歩みを大きくするには、一連の斬新な思考をもち、リスクを敢えて冒し、先人のやったことのないことをやらなければならない。これはわれわれの開放意識にとって厳しい試練である。たとえば浦東開発において保税区を設け、輸出入を自由とし、輸出税を免除するような自由港的性質の特殊な政策を実行することは「社会主義の香港」ともいえるような試みだが、もしわれわれが依然として「姓は社会主義か、資本主義か」〔原文＝姓社姓資〕といった難癖をつけるならば、座してチャンスを失うのみである。

外国人が浦東に銀行を設け、バンドに金融街をつくり、上海国際金融センターをつくるような、敢えて天下に先んじて行う探索に対して、もしもわれわれが「新上海か、旧上海か」などとぼんやり考えていたのでは、前進できず、大事を行うことはできない。

現在、開放拡大の一部の措置は、それ自身が改革深化の内容をもっている。たとえば外国人に銀行開設を許すこと自身が金融体制の改革を深化させ、国際化した金融体系の突破を形成するものである。また外国人が不動産を経営するのを許すことも、住宅の商品化を推進し、不動産市場を健全化することに資する。開放拡大の一部の措置は、深層から体制改革をつき動かす。たとえば大規模の外資を導入するには、管理体制の改革から着手して、法制の不備、法の執行が厳格でなく、行政部門の事務能率が悪く、たがいに責任をなすりつけあう状況を改め、投資のソフト環境を大いに改善する必要がある。また外国貿易の拡大のためには、外国貿易の体制改革を深化させ、自主経営、自己責任、工業と貿易の結合、窓口を統一して外に当たる外国貿易経営の新体制を必要とする。また外資を導入して国営企業を改造するなら、必ずや国営企業の管理方式と体制の転換を推進するであろう。

開放拡大の歩みは、われわれに大量の新思考、新意識をもたらし、深層・全方位から思想のさらなる解放をもたらし、観念はよりいっそう新しくなり、社会的ムードはよりいっそう調整されよう。明らかに九〇年代の新情勢のもとで、強烈な開放意識をもつか否かが深層の改革意識をもつか否かの重要な試金石であり、開放拡大の意識を強めることの実質も意識改革の再教育、再深化なのである〔傍線は矢吹〕。

何新問題ついては、拙著『保守派 vs 改革派』（蒼蒼社）第Ⅲ部で詳述した。ここで一言だけコメントすれば、この評論に示された見識こそが健全なものであろう。

4 朱鎔基昇格人事の背景を説明した皇甫平評論

九三年三～四月の政治協商会議、全国人民代表大会において、葉選平の政協副主席昇格、朱鎔基、鄒家華の副総理昇格人事が決定された。さらに続いて五月中旬には胡啓立、閻明復、芮杏文の復活人事がリークされ、六月一日に公表された。

これら一連の異例の人事の背景を皇甫平評論は次のように間接的に説明している。

鄧小平同志はかつて大量の「明白人(ミンバイレン)」を選抜せよと提起したことがある。ここでいう「明白人」とは、四つの基本原則を堅持しつつ、改革開放に熱心な者、マルクス主義に忠誠でありつつ、各自の業務に精通している者、断固として社会主義に献身しつつ、現代資本主義を深く理解している者、強い原則性をもちつつ、高度の弾力性をもつ者、労を厭わぬ奉仕精神をもちつつ、進取の精神を持つ者、醒めた広い思惟をもちつつ、貴重な実務能力をもつ者、集中統一を堅持しつつ、勇敢に独立して責任を負う者である。要するに、改革開放の条件のもとで徳と才を兼ね備えた優秀な人材を養成し、選抜し、任用することである。

大量の才徳兼備の幹部を立派に選び用いるには、何よりもまず大胆でなければならない。鄧小平同志は一〇年前にこう述べたことがある。

「われわれは資本主義社会がよくないというが、人材を発掘し、用いる面では非常に大胆である。そこには資格年功を問わず、およそ任に堪える者ならばこれを用いるものであり、しかもこのことを理の当然とするという特徴がある」。

「改革開放を大胆にやるには、幹部の使用も大胆でなければならない。各級党委員会と組織人事部門は思想を解放し、障害を克服し、時宜に合わない組織、人事制度を改革し、優秀な人材を大いに養成し、大胆に用いなければならない」。

戦国の思想家荀子は『大略』でこう述べている。

「口能く之を言い、身能く之を行うは、国宝なり。口言う能わず、身能く之を行うは、国器なり。口能く之を言い、身行う能わざるは、国用なり。口善を言うも、身悪を行うは、国妖なり。治国者はその宝を敬い、その器を愛し、その用を任じ、その妖を除くべし」と。

荀子がここで提起しているのは、基本的な治国のカナメであり、最も広範に各種の人材を起用することであり、同時に指導的核心のなかに悪人が混入するのを防ぐことである。この思想はわれわれ各級党委と組織部門が重視するに値する。その宝を敬い、その器を愛し、その用を任じというのは、各種各様の人材を広く招き、その長じたところを用いることである。ここでいう宝、器、用とは、人間の才知、才能、才学、才気に対して異なる側面からさまざまに表現したものである。

（「改革開放には大量の才徳兼備の幹部が必要」『解放日報』一九九〇年四月一二日付）

この荀子の言葉は、総書記江沢民も引用していることから判断すると、最初にこの一句を引用して人事構想を説明したのは鄧小平であろうと思われる。

5　北京保守派の反撃——『当代思潮』論文

上海からの思想解放攻撃に対して、北京の保守派はさっそく反撃に転じた。四月二四日付『人民日報』は天安門事件以後、保守派の肝煎で出版された『当代思潮』の評論員論文「なぜ断固としてブルジヨア自由化反対を堅持しなければならないのか」（一九九一年第二期）を転載して、皇甫平論文には「ブルジョア自由化反対」が欠如していると暗に攻撃した。これは徹頭徹尾、鄧小平語録に依拠してブルジョア自由化反対を論じている。まず八六年九月の一二期六中全会で精神文明決議が採択された際の鄧小平語録を引用する（『建設有中国特色的社会主義（増訂本）』一四二～四三頁）。

ついで皇甫平が「開放拡大の意識を強めるには、よりいっそう思想を解放せよ」と論じたのに対して、鄧小平が八五年五月に陳鼓応教授に語った談話を用いて反撃する。「一一期三中全会は開放政策の実行を決定したが、同時に自由化の風を押さえ込むことを要求している。これは相互に関連する問題である。この風を押さえ込まなければ開放政策を実行することはできない」（『建設有中国特色的社会主義（増訂本）』一〇九～一一頁）。

最後に三度鄧小平の一二期二中全会講話（『建設有中国特色的社会主義（増訂本）』二三一～三七頁）を引用する。そして「ブルジョア自由化を堅持する者に対しては、闘争を堅持しなければならず、断じて手を緩めてはならない」と保守派の観点を明示している。まさに「子の矛をもって子の盾を攻める」の構図にほかならない。

さて、上海の皇甫平と北京の『当代思潮』の対立について、何新が介入して発言した。『鏡報』は次のように書いている。

この尋常ならざる南北筆墨大戦がある者を驚かせた。すなわち学術界で「新蒙昧主義の発起人」〔原文＝新蒙昧主義発起人〕とされている何新である。何新は最近「中央宛ての書簡」を書いたが、その要旨は「中央内部の闘争を公然化してはならない。暴露してはならない。中央の指導的同志は党内の異なる思想の闘争は速度が速いか遅いかの争いにすぎないのであり、自由化との闘争こそが生死存亡の闘争なのだ」というものである。「何新の子わっぱめ（原文＝何新豎子）」が敢えて中共トップにこのような教訓を垂れようとしたのは、次の背景があるといわれる。

三月に、鄧小平は李先念、江沢民を上海で訪ねて、第一四回党大会で江沢民、朱鎔基に指導権を委ね、朱鎔碁を総理にすることを提案した。これは当然ながら、中共トップ・レベルの新たな権力闘争を引き起こした。李鵬が第一四回党大会で実権を放棄することはすでに固まったが、李鵬は総理のポストを留ソ派仲間の鄒家華に渡そうとしている。（香港『鏡報』一九九一年第六期、二八頁）

「新蒙昧主義の発起人」「何新の子わっぱめ」といった揶揄、侮辱的表現から中国および香港の改革派知識人から見た何新のイメージが知られる。同じく保守派の牛耳る『求是』（一九九一年第一二期、六月一六日刊）は評論員論文を掲げて、高級指導幹部を含む一部の同志は「経済工作と日常の事務に没頭し、理論学習を重視していない」と改革実務派を批判している。改革派が内容空疎なイデオロギーと保守派を批判すれば、保守派は日常業務に没頭し、理論を軽視していると改革派を批判しているわけだ。

五　ソ連八月革命の中国に与えた衝撃

1　中共中央を震撼させたソ連クーデタの失敗

ソ連八月革命の中国に与えた衝撃の大きさを端的に示すものは、『人民日報』報道の豹変ぶりである。まず九一年八月二〇日付『人民日報』は一面右肩の目立つ位置に「ソ連副大統領ヤナーエフがゴルバチョフの大統領職務停止を命令」とタス通信一九日早朝のクーデタを大きく伝えた。ヤナーエフが大統領の職務につき、国家非常事態委員会が成立し、国家の全権力を掌握したこと、この委員会は大統領代行ヤナーエフ以下八人で構成されていること、などを報道し、非常事態委が一九日に発表した「ソ連人民に告げる書」のなかから「ゴルバチョフのペレストロイカが袋小路に陥り、国家と人民の運命がきわめて危険な秋(とき)にあたり」、ソ連公民は委員会の危機からの脱出努力を支持するよう呼びかけたと報じている。

これらは「客観報道」のスタンスであり、中国側のコメントは一切ないが、クーデタをきわめて好意的に見ている。すなわち、この報道はクーデタの首謀者側の主張を「客観的」に報道したものにほかならない。

翌二一日付『人民日報』は、一面に、中国外交部スポークスマンの談話を掲げた。「ソ連で発生した変化は、ソ連内部の事柄である。中国政府は外国の内政干渉に反対し、各国人民の選択を尊重し、ソ連人民がみずからの問題をみずから解決するものと信ずる。中ソ関係が引続き発展する上で影響はない」。六面では、クーデタ関連ニュースを詳報している。

ところが保守派の喜びはヌカ喜びに終わった。二二日に紙面の流れが変わる。一面右肩に「ゴルバチョフが情勢をコントロールしたと宣言、ソ連国防部は緊急状態地区の部隊の撤兵を決定した」と報道して、クーデタの失敗を伝えた。二三日付『人民日報』第一面に「銭其琛外交部長がソ連大使ソロビヨフにゴルバチョフが大統領に復帰したあとも、両国関係の発展を信じる、と語った」と報道。六面では、クーデタ失敗を確認する報道を行っている。二四日以降、一面からソ連ニュースが消えた。以後、ソ連関係ニュースは国際ニュースを扱う六面にしか載らなくなった。

私は八月下旬北京を旅行したが、人民大会堂で一連の政治局会議を断続的に開いていること、三環路と建国門立体交差点では、夜間天安門周辺へ向かう車両を検問していた事実を確認した。中国の当面の対応は「引締め堅持」の一語に尽きる。まず第一にイデオロギー面での引締めであり、第二に治安取締りの強化である。後者には民主化運動に対する容赦ない弾圧や、民主化運動に影響を与える西側報道および中国在住西側社会に厳しい監視の目を向けることが含まれる。北京市内の外国人用アパートへの中国人の出入りに対するチェック体制の強化などは、その一例である。

●資料5

絶密・ソ連の事件についての中共中央の伝達報告

（一九九一年八月末）

はじめに

最近ソ連で発生した事件〔クーデタの文字を使っていない〕は、世界の注目を集めている。疑いなく、これは現代の一大事件である。

八月一九日早暁、前ソ連副大統領ヤナーエフをはじめとする八人は、ソ連国家非常事態委員会を設け、ソ連の政権を接収管理した。ソ連の事件の発生は、実際にはソ連の党政軍内の若干の同志が、日増しに混乱するソ連の政治経済の局面を転換し、ソビエト政権分裂の危機を克服し、レーニンの故郷において、社会主義の道を堅持しようとするものであった。しかし、今回の努力は予期した成功を得られなかった。これは沈痛な歴史的教訓である。

1 〔クーデタ〕失敗の原因

ソ連の事件が失敗した原因は、概括的にいえば、六つある。

ヤナーエフら八人からなる国家非常事態委員会のメンバーは、党政軍などの面で重要な責務を担当していたとはいえ、大部分は五〇、六〇歳であり、経験が不足していた。少数の者は六〇歳を超えていたが、「多謀善断」の領袖を欠いており、全局をコントロールできなかった。

八人のメンバー間でも十分な信念と団結を欠いていた。たとえば総理パブロフは翌日病気と称して引きこもったが、これは反対勢力に弱点を見せることになった。

第二は、ソ連国家非常事態委員会が権力の接収管理を準備する前に、ゴルバチョフを軟禁したとはいえ、在野の反共勢力の指導者エリツィンを断固として、果断に、語気も表情も変えずに逮捕しなかったことである。群竜無首、反対勢力の中心が形成されるのを許したことである。

エリツィンを逮捕せず、単に批判的な声明を発表しただけであるために、エリツィンは一息つき、気をとりなおして、反対勢力を組織し、こうして雰囲気を盛り上げたので、情勢をコントロールできなくなったのである。

第三は、ソ連国家非常事態委員会は『ソ連人民に告げる書』のなかで「いまや祖国の命運に責任をもち、最も断固たる措置を採ることを決意し、速やかに国家と社会の危機から脱却する」と述べたものの、具体的措置の実施においては断固たるものではなかった。

八月一九日事件の発生後、ソ連国家非常事態委員会はソ連の国営テレビといくつかの新聞を抑えただけで、放送局を抑えることさえしなかった。通信も切断せず、空港も閉鎖せず、多くの重要部門を直ちに抑えることもしなかった。たとえば通信を切断しなかったために、エリツィンら反対勢力は外界〔ソ連国内および西側〕と連絡をとることができた。措置が断固としておらず、いわんや厳しいものとはいえなかった。

第四は、軍隊を動員したにもかかわらず、軍隊に対する平時の政治思想教育が不十分であったために、役立たなかったことである。

今回の事件が発生したとき、国防部長ヤゾフ、内務部長プーゴ、KGB議長クリチコフらは、八個師団の兵力しか出動させなかった。これでは威嚇の目的を達成することはまるで不可能である。しかも、KGBが軍隊に、エリツィン逮捕を命じた際に、軍隊の指導者はそれを拒否すると表明し、エリツィンは合法的に選出されたロシア大統領であり、エリツィン逮捕は違法である、と述べた。これはソ連共産党の平時における軍隊への政治教育にたいへん問題のあることを物語っている。

第五は、ソ連国家非常事態委員会メンバーが事件の性質の重大性、闘争の尖鋭性に対して十分な認識を欠いており、合法的に権力を獲得し、ゴルバチョフ打倒の情勢を合法的につくろうとしていたことである。八人の委員会は八月二六日に全国ソビエト最高会議を開いて、議会の場でゴルバチョフから権力を引き渡してもらうことを準備していた。

当然ながら、これはゴルバチョフの態度を硬化させた。国家非常事態委員会の四メンバー、クリチコフ、バクラノフ、チジャコフ、ヤゾフからなる代表団が軟禁されているゴルバチョフに会いに行ったところ、ゴルバチョフは会おうとしなかっただけでなく、逆に、ロシア議会代表団を接見した。そしてKGBのクリチコフは手錠をかけられ、人質にされ、ゴルバチョフとともにモスクワに戻る始末であった。

このような合法思想に基づいた行動であったために、受動的にならざるをえず、ついに失敗したのである。

第六は、明らかに西方国家がエリツィンの反対勢力を支持したことである。

ソ連の事件が発生したあと、実はエリツィンは茫然自失、あわてふためくばかりで、なすところなかったのである。エリツィンがイギリス首相メジャーと電話で話したとき、エリツィンは悲観的に見え、いく日ももたない、もうすぐお陀仏だ、と述べた。そして西方世界が強い圧力をかけて助けてくれるよう訴えた。

しかし、エリツィンがアメリカ大統領ブッシュと電話で話したあとは、態度が急変し、積極的に行動するようになった。実は電話でブッシュ大統領がエリツィンにこう伝えたのである。アメリカが得た情報によると、ソ連の軍隊はほとんど出動しておらず、国家非常事態委員会の側に参加している形跡はない。ゴルバチョフは病気ではなく、強硬な態度を採っている。国家非常事態委員会は合法的なものではなく、情勢を掌握してはいない、など。

アメリカをはじめとする西方世界のエリツィンに対する支持は、エリツィンの勢力を急速に膨張させるたいへん重要な原因となった。

2 〔クーデタ〕失敗の中国に対する影響

ソ連の事件が失敗したあと、一連の激震が起こり、レーニンの故郷は変色した。エリツィンをはじめとする反共勢力は、西方世界の慫慂と支持のもとに、中ソ国境でトラブルを挑発し、中ソの国家関係に紛糾をつくりだす可能性を排除することはできない。

次に、中国内外の反対勢力は、ソ連の事件が失敗した機に乗じて、各種の手段、各種の方式を用いて、中国に対して和平演変を主とする浸透を行い、社会主義中国の政権を転覆させようと企てるであろう。アメリカをはじめとする敵対勢力のわが国に対する圧力はよりいっそう強化され、中国内外の若干の組織も蠢動するであろう。

3 われわれの対策

(1) 各級党組織の指導者は、出現するさまざまな問題を重視しなければならない。ソ連の事件に対して、各単位の指導者は、政治学習と民主生活のなかで、正面からの指導を行い、大衆との対話を強化し、大衆の真の思想を掌握し、各種の問題を適宜解決しなければならない。

(2) 改革開放を堅持し続けなければならない。中国の改革開放政策を堅持して初めて、中国の社会主義事業を発展させ、強固にすることができる。
(3) 腐敗に懲罰を加え、全党の肉体を健全ならしめ、党と軍の関係を改善しなければならない。
(4) 安定した経済建設の環境を確保し、動乱の一切の要素に対して、断固たる措置を採らなければならない（断じて手を緩めるな！とある中央指導者が叫んだ）。
(5) 軍隊の政治思想工作を強化し、軍隊に対する党の絶対的指揮を保証しなければならない。

ソ連のクーデタ失敗に対する中共中央の見解は、たいへん興味深い。「失敗しないクーデタのやり方」を教えたこの文件は、一方では、クーデタの常識、最低限の必須事項を説くとともに、その視点はあくまでも中共中央の「八老治国」のそれであることが特徴的である。五〇、六〇歳の若僧には「経験が足りない」などとお説教しているところに、そのスタンスがよく出ている。「八老」グループの一部は、かつて七六年の反「四人組」クーデタを成功させた自信をもち、また天安門事件を断行したグループであるだけに、迫力のある分析になっていることは、確かであるといえよう。

2 保守派による『解放日報』反批判

九一年八月三一日付上海『解放日報』は、評論員論文を掲げて、旧套墨守ではなく、壮士が腕を断つような英断で改革開放を進めよと論じた。

これはソ連の衝撃に乗じて、中国社会主義の危機を大いにあおり、改革開放を大幅に後退させようとする保守派の策謀に反発したものであり、皇甫平評論の続編にあたるものと解釈できる。

一方、陳野苹（八三～八四年当時、中共中央組織部長）「徳才兼備、徳をもって主となす——幹部選抜の基準を論ず」（『人民日報』一九九一年九月一日付）は、『解放日報』の説いた幹部政策に対して公然たる反論を繰り広げた。

陳野苹論文は「北京の反革命暴乱の鎮圧以後、わが党は趙紫陽同志の一連の誤りを清算したが、そのなかには生産力を基準として幹部選抜の基準とし、才を重んじ徳を軽んじた誤りも含まれる」と、趙紫陽を名指し批判したことがまず注目される。

この論文は、タイトル「徳才兼備、徳をもって主となす」が陳雲の言葉であることから分かるように（「幹部工作についての若干の問題」『陳雲文選一九二六～一九四九年』一四七頁）、徹頭徹尾、陳雲の観点に依拠して、趙紫陽の「生産力を基準とした幹部選抜」「才を重んじ徳を軽んじた誤り」を批判したものである。ここで直接的に批判されているのは、趙紫陽の誤りだが、「生産力基準」という言葉から人々が想起するのは、鄧小平の「白猫黒猫」論であり、新「猫論」にほかならない。つまり、この論文は、趙紫陽を批判しつつ、言外に趙紫陽を起用した鄧小平の誤り、特に「生産力基準」の誤りを批判したものにほかならない。しかも、この論文は『周礼』「地官司徒」や『荀子』を引用しつつ、第一四回党大会を意識した幹部政策を論じており、ソ連革命という衝撃を踏まえて、皇甫平の『解放日報』四月一二日付評論（「改革開放には大量の徳才兼備の幹部が必要」）に対抗しようとしたものであることは明らかである。

保守派の長老陳雲は「エリツィンのような人物が中国に現れるのを阻止せよ」と側近に指示したと

『サウスチャイナ・モーニングポスト』（香港、一九九一年九月四日付）がスッパ抜いている。

陳雲の言う「エリツィンのような人物」とは、朱鎔基副総理を指すと同紙は解説している（かつて毛沢東は政敵劉少奇を「中国のフルシチョフ」と呼んで、ついに失脚させた）。朱鎔基が政治局委員に昇格し、いずれは李鵬後継の総理ポストに据えようとする鄧小平人事を牽制したものであろう。

来るべき八中全会では、九二年に予定されている第一四回党大会の開催について、人事候補を含めて、その段取りが決定されるであろう。

3 『人民日報』社説（九月二日付）の「削除騒動」

ソ連ショックが一段落した九月二日、『人民日報』は一面トップに「改革開放をさらに一歩進めよ」と題する社説を掲げた。そこでは「十数年来の改革開放がわが国の社会主義に強大な生気を注入し、国家と社会の事業全体を勢いよく発展させた」と評価し、「四つの基本原則が立国の本であり、改革開放は強国の路である」ことは、人民の共通認識になったとしている。

ついで「改革開放」の「正しい方向」についてこう論じている。

「われわれの改革は四つの基本原則の堅持を前提として行うものであり、断じてブルジョア自由化をやってはならない。もし経済上で私有化を実行し、政治上で西側の複数政党制〔原文＝多党制〕を実行し、イデオロギー上でマルクス・レーニン主義＝毛沢東思想の指導的地位を取り消す多元化を実行するならば、党と国家は混乱に陥り、党と人民が七〇年奮闘してきたすべての成果を葬ることになろう」。

実はこの社説を『人民日報』理論部が執筆し、イデオロギー担当の政治局常務委員李瑞環が決裁したのに対して、『人民日報』社長高狄が保守派好みのセリフを挿入し、その後、鄧小平の鶴の一声で挿入部分が再度削除される事件が発生した。

新華社が最初に配信し、北京放送が放送した際には「改革開放のもとで社会主義を堅持するためには、われわれは改革開放が姓は社会主義か、資本主義か〈原文＝姓社姓資〉を問わなければならない。また公有制を堅持するものでなければならない」という一句があり、その後『人民日報』に掲載される際にこの部分が削除され、北京放送も修正済み原稿を再放送した（『東京新聞』九月三日ほか）。

「姓は社会主義か、資本主義か」とは、三月二二日付皇甫平評論でも一蹴されているように、保守派が改革開放に対して「資本主義的偏向」と疑問符をつける場合の決まり文句である。したがって、保守派（高狄）はソ連ショックの機に乗じて、改めて「改革開放＝資本主義」という議論を『人民日報』社説に密かに挿入しようとして、改革派の反撃を受けたものと解釈してよい。

中南海イデオロギー学はまことにややこしい。

私なりの言葉で表現するならば、こうなろう。鄧小平路線とは、「社会主義体制堅持」の看板のもとで「資本主義的経済システム」を密輸入するものにほかならない。しかしそこで密輸入される実体を「資本主義」と読んではならないし、またその実体の密輸入に反対することも許されない、と枠をはめる。

ここで「資本主義的経済システムの密輸入」をやめよというのが保守派の主張であり、彼らの目標は計画経済論の復権である。これに対して、急進改革派の主張は「資本主義的経済システムの導入」をより効果的に行うためには、「社会主義体制堅持」という縛りをできるかぎり柔軟に解釈しなければならない、というものである。ここで争点は、私の言葉でいえば、「社会主義体制」という亡霊をいかに「安楽死」させるかの問題に尽きるわけだ。

4 『人民日報』胡喬木論文（九月七日付）の「掲載差止め」騒動

九月七日付『人民日報』は保守派のイデオローグ胡喬木が『中国共産党の七〇年』（建党七〇周年記念党史）に寄せた「巻頭言」を転載した。『読売新聞』によると、この原稿は六日午後二時すぎに新華社通信が配信したが、同日夕刻になって「しばらく使用を見合わせて欲しい」との「異例の差止め電」を流した、曰く付きの原稿だという。

胡喬木「巻頭言」に曰く、

「文革の一〇年は悲惨な一〇年であったが、この時期もただ全くの暗黒というのではなかった」。

これは文化大革命に対する一定の名誉回復あるいは再評価である。

曰く、

「改革開放が偉大な成果を挙げた一〇年のうちに、二代の総書記の重大な誤りが生じた」。

これはむろん、胡耀邦批判、趙紫陽批判である。この重大な誤りを指摘することは、政治の文脈においては、胡耀邦、趙紫陽を抜擢した鄧小平の誤りを間接的に批判することを意味する。

結局、胡喬木「巻頭言」は、『人民日報』のみがそのまま掲載し、他紙には転載しない線で扱い方について妥協が成立したようである。つまり、鄧小平の改革開放路線に対する否定的評価を意図した保守派のキャンペーンを改革派は、辛うじて『人民日報』だけの報道に封じ込めた形である。

しかし、鄧小平存命の間からすでに「鄧小平・間接批判」論文が『人民日報』に登場するところに、老いた鄧小平の指導力、影響力の減退を見ることができよう。これが保守派の圧力に屈して判断を誤り、胡耀邦、趙紫陽を相次いで切捨て、改革開放への手足を失ったラスト・エンペラーの悲哀にほかならない。

5　中共中央工作会議（九一年九月）の裏の主題

九一年九月二三〜二七日に、中共中央は工作会議を開いた。会議の「主要議題」は国営大中型企業の活性化問題である。総書記江沢民が総括講話を行い、総理李鵬が「当面の経済情勢と国営大中型企業をいっそう立派にすることについての講話」を行った。

会議の出席者は、江沢民（総書記）、李鵬（総理）のほか、楊尚昆（国家主席）、万里（全人代委員長）、喬石（政治局常務委員）、姚依林（政治局常務委員）、李瑞環（政治局常務委員）、王震（国家副主席）、田紀雲（政治局委員）、李鉄映（政治局委員）、李錫銘（政治局委員）、呉学謙（政治局委員）、秦基偉（政治局委員、国防部長）、丁関根（政治局候補委員）、鄒家華（中央委員）、朱鎔基（中央委員候補）、薄一波（顧問委員会副主任）、宋仁窮（顧問委員会副主任）、劉華清（中央軍事委員会副主席）、楊白冰（中央軍事委員会秘書長、中央書記処書記）、温家宝（中央弁公庁主任）、倪志福（全国総工会主席）、陳慕華（全国婦女聯合会主席）、王丙乾（財政部長）、王芳（国務委員）、李貴鮮（国務委員）、陳希同（国務委員）、陳俊生（国務委員）、任建新（最高人民法院院長）、劉復之（最高人民検察院院長）、王任重（全国政協副主席）、胡縄（全国政協副主席）である。

このほかに出席したのは、各省レベル、各計画単列都市〈経済体制やその管理権限が省級に匹敵する経済計画を享受する中央政府直属の市〉、中央直属機関各部門、全人代、全国政協、中央国家機関各部門、軍事委員会各総部、各大単位の責任者である。

この出席者の顔触れから察せられるのは、「裏の主要議題」である。すなわち「ソ連八月革命」への対応が隠されたテーマにほかならない。さもなければ、楊尚昆、王震、秦基偉、薄一波、宋仁窮、劉華清、楊白冰、任建新、劉復之、王任重、胡縄などの出席理由を説明できないであろう。

表向きの議題たる「国営企業の活性化」については一二カ条の措置を決定した。過去数年来の国営企業の経済効率の悪化傾向は、依然として続いており、国家財政赤字は解消の見通しが立たず、三角債〈複数企業間における債務不履行の連鎖〉も依然、努力にもかかわらず増え続けている。この意味では国営企業の活性化対策は急務である。しかし、会議を通じて打ち出された一二カ条には目新しい措置は見当たらない。これまで繰り返し指摘されておりながら、実行されていないお題目を列挙した感を否めない。

この中央工作会議が、八中全会の準備会議としての性格をもつことは、すでに中国系香港紙が指摘しているところである。八中全会の課題は、本来なら九二年に予定されている第一四回党大会の開催方針を決定し、大会代表の選出を指示するはずのものであった。大会においては、政治報告の基調を決定し、それを推進する人事体制を決定しなければならない。したがって、半年前の中央委員会でおよその方針は固めなければならないというスケジュールになる。

こうした政治日程を控えて、改革派と保守派の綱引きあるいは権力闘争が激化していたところへ、ソ連八月革命の衝撃波が伝わり、指導部が混迷に陥ったごとくである。

世界的、歴史的潮流のなかで、中国共産党が埋没しない道はただ一つ、改革開放をさらに進めて、経済を発展させ、政治を安定させることである。これ以外に道はない。しかしながら保守派は危機感に恐怖するあまり、冷静な判断力を失い、墓穴への道を急いでいるように見える。すなわち、彼らは衝撃波を悪用して、イデオロギー引締めに狂奔するだけでなく、予定されていた若返り人事にさえブレーキをかけようとしていることは、すでに見たごとくである。

天安門事件以後、鄧小平が進めてきた第一四回党大会で「趙紫陽路線」（社会主義初級段階論）を完全復活させる構想（趙紫陽は名誉職として復活）は重大なカベにぶつかった。もし積極改革路線の復活に失敗し、それが名存実亡となるならば、共産党の支配は長老の死とともに終焉するほかない。

結び　鄧小平路線の三大矛盾

毛沢東の課題は革命世代の同志たちのなかから後継指導者を選択することであったが、たとえば劉少奇、林彪のケースのように、これに失敗した。

鄧小平の課題は、革命第二世代のなかから後継者を選択することだが、胡耀邦、趙紫陽の例が示すように、すでに半ば失敗している。革命第一世代と違って、第二世代は「長征」や「建国」における功績を誇れるような政治的資産を欠いている。したがって、政治や経済における治績という実績によって大衆の支持をかちとり、その正統性、正当性を認めてもらうほかない。

単に共産党内で選ばれただけでは、正統性とはいいがたい。共産党は一政党にすぎないのであり、それが権力にとどまらなければならない理由は、存在しない。権力にとって肝要なのは民意である。「民は食を以て天となす」の対は、「王は民を以て天となす」（『漢書・酈食其伝』）である。民意を問う道を拒否し、ひたすら一党独裁体制を守ることに汲々とするならば、それは墓穴への道を急ぐことになるほかない。

この意味で、中国共産党はいま政治改革を含めた体制改革によって、権力の腐敗部分を切除し、民意をかちとるために必死の努力を行うことが求められている。それに成功すれば、「社会主義体制の堅持」

「共産党の指導の堅持」の表看板のもとで、資本主義システムを密輸入する鄧小平戦略が効を奏して、二一世紀への中国への軟着陸が可能となるであろう。保守派が銘記すべきは、中国共産党の支配体制がいま辛うじて維持されているのは、彼らのいう社会主義の成果のためではなく、合弁企業に象徴されるように、資本主義的システムによって体制を補強したからなのである。それこそがソ連の政変から学ぶべき真の教訓だというべきである。

他方、改革派からすると、問われているのは鄧小平路線の功罪を見極めることであり、鄧小平流の「共産党・社会主義延命策」の限界である。もはや矛盾に直面して立ち止まることも後退することも許されない。改革開放の旗を掲げて、国際社会との協調をめざしつつ、前進するほかあるまい。この場合、政治改革は避けて通れない。

私は鄧小平路線の三大矛盾を、次のようにとらえてきた（たとえば『読売新聞』主催のシンポジウムに提出した論文、一九九一年五月）。

第一は、外交政策と内政の矛盾である。開放政策を掲げつつ、和平演変論を説くのは、自家撞着もはなはだしい。

第二は政治と経済の矛盾である。一党独裁体制の政治を守りつつ、商品経済の導入を図ることには無理がある。

第三は経済政策内部の矛盾であり、計画経済体制堅持と商品経済の導入は相容れない。

これらの三大矛盾は、長期的には開放政策が和平演変反対政策を骨抜きにし、経済改革が政治改革を促し、商品経済が計画経済に代替することは、まず間違いない。この意味で、現在の基本的な課題が

「脱社会主義」あるいは「社会主義の安楽死」にあることは、ほぼ明らかである。

したがって、焦点はいかに犠牲や混乱を少なくして、この過渡期を乗り切るかである。あらゆる意味で「軟着陸（ソフトランディング）」が必要である。一一・五億の人口はあまりにも重いために、地球の重心が傾きかねないからである。人類が生き延びるための叡知をいまほど求められている時代はない。

（初出：『保守派 vs. 改革派——中国の権力闘争』（スペシャル・ブックレット）蒼蒼社、第I部、一九九一年一一月）

やぶき すすむ

1938年福島県郡山市生まれ。県立安積高校在学時に朝河貫一を知る。1958年東京大学教養学部に入学し、第2外国語として中国語を学ぶ。1962年東京大学経済学部卒業。東洋経済新報社記者となり、石橋湛山の謦咳に接する。1967年アジア経済研究所研究員、1971～1973年シンガポール南洋大学客員研究員、香港大学客員研究員。1976年横浜市立大学助教授・教授を経て、2004年横浜市立大学名誉教授。現在、21世紀中国総研ディレクター、公益財団法人東洋文庫研究員、朝河貫一博士顕彰協会会長。

著書は単著だけでも40書を超え、共著・編著を合わせると70書をゆうに超える。ここでは本シリーズ「チャイナウォッチ」からはずれる朝河貫一の英文著作を編訳した『ポーツマスから消された男――朝河貫一の日露戦争論』（東信堂、2002年）、『入来文書』（柏書房、2005年）、『大化改新』（同上、2006年）、『朝河貫一比較封建制論集』（同上、2007年）、『中世日本の土地と社会』（同上、2015年）、『明治小史』（『横浜市立大学論叢』、2019年）の6書、朝河を主題とする『朝河貫一とその時代』（花伝社、2007年）、『日本の発見――朝河貫一と歴史学』（同上、2008年）、『天皇制と日本史――朝河貫一から学ぶ』（集広舎、2021年）の3書を挙げておきたい。

チャイナウオッチ
矢吹晋著作選集
2
天安門事件

2023年2月10日初版印刷
2023年2月20日初版発行

著者　矢吹晋
発行者　飯島徹
発行所　未知谷
東京都千代田区神田猿楽町 2 丁目 5-9　〒 101-0064
Tel. 03-5281-3751 / Fax. 03-5281-3752
［振替］　00130-4-653627

編者　朝浩之
編集協力　（株）デコ
組版　柏木薫
印刷・製本　モリモト印刷

Publisher Michitani Co, Ltd., Tokyo
Printed in Japan
ISBN 978-4-89642-672-4　C0322

2022年9月29日　日中国交正常化50周年　記念出版

チャイナウオッチ
矢吹晋著作選集
全五巻

第二巻　天安門事件（本書）

第一巻　文化大革命（既刊）

第三巻　市場経済（既刊）

第四巻　日本－中国－米国、台湾（既刊）

以下、続刊

第五巻　電脳社会主義

四六判並製函入　各巻平均 400 頁

各巻予価本体 2700 円＋税

未知谷